DaF
im
Unternehmen A2

Kurs- und Übungsbuch

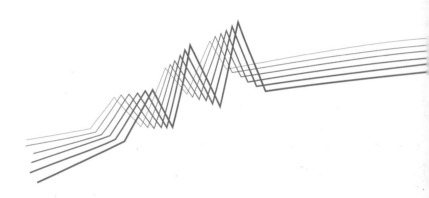

Ilse Sander
Regine Grosser
Claudia Hanke
Viktoria Ilse
Klaus F. Mautsch
Daniela Schmeiser

Ernst Klett Sprachen
Stuttgart

Symbole in DaF im Unternehmen A2:

▶ 3|4 — Verweis auf CD und Tracknummer

› G: 2.2 — Verweis auf den entsprechenden Abschnitt in der Grammatik zum Nachschlagen

› ÜB: A2 — Verweis auf die passende Übung im Übungsbuch

› KB: A1b — Verweis auf die passende Aufgabe im Kursbuch

› Lek. 11 — Verweis in den Datenblättern und in der Grammatik zum Nachschlagen auf die passende Lektion

B ⓟ — Aufgabentyp aus dem Sprachstandstest BULATS Deutsch-Test für den Beruf

T ⓟ — Aufgabentyp aus der Prüfung „telc Deutsch A2+ Beruf"

Ⓖ — Grammatikregel

Ⓐ — Ausspracheregel

Ⓩ — Zusatzübung

🎞 Film|4 — Verweis auf einen Film auf DVD bzw. im Netz

Alle Hörtexte und Filme als Audio-CD bzw. DVD im Medienpaket und gratis auf: **www.klett-sprachen.de/daf-im-unternehmen-online**

1. Auflage   1 ⁵ ⁴ ³ | 2019 18 17

Autoren: Ilse Sander, Regine Grosser, Claudia Hanke, Viktoria Ilse, Klaus F. Mautsch, Daniela Schmeiser; Sabine Kaldemorgen
Fachliche Beratung: Andreea Farmache, Radka Lemmen, Udo Tellmann
Beratung (Österreich): Edit Hackl (Lienz)
Beratung (Schweiz): Andrea Frater-Vogel (Schaffhausen)

Redaktion: Angela Fitz-Lauterbach, Iris Korte-Klimach
Layoutkonzeption und Herstellung: Alexandra Veigel
Gestaltung und Satz: Jasmina Car, Barcelona
Illustrationen: Juan Carlos Palacio, Bremen
Umschlaggestaltung: Anna Wanner
Reproduktion: Meyle + Müller GmbH + Co. KG, Pforzheim
Druck und Bindung: DRUCKEREI PLENK GmbH + Co. KG, Berchtesgaden
Printed in Germany

978-3-12-676445-2

9 783126 764452

FSC
MIX
Paper from responsible sources
www.fsc.org
FSC® C005370

DaF im Unternehmen führt in vier Bänden von A1 bis B2. Daneben gibt es auch eine zweibändige Ausgabe (A1/A2 und B1/B2), bei der das Kurs- und Übungsbuch jeweils in einem eigenen Band sind. Deshalb wird in A2 und B2 die Nummerierung der Lektionen, Firmenporträts, Filme, Datenblätter und CDs weitergeführt.

Das Lehrwerk **DaF im Unternehmen** richtet sich an Lernende, die aus beruflichen Gründen Deutsch lernen wollen, weil sie bereits in Deutschland, Österreich oder der Schweiz arbeiten, dort arbeiten wollen oder deutschsprachige Geschäftspartner haben. Es eignet sich auch für junge Erwachsene, die noch nicht im Berufsleben stehen, aber wirtschaftsbezogenes Deutsch lernen wollen.

DaF im Unternehmen vermittelt eine umfassende Handlungsfähigkeit am Arbeitsplatz, indem es von der ersten Lektion an grundlegende berufliche Kompetenzen und Kommunikationssituationen trainiert. Im Fokus steht die handlungsorientierte Vermittlung wichtiger sprachlicher und berufsbezogener Fertigkeiten, wie z. B. geschäftliche E-Mails verstehen und schreiben, Anweisungen geben und verstehen, seinen Beruf oder seine Firma vorstellen. Da es für die Lernenden aber auch immer ein Leben außerhalb der Arbeitswelt gibt, werden auch Sprachkenntnisse vermittelt, die man benötigt, um sich in alltäglichen Situationen zurechtzufinden, wie z. B. Small-Talk-Gespräche führen, im Hotel ein- und auschecken oder Wohnungsanzeigen verstehen und zusätzliche Informationen einholen.

🎬 Film | 4 Darüber hinaus informiert **DaF im Unternehmen** über existierende Unternehmen in Deutschland, Österreich und der Schweiz. Jeder Band enthält drei **Firmenporträts** – diese umfassen jeweils einen Film des Unternehmens sowie eine Doppelseite im Kursbuch mit Informationen zur Firma und Aufgaben zum Film. Die Filme finden Sie alle auf der DVD im Medienpaket sowie gratis online unter:
www.klett-sprachen.de/daf-im-unternehmen-online

DaF im Unternehmen A2 besteht aus einem Kursbuch- und einem Übungsbuchteil mit je zehn Lektionen. Jede **Kursbuchlektion** ist in fünf Doppelseiten (A bis E) untergliedert, wovon vier (A bis D) jeweils einen thematischen Teil umfassen. Am Ende der Doppelseite D befindet sich der Abschnitt „Aussprache" mit für die Kommunikation relevanten Ausspracheübungen. Auf der linken Seite der Doppelseite E „**Schlusspunkt**" sowie auf den **Datenblättern** für Partner A und B im Anhang findet man kleine Szenarien. Diese bieten die Möglichkeit, die in der Lektion vermittelten kommunikativen Fertigkeiten in realistischen Rollenspielen selbstständig anzuwenden. Auf der rechten Seite der Doppelseite E ist der Lernwortschatz der jeweiligen Lektion aufgelistet.

Jede **Übungsbuchlektion** umfasst acht Seiten. Hier werden der Lektionswortschatz, die Redemittel und die Grammatik in sinnvollen Zusammenhängen geübt. Im Unterschied zum Kursbuch sind die vier Lerneinheiten (A bis D) unterschiedlich lang, je nachdem wie viel Übungsmaterial der Lernstoff in der Kursbuchlektion erfordert. Das Übungsmaterial ist dabei so aufbereitet, dass es in Heimarbeit erarbeitet werden kann, weshalb die Lösungen zu den Übungsbuchlektionen auch im Anhang zu finden sind. Übungen, die mehr in die Tiefe gehen oder bestimmte Aspekte besonders hervorheben, sind mit ❷ für Zusatzübung gekennzeichnet. Diese Übungen können Lernende, die nicht so viel Zeit für die Arbeit zu Hause haben, zur Not überspringen. Bei Themen, die nur im Übungsbuch vorkommen, steht im Inhaltsverzeichnis der Hinweis: ÜB. Am Ende der siebten Seite befindet sich der Abschnitt „Rechtschreibung" mit kleinen Übungen zur Orthographie. Je nach Ausprachethema in der Lektion korrelieren diese miteinander. Jede Übungslektion endet mit der Seite „Grammatik im Überblick", auf der der Grammatikstoff der jeweiligen Lektion zusammengefasst ist.

B Ⓟ In **DaF im Unternehmen A2** werden die Lernenden
T Ⓟ zudem mit Aufgabentypen aus dem Sprachstandstest „BULATS Deutsch" und der Prüfung „telc Deutsch A2+ Beruf" vertraut gemacht.

Der Zusammenhang von Kurs- und Übungsbuch wird durch klare Verweise verdeutlicht.
› ÜB: A2 Hier wird im Kursbuch z. B. auf die Übungssequenz 2 im Teil A der Lektion im Übungsbuch verwiesen.
› KB: A1b Im Übungsbuch wiederum gibt es einen Rückverweis auf das Kursbuch, hier z. B. auf die Aufgabe 1b im Teil A.

› G: 2.2 Bei jeder Grammatikaufgabe im Kurs- oder Übungsbuch findet man einen Abschnittsverweis auf die entsprechende Erklärung in der **Grammatik zum Nachschlagen** im Anhang, hier z. B. auf den Abschnitt 2.2.

▶ 3 | 4 Zu **DaF im Unternehmen A2** gibt es zwei Audio-CDs im Medienpaket (CD 3 und CD 4). Bei den **Hörtexten** ist die passende CD samt Tracknummer angegeben, hier z. B. CD 3, Track 4. Darüber hinaus finden Sie alle Hörtexte als MP3 gratis online unter:
www.klett-sprachen.de/daf-im-unternehmen-online

Das Autorenteam und der Verlag wünschen Ihnen viel Spaß und Erfolg bei der Arbeit mit **DaF im Unternehmen**!

Inhaltsverzeichnis

Lektion	Handlungsfeld	Sprachhandlungen
11 A **Feier mit Kollegen** B **Was schenken wir?** C **Alles gut geplant?** D **Alles Gute für die Zukunft!** E **Schlusspunkt**	– Ausstandsfeier mit Kollegen	– Einladung zu Ausstand und Absage verstehen, Zusage schreiben – sich passendes Geschenk überlegen – Chatverlauf verstehen – Sommerfest einer Firma planen – Anzeigen von Partyverleih verstehen und mit Partyverleih telefonieren – Small-Talk-Gespräche auf Feier verstehen und führen – sich schriftlich für Einladung bedanken
12 A **Die neue Wohnung** B **Wohin stellst du ...?** C **Wo steht ...?** D **So wohne ich** E **Schlusspunkt**	– Wohnungssuche und -einrichtung	– Wohnungsanzeigen verstehen – Informationsgespräch mit Makler verstehen und selbst führen – nachvollziehen, wer welche Möbel wohin stellen möchte – nachvollziehen, wo am Ende was steht – eigenes Zimmer beschreiben – Umfrage: Vor- und Nachteile von Wohnlagen verstehen und sich darüber austauschen – Grafik zu Infrastruktur verstehen – seine Wohnlage schriftlich beschreiben
13 A **Eine Ausbildung zu ...** B **Eine Erfolgsgeschichte** C **Wie kam das?** D **Eine Firmenpräsentation** E **Schlusspunkt**	– die ersten Tage einer Ausbildung bei der Wirtgen Group	– Informationen über Ausbildungsberufe und das duale Ausbildungssystem verstehen – seinen Beruf / Traumberuf vorstellen – Firmengeschichte nachvollziehen – Bericht über Familiengeschichte nachvollziehen – über seine Familiengeschichte berichten – einer Firmenpräsentation folgen – Präsentation zu einer Firma erarbeiten und vortragen

Firmenporträt 4 BEUMER Group

Lektion	Handlungsfeld	Sprachhandlungen
14 A **Home-Office, aber wie?** B **Wählen Sie bitte die ...** C **Installation leicht?** D **Endlich arbeitsfähig** E **Schlusspunkt**	– Probleme mit dem Kabelnetzbetreiber	– Gespräch mit Kundenservice nachvollziehen – schriftliche Reklamation verstehen – Anruf bei Hotline: Anweisungen folgen – Gesprächsnotizen vergleichen – Telefongespräch mit Kundenservice führen – Installationsanleitung nachvollziehen – Reklamation verfassen – Filmbesprechung verstehen
15 A **Dienstleistungen** B **Unser Auftrag für Sie!** C **Bitte trennen Sie ...** D **Ihr Gebäude – wir managen es!** E **Schlusspunkt**	– Aufgaben im Gebäudemanagement	– Arbeitsbereiche im Gebäudemanagement verstehen – Anzeigen aus der Gebäudewirtschaft verstehen – Auftrag(sformular) an Reinigungsfirma nachvollziehen – Reinigungsauftrag geben und reagieren – Brief von Hausverwaltung an Mieter verstehen – sich über Mülltrennung austauschen – E-Mail an Hausmeisterdienst schreiben (ÜB) – Störungsmeldungen verstehen – Mailbox-Nachricht nachvollziehen – über Ablauf von Tätigkeiten berichten und notieren

Wortschatz	Grammatik	Aussprache	Rechtschreibung	KB-S.	ÜB-S.

- Geschenke
- Gerichte und Getränke
- Oberbegriffe für Lebens-
  mittel (ÜB)
- Glückwünsche (ÜB)
	- Personalpronomen im Dativ
	- Dativergänzung
	- Wortstellung in Sätzen
	  mit Akkusativ- und Dativ-
	  ergänzung
	- Verben mit Dativ-
	  ergänzung (ÜB)
		- „ch"-Laute:
		  „ch" wie in
		  „ich" und
		  in „acht"
			- Wörter mit „ch",
			  „ck" und „g"
			  schreiben
				8	114

- Angaben zu Gebäude,
  Wohnung, Ausstattung,
  Miete, Lage
- Möbel und Einrichtungs-
  gegenstände
- Ortsangaben (ÜB)
- Haustypen (ÜB)
- Infrastrukturangaben am
  Wohnort
	- Adjektivdeklination vor
	  Nomen ohne Artikel
	- „Wechselpräpositionen" mit
	  Akkusativ und Dativ
	- die Verben: stellen / stehen,
	  legen / liegen, setzen / sitzen,
	  hängen, stecken in Präsens
	  und Perfekt
		- „f", „v" und
		  „w"
			- Wörter mit „f", „v"
			  und „w" schreiben
				18	122

- Voraussetzungen und
  Tätigkeitsbereich von
  Ausbildungsberufen
- Maschinenbau
- Firmenentwicklung
- Familienmitglieder
	- n-Deklination
	- Präteritum der regelmäßigen,
	  unregelmäßigen und
	  gemischten Verben
		- „sch", „sp"
		  und „st"
			- Wörter mit „sch",
			  „sp" und „st"
			  schreiben
				28	130

				38	

- Computerzubehör und
  Informationstechnologie
- Beschwerde und
  Reklamation
- Telefonanlage (ÜB)
- Kommunikation am
  Telefon
- Bedienungsanleitung
	- Wortstellung in Nebensätzen
	- kausale Nebensätze mit „weil"
	  und „da" (ÜB)
	- konditionale Nebensätze mit
	  „wenn"
	- Nebensätze mit „dass"
		- Satzmelodie
		  in längeren
		  Sätzen
			- passende Satz-
			  zeichen setzen
				40	138

- Berufe und Aufgaben im
  Gebäudemanagement
- Gebäudereinigung
- Mülltrennung
- Zeitpunkt und Reihen-
  folge
	- Reflexivpronomen
	- Verben in reflexiver Form
	- Adjektivdeklination nach
	  unbestimmtem Artikel, Nega-
	  tivartikel und Possessivartikel
	- Adjektivdeklination nach
	  bestimmtem Artikel
		- Diphthonge	- Wörter mit Diph-
			  thongen und Um-
			  lauten schreiben
				50	146

Inhaltsverzeichnis

Lektion	Handlungsfeld	Sprachhandlungen
16 A **Auf Geschäftsreise** B **Auf dem Weg nach Hamburg** C **Unterwegs in der Stadt** D **An der Hotelrezeption** E **Schlusspunkt**	– Geschäftsreise nach Hamburg	– Hotelportal: Welches Hotel passt am besten? – Zimmerreservierung schreiben – Buchungsbestätigung verstehen und schreiben – Durchsagen am Flughafen und im Flugzeug verstehen – Einchecken im Hotel: Fragen formulieren – Blogbeitrag verstehen – Sehenswürdigkeiten recherchieren und präsentieren – Beschwerdeformular ausfüllen – aus Hotel auschecken und sich dabei beschweren

Firmenporträt 5 Louis Widmer SA

Lektion	Handlungsfeld	Sprachhandlungen
17 A **Werbeartikel, aber welche?** B. **Zusammen entscheiden** C **Wie ist Ihr Angebot?** D **Das Angebot kommt** E **Schlusspunkt**	– Vergleich, Auswahl, Anfrage und Bestellung von Werbeartikeln	– Präsentation über Werbeartikel folgen – Werbeartikel präsentieren und vergleichen – Einladung zu Besprechung verstehen und Bitte um Alternativtermin formulieren – Auswahlgespräch über Werbeartikel nachvollziehen – Anfrage bezüglich eines Angebots verstehen – Anfrageänderung formulieren – Angebot verstehen – Bestellung formulieren
18 A **Berufskleidung** B **Eine Reklamation** C **Richtig angezogen im Beruf** D **Die Ware ist mangelhaft!** E **Schlusspunkt**	– Bestellung und Kauf von Berufskleidung	– Änderung bei Bestellung von Berufskleidung nachvollziehen und Bestellschein korrigieren – Reklamation und Lösungsvorschlag verstehen – Beratungsgespräch in Bekleidungsgeschäft nachvollziehen – Lieferschein ergänzen – Kaufgespräch in Bekleidungsgeschäft nachspielen – Beschwerde-Mail verstehen – auf Lösungsvorschlag schriftlich reagieren – sich in Bekleidungsgeschäft beschweren
19 A **Interne Fortbildung EDV** B **Die EDV-Schulung** C **Die Evaluierung** D **Mobile Arbeit** E **Schlusspunkt**	– Computerschulung in einer Firma	– EDV-Schulungsangebote verstehen – Computerbefehle verstehen – Gespräch von zwei Schulungsteilnehmern folgen und Evaluierungsbogen ausfüllen – Schulungsvorschlag entwickeln und vorstellen – Fortbildungswünsche äußern und reagieren – Zeitungsartikel über mobile Arbeit verstehen und Meinung zu mobilen Arbeitsplätzen äußern

Firmenporträt 6 K+S Gruppe

Lektion	Handlungsfeld	Sprachhandlungen
20 A **Zeit für ein Meeting?** B **Organisation ist alles** C **Die Besprechung** D **Das halten wir fest** E **Schlusspunkt**	– Planung und Durchführung eines langen Meetings mit vielen Teilnehmern	– Gespräch über Termin für Besprechung folgen – E-Mailverlauf verstehen – Planung eines Meetings nachvollziehen – Kurznachrichten verstehen und formulieren – Tagesordnung nachvollziehen und selbst schreiben – Diskussion unter Teilnehmenden am Meetings folgen – Projekt „Sportangebot" in Firma planen – Ergebnisprotokoll verstehen und selbst formulieren

Datenblätter – Partner A | 194   **Datenblätter – Partner B | 201**   **Grammatik zum Nachschlagen | 208**

Wortschatz	Grammatik	Aussprache	Rechtschreibung	KB-S.	ÜB-S.
- Hotelausstattung - Zimmerreservierung - Wetter (ÜB) - Wortfeld: Flughafen (ÜB) - Wortfamilie: Reisen (ÜB) - Ein- und Auschecken - Sehenswürdigkeiten - Beschwerden	- indirekte Fragesätze - temporale Nebensätze mit „wenn" in Gegenwart / Zukunft und Vergangenheit - temporale Nebensätze mit „als" - eine Richtung angeben mit „hinaus"/„raus", … (ÜB)	- „s"-Laute	- Wörter mit „s", „ss" und „ß" schreiben	60	154
				70	
- Werbeartikel - Anfrage - Angebot - Bestellung	- Komparativ und Superlativ – prädikativ - Vergleichssätze mit „(genau)so wie", „nicht so wie" und „als" - Konjunktiv II als Form für Höflichkeit von „können", „dürfen", „werden", „haben" und „sein"	- der Laut „ü"	- Wörter mit „ü" und „y" schreiben	72	162
- Berufe (ÜB) - Berufsbekleidung und ihre Ausstattung - Körperteile - Kleiderkauf - Reklamation	- Relativpronomen und -sätze - Empfehlungen mit „sollen" im Konjunktiv II - „brauchen nicht / kein- … zu …" - „brauchen nur … zu …" (ÜB)	- der Laut „ö"	- Wörter mit „ö", „o" und „e" schreiben	82	170
- Fachbegriffe EDV - Computerzubehör (ÜB) - Computerbefehle - Evaluierung - Wortfamilie: Arbeit (ÜB)	- der Genitiv - Demonstrativartikel /-prono-men (ÜB) „dies-": Nominativ, Akkusativ, Dativ und Genitiv - Demonstrativpronomen „der", „das", „die": Nominativ, Akkusativ und Dativ (ÜB) - Fragen mit „Welch-?" und „Was für …?"	- der Laut „ä"	- Wörter mit „ä", „a" und „e" schreiben	92	178
				102	
- Besprechungs-organisation - Tagesordnung - Diskussionen und Meinungsäußerung - Sportangebote - Protokoll	- finale Nebensätze mit „damit" - die Pronomen „ein-" und „kein-" - Possessivpronomen: „mein-"/„dein-"/… - Nominalisierung (ÜB)	- der Schwa-Laut	- Wörter mit „-e" oder „-er" im Aus-laut schreiben	104	186

Lösungen zum Übungsbuch | 229   **Transkriptionen zum Übungsbuch** | 238

A Feier mit Kollegen

Feier mit Kollegen
Alles gut geplant?
Was schenken wir?
Alles Gute für die Zukunft!

> → ✉ vertrieb-inland@zens-co-de.com   _ ▢ ✕
>
> Betreff: Ausstand
>
> Liebe Teamkolleginnen und Teamkollegen,
>
> ihr habt es ja sicher schon gehört: Ich verlasse am 31. Juli Zens & Co und gehe zur Sulkar GmbH.
> Ich möchte meinen Ausstand gern privat mit euch feiern. Denn wir haben im Team immer toll zusammengearbeitet!
> Ich lade euch herzlich zu meiner Abschiedsfeier ein:
> am Samstag, 23. Juli, ab 17:00 Uhr,
> Fichtestraße 91b, Hannover-Burgdorf.
> Hoffentlich ist das Wetter schön, dann können wir im Garten grillen. Frank und ich haben letztes Jahr unsere Terrasse und den Garten neu gemacht. Der ist jetzt ideal zum Feiern.
> Könnt ihr kommen? Sagt mir bitte bald zu oder ab.
>
> Eure Manuela
>
> PS: Salate und Nachspeisen sind willkommen.

1 Ein Ausstand

a Sehen Sie die Fotos oben an. Wo feiern die Personen?

b Lesen Sie die E-Mail von Manuela. Wie möchte sie feiern? Welches Foto in 1a passt?

c Lesen Sie die E-Mail noch einmal. Was ist richtig (r), was ist falsch (f)? Kreuzen Sie an. › ÜB: A1

                                                                                     r   f

1. Manuela arbeitet nur noch bis zum 31. Juli bei Zens & Co.   ☒ ☐
2. Sie möchte in der Firma feiern.   ☐ ☐
3. Sie lädt alle Kollegen ein.   ☐ ☐
4. Im Garten von Manuela kann man gut feiern.   ☐ ☐
5. Die Kollegen können gern Salate oder Nachtisch mitbringen.   ☐ ☐

2 Kommst du?

a ▶ 3|1 Hören Sie das Gespräch. Wer kommt zur Abschiedsfeier? Kreuzen Sie an.

Markus ☐   Inka ☐   Tobias ☐   Tina ☐

b Hören Sie das Gespräch noch einmal. Was passt zu welcher Person? Ordnen Sie zu.

1. Markus	A. hat schon per Mail zugesagt.	1. _B_
2. Inka	B. möchte seine Freundin mitbringen.	2. ⌴
3. Tobias	C. ist im Urlaub.	3. ⌴
4. Tina	D. macht eine Fortbildung.	4. ⌴

3 Zusagen und Absagen

a Lesen Sie die E-Mail. Welche Person aus 2b hat Manuela geschrieben?

→ ✉ m.krumm@zens-co-de.com   _ ☐ ✕

Hallo Manuela,

wir haben heute im Büro deine E-Mail gelesen. Du verlässt uns und gehst zur Sulkar GmbH. Das ist sehr schade, denn wir waren ein super Team!

Vielen Dank für deine Einladung. Grillen im Garten ist toll. Aber leider kann ich nicht kommen. Ich fahre am Freitag nach dem Teammeeting mit Ludwig an die Nordsee. Ich brauche ein bisschen Erholung, denn ich habe so viele Überstunden gemacht. Ich bin erst am Dienstag wieder da. Da habe ich viele Termine und muss meine Mails abarbeiten. Aber am Mittwoch möchte ich dich nach der Arbeit zum Essen einladen. Hast du Zeit und Lust?

Viel Spaß bei der Party und liebe Grüße!

b Lesen Sie die E-Mail noch einmal. Was ist richtig: a oder b? Kreuzen Sie an. › ÜB: A2a–b

1. Sie nimmt am Teammeeting	a. ☒ teil.	b. ☐ nicht teil.
2. Sie hat in letzter Zeit	a. ☐ viel gearbeitet.	b. ☐ viel Urlaub gehabt.
3. Sie hat am Dienstag	a. ☐ viel Arbeit.	b. ☐ wenig Arbeit.
4. Sie möchte	a. ☐ Manuela besuchen.	b. ☐ mit Manuela essen gehen.

T 🅿 c Schreiben Sie eine E-Mail an Manuela und sagen Sie zu. Lesen Sie die drei Punkte. Schreiben Sie zu jedem Punkt ein bis zwei Sätze. Die E-Mail in 3a und die Redemittel helfen. Vergessen Sie nicht Anrede und Gruß. › ÜB: A2c

– Busverbindung?
– Was zum Essen brauchen?
– Freundin mitbringen können?

Danke für die Einladung. | Ich komme gern zu deinem Ausstand. |
Wie komme ich nach … | Welchen Bus muss ich nehmen? |
Was brauchst du zum Essen? | Ich kann z. B. … mitbringen. |
An dem Wochenende habe ich … zu Besuch. | Kann ich … mitbringen? |
Ich hoffe, das Wetter ist … und wir können …

B Was schenken wir?

1 Was wollen wir schenken?

a Ordnen Sie die Wörter zu. > ÜB: B1

Blumenstrauß | Flasche Wein | Fotobuch | Geld | Gutschein | Konzertkarten | Kochkurs | Massage

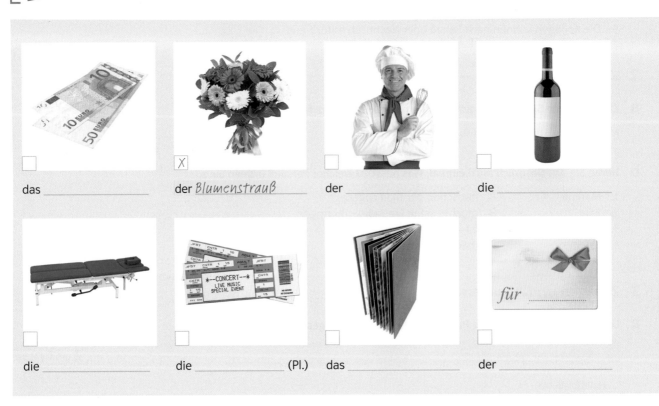

das _____   der *Blumenstrauß* _____   der _____   die _____

die _____   die _____ (Pl.)   das _____   der _____

b Was kann man Manuela zum Ausstand schenken? Überlegen Sie zu zweit und erzählen Sie im Kurs.

c ▶ 3|2 Tina und Markus sprechen über ein Geschenk für Manuela. Hören Sie das Gespräch. Über welche Geschenke in 1a sprechen sie? Kreuzen Sie in den Fotos an. Was schenken sie Manuela? Markieren Sie.

d Hören Sie das Gespräch noch einmal. Welche Sätze hören Sie? Kreuzen Sie an.

1. Wollen wir ihr etwas zusammen schenken? ☒
2. Ich schreibe euch eine E-Mail. ☐
3. Ich chatte nachher mit Manuela. ☐
4. Wir bringen ihr einen Blumenstrauß mit. ☐
5. Hat sie uns etwas gekocht? ☐
6. Ich habe ihnen letztes Jahr Karten für ein Jazzkonzert geschenkt. ☐
7. Freunde schenken mir eine Massage. ☐
8. Gefällt dir die Idee? ☐
9. Wir können ihr ein Fotobuch schenken. ☐

2 Grammatik auf einen Blick: Personalpronomen im Dativ > G: 3.1

Markieren Sie in den Sätzen in 1d die Personalpronomen im Dativ und schreiben Sie sie in die Tabelle. > ÜB: B2

Nominativ	ich	du	er	sie	es	wir	ihr	sie	Sie
Akkusativ	mich	dich	ihn	sie	es	uns	euch	sie	Sie
Dativ			ihm	*ihr*	ihm				Ihnen

3 In Russland schenkt man …

a Markus und Alexej chatten. Lesen Sie die Chatteile und ordnen Sie sie in der richtigen Reihenfolge. › ÜB: B3

A		Alexej:	Ja, gerne. Das Fotobuch finde ich gut. Aber ein Gutschein? Warum schenken wir ihr nicht Geld?
		Markus:	Geld? Nein, das finde ich nicht gut.
		Alexej:	Also, bei uns in Russland schenkt man seinen Freunden oft Geld.

B		Markus:	Na, dem Kind müssen wir doch auch etwas mitbringen. Nur was?
		Alexej:	In Russland schenkt man einem Kind oft Spielzeug. Oder Süßigkeiten.
		Markus:	Das ist bei uns auch so. Ich finde ein Kinderbuch aber besser.
		Alexej:	Ein Kinderbuch? – Oh, mein Telefon klingelt. Bis dann.
		Markus:	😊

C		Markus:	Wirklich? Das macht man hier nicht so oft. Aber Gutscheine sind üblich! Und wie findest du Blumen?
		Alexej:	Super. Ich schenke meiner Frau auch oft Blumen. In Russland machen das viele Männer. Aber immer nur eine ungerade Anzahl. Bei uns sagt man, eine gerade Anzahl bringt Unglück.
		Markus:	Echt? Das ist ja interessant … Und was schenkt bei euch eine Frau dem Ehemann?

D	1	Markus:	Hallo Alexej, wie geht's? 😊
		Alexej:	Gut! Und dir?
		Markus:	Auch gut. Hab heute mit Tina über das Abschiedsgeschenk für Manuela gesprochen. Unsere Idee: Wir kaufen ihr Blumen und einen Gutschein für einen Kochkurs. Und dann schenken wir ihr noch ein Fotobuch mit Fotos von den Teamkollegen. Willst du mitmachen?

E		Alexej:	Ehemänner? Ach, die bekommen Krawatten und Socken …!
		Markus:	😊 Aber sag mal, Manuela hat doch ein Kind, oder?
		Alexej:	Ja, warum?

b Lesen Sie den Chat noch einmal. Was ist richtig? Kreuzen Sie an.

1. In Russland schenkt man der Ehefrau oft a. ☒ Blumen. b. ☐ Geld.
2. In Deutschland schenkt man seinen Freunden oft a. ☐ Geld. b. ☐ einen Gutschein.
3. Man schenkt Kindern oft a. ☐ Süßigkeiten. b. ☐ ein Bilderbuch.

4 Grammatik auf einen Blick: Nomen im Dativ › G: 2.1

a Markieren Sie im Chat in 3a und in den Sätzen in 3b alle Nomen im Dativ in Gelb und ergänzen Sie die Tabelle.

	Maskulinum (M)	Neutrum (N)	Femininum (F)	Plural (M, N, F)
bestimmter Artikel	_____ Mann	_____ Kind	_der_ Frau	den Frauen
unbestimmter Artikel / Possessivartikel	einem Mann / seinem Mann	_____ Kind / seinem Kind	einer Frau / _____ Frau	∅ Kindern / _seinen_ Freunden

b Markieren Sie in 3b die Nomen im Akkusativ in Rot. Was steht zuerst: Dativ oder Akkusativ? › ÜB: B4

Ⓖ

Nomen + Nomen: zuerst _____, dann _____ .

5 Was schenkt man in Ihrer Heimat?

Sprechen Sie zu dritt.

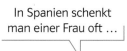

In Spanien schenkt man einer Frau oft …

C Alles gut geplant?

1 Wer bringt was mit?

a ▶ 3|3 **Hören Sie Teil 1 vom Gespräch. Was passiert hier?**

1. a. ☐ Frank will die Abschiedsfeier von Manuela planen.   b. ☐ Manuela möchte ihre Abschiedsfeier planen.
2. a. ☐ Frank hat keine Zeit für die Feier von Manuela.   b. ☐ Frank hilft Manuela.

b ▶ 3|4 **Schauen Sie die Fotos an. Hören Sie dann Teil 2 vom Gespräch. Was besorgen Manuela und Frank? Was bringen ihre Freunde mit? Schreiben Sie die Namen unter die Fotos.** › ÜB: C1

> Alexej | Antonia | Frank | Manuela |
> Markus | Marie | Tina

c **Bringt man in Ihrer Heimat auch einen Salat oder einen Nachtisch zu einer Feier mit? Sprechen Sie.**

2 Die Firma feiert ein Sommerfest

a **Planen Sie zu zweit das Sommerfest. Machen Sie zu folgenden Punkten Notizen.**

Wo: _____

Wann: _____

Gäste: _____

Essen und Getränke: _____

T ⓟ **b** **Planen Sie nun das Programm von der Feier. Sie haben eine Liste mit Programmpunkten. Die Feier darf nur drei Programmpunkte haben. Machen Sie Vorschläge und finden Sie eine Lösung.** › ÜB: C2

> – Rede vom Chef
> – Präsentation von Firmen-
>   geschichte
> – DJ: Tanzmusik
> – Spiele
> – Grillen
> – …

> **Positiv:** Das ist gut, denn das ist interessant. |
> Der Vorschlag ist gut, denn das macht allen Spaß. |
> Der Programmpunkt ist gut, denn das mögen alle.

> **Negativ:** Nein, keine / kein …, denn das ist
> langweilig. | Der Vorschlag ist nicht gut, denn
> das langweilt alle. | Nein, das passt nicht. |
> Nein, das mögen nicht alle.

Fleisch: *Frank*

Bratwürste:

Fisch: _____

Gemüse: _____

Nudelsalat: _____

Kartoffelsalat: _____

Kuchen: _____

Obstsalat: _____

Käse: _____

Brot: _____

Getränke (Säfte, Wasser, Bier): _____

Bierbänke und -tische: _____

3 Wo finde ich …?

T Ⓟ **a** Manuela braucht Bierbänke und -tische für ihre Party. Wo kann sie sie mieten? Welche Anzeige passt?

Christina Jungs *Partyservice* Bei uns schmeckt's immer! Wir bringen Essen und Getränke direkt auf Ihren Tisch. Wir liefern für jede Veranstaltung: private Feiern * Betriebsfeste * Meetings * Messen * … **www.christina-jung-party.de** **0511/44558**	**Möbelmontage Brunokowski und Söhne** Wir sind die Experten für Ihre Möbel. Unsere Leistungen: ■ Auf- und Abbau von Möbeln ■ Reparaturen ■ Hilfe bei Einrichtungsproblemen Kontakt: 0511/951357, www.brunosoehne.de	Partyverleih Lorenz Der Service für Ihre Feier oder Ihr Jubiläum! Wie liefern (fast) alles: von **A** wie Aschenbecher bis **Z** wie Zelt Rufen Sie uns an: 0511/97834 www.lorenzparty.de

b ▶ 3|5 **Hören Sie das Gespräch. Was mietet Manuela?**

c Was sagt Manuela, was Herr Lorenz? Kreuzen Sie an. Hören Sie dann das Gespräch in 3b noch einmal und prüfen Sie Ihre Antworten. Ist alles richtig? › ÜB: C3a

	Manuela	Hr. Lorenz
1. Wann ist denn die Party?	☐	☒
2. Und was brauchen Sie genau?	☐	☐
3. Bei 15 Personen brauchen Sie zwei Biertische und vier Bierbänke.	☐	☐
4. Können Sie sie mir nach Hause liefern?	☐	☐
5. Um wie viel Uhr sollen wir Ihnen die Biertische liefern?	☐	☐
6. Dann können Sie ihm den Weg erklären.	☐	☐
7. Wollen Sie auch ein Partyzelt mieten?	☐	☐
8. Bieten Sie Ihren Kunden einen Aufbauservice an?	☐	☐
9. Schicken Sie sie mir oder bekomme ich die Rechnung vom Fahrer?	☐	☐
10. Der Fahrer gibt sie Ihnen.	☐	☐

4 Grammatik auf einen Blick: Verben mit Akkusativ- und Dativergänzung › G: 2.2

Suchen Sie in den Sätzen in 3c alle Verben mit zwei Ergänzungen. Markieren Sie die Akkusativergänzung in Rot und die Dativergänzung in Gelb. Ergänzen Sie dann die Regeln. › ÜB: C3b–5

Ⓖ

1. Nomen + Nomen: zuerst _____, dann *Akkusativ* _____.
2. Personalpronomen + Personalpronomen: zuerst *Akkusativ* _____, dann _____.
3. Achtung! Personalpronomen + Nomen: zuerst *Personalpronomen* _____, dann *Nomen* _____.

5 Anruf beim Partyverleih

Rufen Sie beim Partyverleih Lorenz an und bestellen Sie. Die Sätze in 3c und die Redemittel helfen Ihnen.

Ich möchte … für meine Gartenparty mieten. | Wie viel kostet das? | Wie lang/groß ist/sind denn …? | Bieten Sie auch … an? | Gut, dann nehme ich auch … | Und wie bezahle ich?

6 Weihnachten in der Firma

Wer schenkt wem was? Fragen und antworten Sie. Partner A: Datenblatt A12, Partner B: Datenblatt B12.

D Alles Gute für die Zukunft!

1 Hallo!

a **Was sagen die Personen auf der Party von Manuela? Ordnen Sie die Gesprächsteile A bis G zu.**

> Guten Tag Herr Krumm, ich bin …

1. Guten Tag Herr Krumm, ich bin Markus Zender, ein Kollege von Manuela. _D_
2. Elvira, darf ich dir meinen Mann vorstellen? ___
3. Frank, das ist meine Kollegin Tina. ___
4. Und das ist mein Sohn, Tom. ___
5. Die Feier ist sehr schön. ___
6. Das Buffet sieht sehr gut aus. ___
7. Wir haben Glück mit dem Wetter. ___
8. Was sind denn deine Aufgaben bei der Sulkar GmbH? ___
9. Kennst du schon deine Kollegen bei der Sulkar GmbH? ___
10. Ich wünsche dir alles Gute für die Zukunft. ___

> Darf ich dir meinen Mann vorstellen?

> Die Feier ist sehr schön.

A. Hallo Tina, Manuela hat schon viel von dir erzählt.

B. Dort arbeite ich im Kundendienst und betreue die Kunden in Europa.

C. Ja, das Wetter ist wunderbar.

D. Freut mich.

E. Nein, leider noch nicht.

F. Vielen Dank!

G. Oh, hallo Tom. Du bist aber schon groß.

H. Ja, das stimmt. Du musst den Nudelsalat probieren, der ist richtig gut.

I. Oh, gern. Hallo Herr Krumm, ich bin Elvira Daniels, eine Teamkollegin von Manuela.

J. Ja, wirklich schön.

> Ich wünsche dir alles Gute für …

b ▶ 3|6–10 **Hören Sie die fünf Small-Talk-Gespräche auf der Feier von Manuela. Haben Sie die Gesprächsteile in 1a richtig zugeordnet?** › ÜB: D1

2 Auf einer Feier

Spielen Sie zu zweit Situationen wie in 1b, die Redemittel in 1a helfen.

> Die Feier ist sehr schön.

> Ja, wirklich schön.

3 Vielen Dank für die Einladung

Sie waren auf der Ausstandsfeier von Manuela und wollen ihr danken. Schreiben Sie eine E-Mail. Die Redemittel helfen.

Vielen Dank für … | Die Feier war … | Endlich habe ich auch … und … kennengelernt. | Das war … | Und ich konnte auf der Feier mit allen Kollegen sprechen. | Das hat … gemacht. | Das Buffet war … und das Grillen war … | Hoffentlich sehen wir uns bald wieder. | Viel Glück und Erfolg bei … wünscht …

☒

Hallo Manuela,
vielen Dank für die Einladung. Die Feier war …

Aussprache

1 „ch" wie in „ich" und in „acht"

a ▶ 3|11 **Hören Sie das „ch" in „ich" und „acht" und sprechen Sie es nach.**

[ç] – ich   [x] – acht

b ▶ 3|12 **Hören Sie die Wörter. Wo spricht man „ch" wie in „ich", wo wie in „acht"? Kreuzen Sie an.**

	sprechen	brauchen	Woche	euch	nach	Buch	Bücher	manchmal	wenig
ch wie in „ich"	☒	☐	☐	☐	☐	☐	☐	☐	☐
ch wie „acht"	☐	☐	☐	☐	☐	☐	☐	☐	☐

c **Sprechen Sie die Wörter in 1b. Ergänzen Sie dann die Regel.**

Ⓐ

1. Nach e, i, ä, ö, ü, ei und eu spricht man „ch" wie in _____ .
2. Nach a, o, u und au spricht man „ch" wie in _____ .
3. Nach Konsonanten spricht man „ch" wie in _____ .
4. Die Endung „-ig" spricht man wie in _____ .

d **Lesen Sie die Wörter und die Regel in 1c und kreuzen Sie an: [ç] wie in „ich" oder [x] wie in „acht"? Sprechen Sie dann die Wörter.**

	[ç]	[x]			[ç]	[x]			[ç]	[x]
1. Rechnung	☒	☐		5. noch	☐	☐		9. machen	☐	☐
2. Gespräch	☐	☐		6. nicht	☐	☐		10. möchte	☐	☐
3. Kuchen	☐	☐		7. technisch	☐	☐		11. sprechen	☐	☐
4. Bereich	☐	☐		8. langweilig	☐	☐		12. gesprochen	☐	☐

e ▶ 3|13 **Hören Sie die Wörter aus 1d. Haben Sie alles richtig?**

f ▶ 3|14 **Hören Sie zuerst die Sätze. Sprechen Sie sie dann zuerst ganz langsam und dann so schnell wie möglich. Wer macht es am besten?**

1. Mein Chef aus China möchte noch nicht über die Rechnung sprechen.
2. Nächste Woche brauchen wir die Checkliste für das Gespräch über den technischen Bereich.

> **TIPP**
>
> **Fremdwörter mit „ch"**
> - aus dem Englischen
>   → [tʃ]: Chip, Checkliste
> - aus dem Französischen
>   → [ʃ]: Chef, Chance
> - aus dem Lateinischen und Griechischen vor „e" und „i"
>   → [ç]: Chemie, China, Chirurg
> - aus dem Lateinischen und Griechischen vor „a", „o", „u" und Konsonanten
>   → [k]: Charakter, Chor, Chlor

E Schlusspunkt

Situation 1

Person A

Sie sind Frau Popov. Sie sind auf einer Firmenfeier. Begrüßen Sie Herrn Körner und stellen Sie Frau Taubert vor.

Person B

Sie sind Herr Körner. Sind auf einer Firmenfeier. Begrüßen Sie Frau Popov und stellen Sie den Trainee, Herrn Uhde, vor.

Person C

Sie sind Frau Taubert. Sie sind auf einer Firmenfeier. Sie sind eine Teamkollegin von Frau Popov. Frau Popov stellt Sie vor.

Person D

Sie sind Herr Uhde. Sie sind auf einer Firmenfeier. Sie sind Trainee. Herr Körner stellt Sie vor.

- ▶ Guten Tag, Herr …
- ▶ Guten Tag. Frau …
- ▶ Herr …, darf ich Ihnen meine Teamkollegin, Frau …, vorstellen.
- ▶ Guten Tag Frau … Freut mich.
- ▷ Freut mich auch.
- ▶ Und das ist unser Trainee, Herr …
- ▶ Guten Tag, Herr …
- ▶ Guten Tag, Frau …
- ▷ Hallo, Herr …
- ▶ Hallo, Frau …

Situation 2

Person A

Sie sind Herr Lang. Sie sind auf einer Firmenfeier. Auf der Feier ist auch Frau Demuro. Sie ist neu in der Firma.
Sprechen Sie Frau Demuro an, formulieren Sie Fragen und antworten Sie auf ihre Fragen:
- – Sie sind Techniker.
- – Sie arbeiten in der Entwicklung.

Person B

Sie sind Frau Demuro. Sie sind auf einer Firmenfeier. Sie sind neu in der Firma und kennen nur wenige Kollegen.
Ein Kollege, Herr Lang, spricht Sie an.
Antworten Sie auf seine Fragen:
- – Sie sind Vertriebsmanagerin.
- – Sie sind im Vertrieb für Europa zuständig.
Und formulieren Sie Fragen.

- ▶ Guten Tag, ich bin … Kennen wir uns?
- ▶ Oh, guten Tag …, ich bin … Ich bin neu in der Firma.
- ▶ Oh, wie schön! In welcher Abteilung arbeiten Sie denn?
- ▶ Ich arbeite im … Und Sie?
- ▶ Ich bin …
- ▶ Und in welcher Abteilung arbeiten Sie?
- ▶ Ich arbeite … Und was machen Sie genau?
- ▶ Ich bin …
- ▶ Sehr interessant.

Situation 3

Person A

Sie sind Frau Minten. Sie sind auf einer Firmenfeier. Dort treffen Sie Herrn Berner, einen Kollegen.
Herr Berner verlässt in einem Monat die Firma.
Sprechen Sie mit Herrn Berner über die Feier und seine Zukunft.

Person B

Sie sind Herr Berner. Sie sind auf einer Firmenfeier. Dort treffen Sie Frau Minten, eine Kollegin.
Sie verlassen in einem Monat die Firma.
Sprechen Sie mit Frau Minten über die Feier und Ihre Zukunft:
- – Sie gehen zur Firma Schaller.
- – Sie sind dort in der Marketingabteilung tätig.
- – Sie organisieren dort die Messen.

- ▶ Oh, hallo …
- ▶ Ah, hallo …
- ▶ Die Feier ist …
- ▶ Ja, …
- ▶ Ich habe gehört, Sie verlassen …
- ▶ Ja, das stimmt.
- ▶ Das ist … Wohin gehen Sie denn?
- ▶ Ich gehe …
- ▶ Aha, und was machen Sie dort?
- ▶ Ich bin …
- ▶ Sehr interessant. Und was sind Ihre Aufgaben in …?
- ▶ Ich …
- ▶ Ich wünsche Ihnen alles Gute für die Zukunft.
- ▶ Vielen Dank!

Lektionswortschatz

Die Einladung:
einladen
der Ausstand, ⸚e
der Abschied, -e
feiern
die Feier, -n
   Abschiedsfeier
das Fest, -e
   Betriebsfest
der DJ, -s
die Musik (hier nur Sg.)
   Tanzmusik
das Jubiläum, Jubiläen
die Veranstaltung, -en
die Zusage, -n ≠
   die Absage, -n
zusagen ≠ absagen
die Lust (nur Sg.)
der Spaß (hier nur Sg.)
grillen
mitbringen, jmdn. / etw.
planen
tanzen
teilnehmen
willkommen sein
herzlich
hoffentlich
schade

Die Geschenke:
schenken
das Geschenk, -e
   Abschiedsgeschenk
die Blume, -n
der Strauß, ⸚e
   Blumenstrauß
das Buch, ⸚er
   Fotobuch
   Kinderbuch
die DVD, -s
die Flasche, -n
   die Flasche Wein
das Geld (hier nur. Sg.)
der Gutschein, -e
das Konzert, -e
der Jazz (nur Sg.)
die Karte, -n
   Konzertkarte
die Massage, -n
der Kurs, -e
   Kochkurs
das Spielzeug, -e
die Süßigkeit, -en

Der Partyservice:
der Service (nur Sg.)
   Partyservice
   Aufbauservice
die Leistung, -en
die Rechnung, -en
die Bierbank, ⸚e
der Biertisch, -e
das Zelt, -e
   Partyzelt
die Lieferung, -en
liefern
der Aufbau (nur Sg.) ≠
   der Abbau (nur Sg.)
aufbauen ≠ abbauen
ausleihen ≠ verleihen
mieten
anbieten
inklusive

Speisen und Getränke:
das Buffet, -s
das Bier, -e
das Brot, -e
das / die Baguette, -s
der Fisch, -e
das Fleisch (nur Sg.)
das Steak, -s
das Gemüse, -
die / der Paprika, - / -s
die Tomate, -n
der Käse, -
der Kuchen, -
der Nachtisch, -e
das Obst (nur Sg.)
der Saft, ⸚e
der Salat, -e
   Kartoffelsalat
   Nudelsalat
   Obstsalat
die Schokolade, -n
das Wasser, - / ⸚
die Wurst, ⸚e
   Bratwurst

Glückwünsche:
die Gratulation, -en
Alles Gute für + A
Ich wünsche Ihnen / dir alles
   Gute für die Zukunft.
Ich wünsche Ihnen / dir viel
   Erfolg in + D
Herzlichen Glückwunsch
   zu + D
Viel Erfolg in / bei + D
Ich möchte Ihnen herzlich
   zu + D gratulieren.
Guten Rutsch!
Frohes neues Jahr!
Ein frohes Fest!

Verben:
abarbeiten
anstoßen
besorgen
bringen
danken
denken
erklären
erzählen
gefallen (etw. gefällt mir)
gehören (etw. gehört mir)
gratulieren
helfen
klingeln
verlassen

Nomen:
die Anzahl (nur Sg.)
der Aschenbecher, -
die Beförderung, -en
der Club, -s
der Ehemann, ⸚er /
   die Ehefrau, -en
die Erholung (nur Sg.)
die Einrichtung (hier
   nur Sg.)
der Experte, -n
der Fan, -s
der Garten, ⸚
die Hochzeit, -en
der Kundendienst (nur Sg.)
die Metzgerei, -en
die Montage, -n
der Nachwuchs (nur Sg.)
die Reparatur, -en
der Supermarkt, ⸚e
die Terrasse, -n

das Unglück (nur Sg.)
die Überstunden (nur Pl.)
das Weihnachten, -

Adjektive:
billig ≠ teuer
gerade ≠ ungerade
positiv ≠ negativ
üblich
wunderbar

Adverbien:
also

Redemittel:
Ich lade euch herzlich
   zu … ein.
Vielen Dank für …
Ich komme gern zu …
Leider kann ich nicht
   kommen.
Viel Spaß bei der Party!
Darf ich dir / Ihnen …
   vorstellen?
… hat schon viel von
   dir / Ihnen erzählt.
Ich habe schon viel von
   dir / Ihnen gehört.
Viel Glück und Erfolg bei …
   wünscht …
Hoffentlich sehen wir uns
   bald wieder.
Der Vorschlag ist (nicht)
   gut.
Die Idee gefällt mir (nicht).
Sie haben recht.
Ich bin dagegen.
Der Programmpunkt ist
   (nicht) gut.
Das macht (nicht) allen
   Spaß.
Das mögen (nicht) alle.
Das langweilt. / Das ist
   langweilig.
Das passt (nicht).
Auf Wiederhören!

A Die neue Wohnung

Zwei Zimmer, Küche, Bad
Direkt im Zentrum

Bj. 2006, Wfl. 48 m², EG,
65 kWh/(m² □ a), neues Bad,
EBK, 458 € + NK.

Immobilien: Hall und Söhne
www.wohnen-hall.com

1

Ein Zuhause am Stadtwald

Nur noch wenige Wohnungen frei!

Bj. 2015, Energieeffizienzhaus: A+ •
25 kWh/(m² · a) • 1 Zi. – 4 Zi-Whg. •
39 – 134 m² • im 1. OG, 2. OG und 4. OG •
alle Whg. mit Balkon • beste Ausstattung •
offene Küche. Aufzug, Keller, Stellplatz •
gute Verkehrsanbindung.

www.boell-haeuser-b.de

2

2-Zi-Wohnung in Citylage!

2. OG, Altbau modernisiert; Bj. 1903,
Wfl. 62 m², Gas-ZH, 160 kWh/(m² · a),
Fußböden neu, EBK, Bad (renov.),
Gäste-WC (sep.). Balkon, Garage,
KM 496 € zzgl. NK

Münch Immo
www.muenchimmo-com.de

3

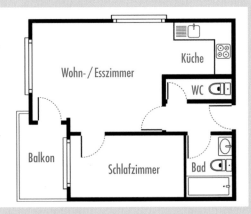

1   Wohnungsanzeigen

a Lesen Sie die Wohnungsanzeigen und beantworten Sie die Fragen. › ÜB: A1

1. In welchen Wohnungen wohnt man zentral?
2. In welchem Haus sind mehrere Wohnungen frei?
3. Welches Haus ist über 100 Jahre alt?

b Lesen Sie die Anzeigen noch einmal und ordnen Sie zu. › ÜB: A2

> Baujahr | Einbauküche | Erdgeschoss | Kaltmiete | Kilowatt-
> stunde pro Quadratmeter und Jahr | Nebenkosten | Obergeschoss |
> renoviert | Quadratmeter | separat | water closet = Toilette |
> Wohnfläche | Wohnung(en) | Zentralheizung | Zimmer | zuzüglich

1. Whg. *Wohnung(en)*
2. Bj. _____
3. Wfl. _____
4. m² _____
5. EG _____
6. OG _____
7. Zi. _____
8. renov. _____

9. EBK _____
10. WC _____
11. sep. _____
12. KM _____
13. NK _____
14. zzgl. _____
15. ZH _____
16. kWh/(m² · a) _____

c Lesen Sie die Anzeigen in 1a noch einmal und notieren Sie die Informationen.

	Was?	Wo?	Größe	Miete	Ausstattung
Anzeige 1	2-Zimmer-Wohnung	Erdgeschoss	48 m²	458 € + NK	neues Bad, Einbauküche
Anzeige 2				–	
Anzeige 3					

d Herr Fahr sucht im Internet nach mehr Informationen zu den Anzeigen in 1a. Zu welcher Anzeige passen diese Informationen?

Wir bieten: Schicke Wohnung im Grünen

- 2-Zimmer-Wohnung
- in modernem Energieeffizienzhaus mit sehr gut gedämmten Türen
- sehr ruhige Lage mit guter Verkehrsanbindung
- Wohnfläche: 64 m²
- 4. OG

- KM: 580,– € + 195,– € NK
- offene Küche mit moderner Ausstattung
- großes Wohn- / Esszimmer, Schlafzimmer, kleines Bad mit Fenster
- sonniger Süd-Balkon mit schönem Blick auf alte Bäume
- Aufzug, Keller und Stellplatz (50,– €)

Anzeige: _____

e ▶ 3|15 Hören Sie ein Telefongespräch mit dem Makler. Was ist anders? Korrigieren Sie im Informationstext in 1d.

2 Grammatik auf einen Blick: Adjektivdeklination vor Nomen ohne Artikel › G: 5.1

a Markieren Sie die Adjektive in 1d und ergänzen Sie die Endungen in der Tabelle.

	Maskulinum (M)	Neutrum (N)	Femininum (F)	Plural (M, N, F)
Nom.	der Balkon → sonniger Balkon	das Zimmer → groß___ Zimmer	die Küche → offen___ Küche	die Bäume → alte Bäume
Akk.	den Balkon → sonnigen Balkon	das Zimmer → großes Zimmer	die Wohnung → schick___ Wohnung	die Bäume → auf alt___ Bäume
Dat.	mit dem Blick → mit schön___ Blick	in dem Haus → in modern___ Haus	mit der Ausstattung → mit modern___ Ausstattung	mit den Türen → mit gedämmt___ Türen

b Markieren Sie in 2a die Endungen von den Artikeln und den Adjektiven. Was ist richtig: a oder b? › ÜB: A3

Endung vom Adjektiv vor Nomen ohne Artikel: Die Endung vom Adjektiv und vom bestimmten Artikel ist:
a. ☐ gleich.   b. ☐ ungleich.

3 Meine (Traum)-Wohnung

a Sie wollen eine Wohnung mieten und haben Fragen. Fragen und antworten Sie. Partner A: Datenblatt A13, Partner B: Datenblatt B13.

b Wie ist Ihre Traumwohnung? Machen Sie eine Zeichnung und erzählen Sie dann.

B Wohin stellst du ...?

1 Christians Einrichtungsplan

Wie heißen die Möbel und Einrichtungsgegenstände? Ordnen Sie zu. › ÜB: B1

Bett | Couchtisch | Esstisch | Herd | Garderobe | Geschirrspüler | Kleiderschrank | Kommode |
Küchenschrank | ~~Kühlschrank~~ | Lampe | Regal | Sessel | Sofa | Spüle | Stuhl | Teppich

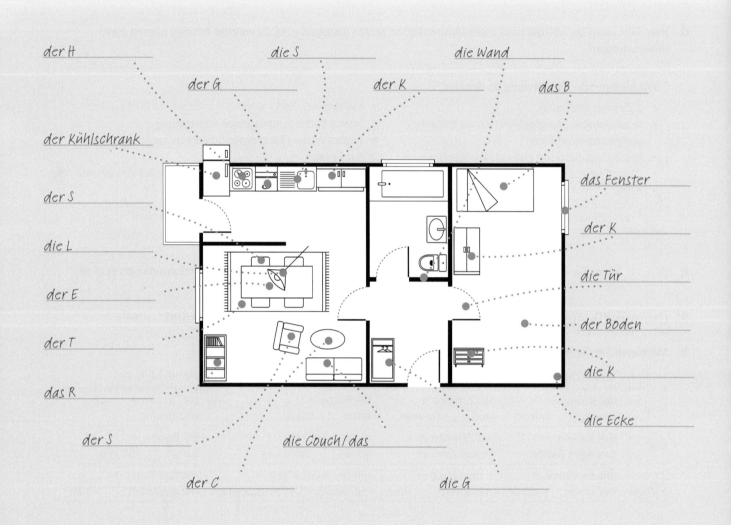

der H _____

die S _____

die Wand _____

der G _____

der K _____

das B _____

der Kühlschrank _____

der S _____

das Fenster _____

die L _____

der K _____

der E _____

die Tür _____

der T _____

der Boden _____

das R _____

die K _____

die Ecke _____

der S _____

die Couch / das _____

der C _____

die G _____

2 Was will Christian wohin stellen, legen, hängen?

a Sehen Sie die Zeichnungen an. Nehmen Sie dann einen Stift und ein Buch und üben Sie mit einem Partner / einer Partnerin die Bedeutung von den Präpositionen. Sie sagen: „in". – Ihr Partner legt den Stift in das Buch. Ihr Partner sagt „auf". – Sie legen den Stift auf das Buch. › ÜB: B2a

an   auf   in   hinter   vor   über   unter   neben   zwischen

b Sehen Sie nun den Plan in 1 an und ergänzen Sie die Sätze mit den Präpositionen aus 2a.

1. Christian will den Teppich *unter* _____ den Esstisch legen.

2. Er will die Lampe _____ den Esstisch hängen.

3. Den Esstisch will er _____ den Teppich stellen.

4. Den Geschirrspüler will er _____ den Herd und die Spüle stellen.

5. Das Regal möchte er _____ die Wand _____ das Fenster stellen.

6. Den Couchtisch möchte er _____ das Sofa stellen.

7. Die Garderobe möchte er _____ die Ecke in den Flur stellen.

8. Die Kommode will er in das Schlafzimmer _____ die Tür stellen.

3 Grammatik auf einen Blick: „Wechselpräpositionen" (an, auf, ...) – Teil 1 › G: 6.2

Markieren Sie in den Sätzen in 2b die Präpositionen mit Artikel und Nomen und kreuzen Sie in der Regel an. › ÜB: B2b

Ⓖ

„an", „auf", „in", „hinter", „vor", „über", „unter", „neben", „zwischen" sind Wechselpräpositionen.
Frage nach der Richtung – „Wohin stellt / legt / hängt / ...?": Präposition + a. ☐ Akkusativ. b. ☐ Dativ.

4 Und Annes Einrichtungspläne?

a ▷ 3 | 16 **Anne, eine Freundin von Christian, findet den Einrichtungsplan nicht gut. Hören Sie das Gespräch.
Was möchte Anne: a oder b? Kreuzen Sie an.**

		a.		b.
1.	Stell den Esstisch	a. ☒ in die Ecke hinter die Tür.	b. ☐ in die Ecke vor die Tür.
2.	Stell das Sofa	a. ☐ auf den Teppich.	b. ☐ an die Wand unter das Fenster.
3.	Stell den Sessel	a. ☐ neben das Regal.	b. ☐ zwischen das Regal und den Couchtisch.
4.	Häng die Lampe	a. ☐ über den Esstisch.	b. ☐ an den Esstisch.
5.	Stell das Bett	a. ☐ unter das Fenster.	b. ☐ neben die Tür.
6.	Stell die Kommode	a. ☐ hinter die Tür.	b. ☐ neben den Kleiderschrank.

b Hören Sie das Gespräch noch einmal und zeichnen Sie Annes Ideen in den Plan ein.

c Beschreiben Sie die Wohnung von Christian. Wohin soll er was stellen, legen, hängen? Vergleichen Sie mit dem Plan in 1 und sprechen Sie mit einem Partner / einer Partnerin.

▸ Wohin wollte Christian den Esstisch stellen?

▸ Er wollte den Esstisch vor das Fenster stellen, aber seine Freundin sagt, er soll den Esstisch in die Ecke hinter die Tür stellen. Wohin wollte er das Sofa stellen?

▸ Er ...

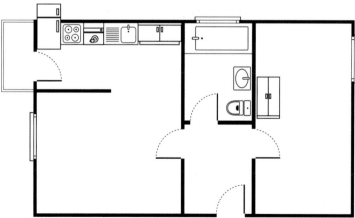

C Wo steht ...?

1 Das Wohnzimmer jetzt

a Lesen Sie die E-Mail von Christian an Anne. Welches Bild passt: 1 oder 2? Kreuzen Sie an.

☓

Liebe Anne,

vielen, vielen Dank noch einmal für deine Hilfe beim Umzug! Das war genial! Ich habe aber doch noch ein wenig umgeräumt. Das Wohnzimmer ist jetzt (fast) fertig. Es sieht jetzt so aus:

Das Sofa steht unter dem Fenster, und vor dem Sofa steht der Couchtisch. Zuerst habe ich den Teppich unter den Esstisch gelegt, jetzt liegt er unter dem Couchtisch. Da passt er sehr gut. Links neben dem Fenster steht das Regal, und vor das Regal habe ich den Sessel gestellt. Und rechts neben das Fenster habe ich die Grünpflanze gestellt. Die Lampe habe ich über den Couchtisch gehängt. An der Wand hängen die Bilder und es sieht jetzt ganz gut aus. Ich habe fast alles ausgepackt, nur im Flur liegen noch Bücher und DVDs und unter dem Couchtisch stehen noch ein paar Bücherkartons.

Komm mich besuchen und sieh es dir an!!!

Viele Grüße, Christian

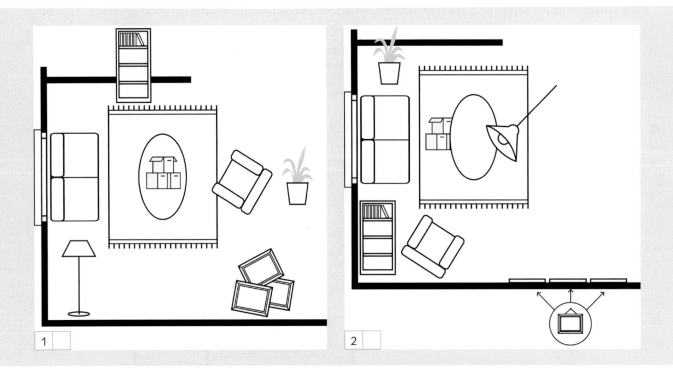

1 ☐

2 ☐

b Ein Bild ist falsch: Wo stehen, liegen, hängen die Sachen wirklich? Ergänzen Sie die Sätze.

1. Die Bilder liegen nicht *auf* dem Boden, sie hängen *an* der Wand.

2. Das Regal steht nicht rechts _____ der Wand, es steht links _____ dem Fenster.

3. Die Kartons stehen nicht _____ dem Couchtisch, sie stehen _____ dem Couchtisch.

4. Die Grünpflanze steht nicht _____ dem Sessel, sondern rechts _____ dem Fenster.

5. Der Sessel steht nicht _____ dem Couchtisch, sondern _____ dem Regal.

6. Seine Lampe steht nicht _____ der Ecke, sondern sie hängt _____ dem Couchtisch _____ der Decke.

2 Grammatik auf einen Blick: „Wechselpräpositionen" (an, auf, …) – Teil 2 › G: 6.2

a Markieren Sie in den Sätzen in 1b die Präpositionen mit Artikel und Nomen und kreuzen Sie in der Regel an.

G

„an", „auf", „in", „hinter", vor", „über", „unter", „neben", „zwischen" sind Wechselpräpositionen.
Frage nach dem Ort – „Wo ist / steht / liegt / hängt / …?": Präposition + a. ☐ Akkusativ.   b. ☐ Dativ.

b Lesen Sie die Sätze aus der E-Mail in 1a und markieren Sie alle Präpositionen mit Artikel, Nomen und Verb.

Wohin?
- Vor das Regal habe ich den Sessel gestellt.
- Zuerst habe ich den Teppich unter den Esstisch gelegt.
- Die Lampe habe ich über den Couchtisch gehängt.

Wo?
- Das Sofa steht unter dem Fenster.
- Jetzt liegt der Teppich unter dem Couchtisch.
- Die Bilder hängen an der Wand.

c Schauen Sie Ihre Markierungen in 2b an. Was ist richtig: a oder b? Kreuzen Sie in den Regeln an. › ÜB: C1 – 4

G

1. Die Verben „stellen", „legen", „hängen" drücken eine Bewegung in eine Richtung aus.
   Frage: „Wohin?": Wechselpräposition +   a. ☐ Akkusativ.   b. ☐ Dativ.
2. Die Verben „stehen", „liegen", „hängen" drücken aus, dass etwas / jemand an einem bestimmten Ort ist.
   Frage: „Wo?": Wechselpräposition +   a. ☐ Akkusativ.   b. ☐ Dativ.

3 Wie haben Sie Ihr Wohnzimmer eingerichtet?

**Beschreiben Sie Ihrem Partner / Ihrer Partnerin den Grundriss und die Einrichtung von Ihrem Wohnzimmer.
Ihr Partner zeichnet. Dann beschreibt Ihr Partner Ihnen sein Wohnzimmer.** › ÜB: C5

▶ Wo ist die Tür?
▶ Die Tür ist rechts unten in der Ecke.
▶ Wo ist das Fenster?
▶ Das Fenster ist oben in der Mitte.
▶ Wo steht das Sofa?
▶ Das Sofa steht an der Wand neben der Tür.
▶ Wo …?
▶ …

D So wohne ich

1 Eine Umfrage: Vor- und Nachteile von Wohnlagen

BT **P** **a** ▶ 3|17–20 **Sie hören die Aussagen von vier Personen. Alle sprechen über ihre Wohnlage. Was ist richtig: a, b oder c? Kreuzen Sie an.**

1. Bernhard Wollmer, 60 Jahre,
   a. ☐ wohnt mit seiner Frau am Stadtrand.
   b. ☐ arbeitet im Supermarkt.
   c. ☒ sind gute Einkaufsmöglichkeiten wichtig.

2. Katrin García-Erler, 34 Jahre,
   a. ☐ hat gute Kinderbetreuungsmöglichkeiten.
   b. ☐ ist in einem Sportverein.
   c. ☐ geht zu Fuß zur Arbeit.

3. Anton Muschg, 48 Jahre,
   a. ☐ arbeitet bei einem Architekten.
   b. ☐ braucht eine gute Verkehrsanbindung.
   c. ☐ hat eine Familie mit kleinen Kindern.

4. Gabi Heller, 56 Jahre,
   a. ☐ wohnt im Eigenheim.
   b. ☐ geht 10 Minuten zum Theater.
   c. ☐ findet ein Kulturangebot am Wohnort wichtig.

b **Wie wohnen Sie? Was sind die Vor- und Nachteile? Sprechen Sie mit drei Personen aus Ihrem Kurs und notieren Sie die Antworten in Ihr Heft. Die Redemittel helfen Ihnen.** › ÜB: D1

> Ich wohne im Zentrum / in der Stadtmitte / am Stadtrand / in einem Dorf / … | Der Stadtteil / Die Straße ist laut / ruhig / schön / … | Ich wohne im Erdgeschoss / im ersten / zweiten / dritten / … / Obergeschoss / Stock. | Ich wohne in einem Mehrfamilienhaus / Hochhaus / Reihenhaus / Einfamilienhaus / … | Ich wohne zur Miete / im Eigenheim. | In der Nähe gibt es … (k)einen Sportverein / Supermarkt / Kindergarten / (k)eine Schule / (k)ein Kino / Restaurant / Café / … | Die Verkehrsanbindung ist gut / nicht gut. | Vor dem Haus fährt eine Straßenbahn / ein Bus / … | Ich brauche … Minuten zur Arbeit.

Wer?	Lage	Vorteile	Nachteile
1.			
2.			
3.			

2 Infrastruktur – Was ist am Wohnort besonders wichtig?

a **Lesen Sie die Statistik und sprechen Sie über jeden Punkt.**

© IfD-Umfrage 9694, Sparda-Studie „Wohnen in Deutschland", 2013

Infrastruktur – Was ist am Wohnort besonders wichtig?		Hat Christian Fahr diese Möglichkeit? (Informationen in 2b)		
		j	n	?
Gute Einkaufsmöglichkeiten	83 %	☐	☒	☐
Öffentlicher Nahverkehr in der Nähe	70 %	☐	☐	☐
Gute Schulen	62 %	☐	☐	☐
Gute Anbindung an Autobahn und Bundesstraßen	60 %	☐	☐	☐
Viele Arbeitsplätze am Ort, in der Region	57 %	☐	☐	☐
Gutes Kulturangebot	49 %	☐	☐	☐
Gute Kinderbetreuungsmöglichkeiten	45 %	☐	☐	☐
Bars, Kneipen, Cafés	45 %	☐	☐	☐
Restaurants	44 %	☐	☐	☐
Sportangebot (Hallenbad, Freibad)	42 %	☐	☐	☐

83 % wollen gute Einkaufsmöglichkeiten. Das bedeutet, sie möchten Supermärkte und Kaufhäuser am Wohnort.

b Christians alte Kollegen wollen wissen, wie es ihm geht. Lesen Sie Christians Antwort. Hat er die Möglichkeiten aus 2a: ja (j), nein (n), im Text gibt es keine Information (?). Kreuzen Sie in 2a an. › ÜB: D2

Liebe Kolleginnen, liebe Kollegen,

ihr habt mich nach meiner neuen Wohnung gefragt: Sie ist super, aber der Umzug war sehr stressig. Die Wohnung ist nicht zentral, aber sie liegt sehr nah an der Autobahn. Ein S-Bahnhof und zwei Buslinien sind direkt vor meiner Tür, ich brauche nur 30 Minuten in die Firma. An der Ecke ist ein Kino, das ist praktisch. Abends gehe ich oft essen, ich muss nur über die Straße gehen, das ist ein Vorteil, denn ich koche ja nicht gern. Es gibt auch ein paar Cafés, da kann man nett draußen sitzen. Ihr wisst ja: Ich schwimme gern und spiele Badminton. Leider gibt es keinen Badmintonclub, der ist im Zentrum, und ein Hallenbad ist auch nicht in der Nähe. Und es gibt auch keinen Supermarkt, nur einen Bäcker, das ist sehr unpraktisch. Ich muss zum Einkaufen fünf Stationen mit dem Bus fahren. Egal, die Wohnung ist genial, das Haus ist ein Neubau und energieeffizient, ich habe fast keine Heizkosten. Ich habe so lange gesucht und endlich etwas gefunden! Ihr müsst mich hier bald besuchen.

Viele Grüße, Christian

---

3 Wo liegt Ihre Wohnung?

Schreiben Sie eine E-Mail an einen Freund / eine Freundin und beschreiben Sie die Lage von Ihrer Wohnung. Was sind die Vor- und Nachteile?

Aussprache

1 „f", „v" und „w"

a ▷ 3|21 Welchen Namen hören Sie: a oder b? Kreuzen Sie an.

1. a. ☐ Fahr   b. ☒ Wahr   4. a. ☐ Ferner   b. ☐ Werner
2. a. ☐ Fein   b. ☐ Wein   5. a. ☐ Follmer   b. ☐ Wollmer
3. a. ☐ Fuller b. ☐ Wuller   6. a. ☐ Fichte   b. ☐ Wichte

b Hören Sie die Namen aus 1a noch einmal und sprechen Sie sie nach.

c ▷ 3|22 Man schreibt „v". Was hören Sie: „f" oder „w"? Kreuzen Sie an.

	f	w			f	w			f	w
1. Verkehr	☒	☐	4. viel	☐	☐	7. Service	☐	☐
2. von	☐	☐	5. Interview	☐	☐	8. Vorteil	☐	☐
3. renovieren	☐	☐	6. Sportverein	☐	☐	9. Event	☐	☐

d Hören Sie die Wörter in 1c noch einmal und ergänzen Sie die Regel.

Ⓐ

1. Man spricht „v" in deutschen Wörtern wie _____ .
2. Man spricht „v" in Wörtern aus anderen Sprachen wie _____ .

e ▷ 3|23 Hören Sie zuerst die Sätze. Sprechen Sie sie dann zuerst ganz langsam und dann so schnell wie möglich. Wer macht es am besten?

1. Wenig fitte Servicefachkräfte füllen früh viele Word-Formulare falsch aus.
2. Viele freundliche Werbefachfrauen warten vor dem Event am Festzelt-Buffet auf vegetarische Bewirtung.

E Schlusspunkt

Situation 1

Person A

Sie sind Olga Fink und richten eine Wohnung ein.
Ein Freund hilft Ihnen.
Fragen Sie ihn um Rat.

Person B

Sie sind André Klar. Eine Freundin von Ihnen hat eine neue Wohnung.
Sie helfen ihr beim Einrichten.
Raten Sie ihr.

▶ Was meinst du, wohin soll ich den Schreibtisch stellen?
▶ Stell den Schreibtisch doch vor das Fenster.
▶ Wohin soll ich … stellen / legen / hängen?
▶ Stell / Leg / Häng … doch an / auf / …
▶ Wohin kann ich … stellen / legen / hängen?
▶ Du kannst … an / auf / … stellen / legen / hängen.
▶ …

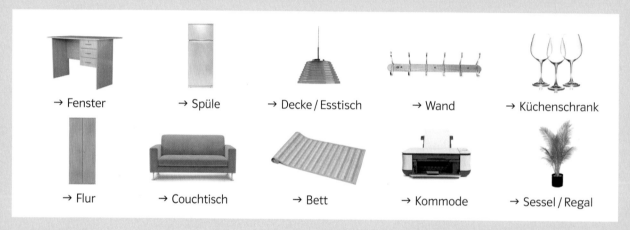

→ Fenster   → Spüle   → Decke / Esstisch   → Wand   → Küchenschrank

→ Flur   → Couchtisch   → Bett   → Kommode   → Sessel / Regal

Situation 2

Person A

Sie sind Martin Rolfs. Eine Freundin von Ihnen hat eine neue Wohnung.
Sie helfen ihr beim Einrichten.
Raten Sie ihr.

Person B

Sie sind Helga Kopp und richten eine Wohnung ein.
Ein Freund hilft Ihnen.
Sie fragen ihn um Rat.

▶ Was meinst du, wohin soll ich … stellen / legen / hängen?
▶ Stell / Leg / Häng … doch an / auf / …?
▶ Wohin kann ich … stellen / legen / hängen?
▶ Du kannst … an / auf / … stellen / legen / hängen.
▶ …

→ Esstisch   → Herd   → Sofa / Regal   → Lampe   → Aktenschrank

→ Kleiderschrank   → Schreibtisch   → Spüle   → Wand / Sofa   → Schreibtisch

Lektionswortschatz

Haus und Wohnung:
der Bau, -ten
   Altbau ≠ Neubau
das Baujahr, -e (Bj.)
das Haus, ⸚er
   Einfamilienhaus
   Reihenhaus
   Mehrfamilienhaus
   Hochhaus
   Energieeffizienzhaus
das Eigenheim, -e
die Wohnung, -en (Whg.)
   2-Zimmer-Wohnung
   Mietwohnung
   Traumwohnung
der Grundriss, -e
der Makler, -

Miete und Nebenkosten:
die Miete, -n
   Kaltmiete (KM) ≠
   Warmmiete (WM)
zur Miete
betragen (die Miete
   beträgt 500,- €)
der Mieter, - /
   die Mieterin, -nen
der Vermieter, - /
   die Vermieterin, -nen
die Kosten (nur Pl.)
   Nebenkosten (NK)
   Heizkosten
inklusive (inkl.) ≠
   zuzüglich (zzgl.)
die Kilowattstunde, -n
energieeffizient

Die Ausstattung:
die Fläche, -n
   Wohnfläche (Wfl.)
die Größe, -n
der Quadratmeter, - (m²)
das Geschoss, -e
   Erdgeschoss (EG)
   Obergeschoss (OG)
der Stock, die Stockwerke
die Ecke, -n
das Fenster, -
die Fensterbank, ⸚e
die Tür, -en
die Wand, ⸚e

der Boden, ⸚
   Fußboden
das Zimmer, - (Zi.)
   Badezimmer
   Esszimmer
   Schlafzimmer
   Wohnzimmer
der Flur, -e
der Keller, -
die Küche, -n
   Einbauküche (EBK)
das Bad, ⸚er
das WC, -s
die Toilette, -n
separat (sep.)
der Aufzug, ⸚e
der Balkon, -s / -e
der Stellplatz, ⸚e
die Garage, -n
   Tiefgarage
die Zentralheizung, -en (ZH)
das Gas (hier nur Sg.)
gedämmt
isoliert
renoviert (renov.)

Die Lage:
die Stadt, ⸚e
die Stadtmitte (nur Sg.)
der Stadtrand, ⸚er
der Stadtteil, -e
der Stadtwald, ⸚er
das Dorf, ⸚er
das Zentrum, Zentren
   im Zentrum
   zentral
ruhig
der Blick, -e
im Grünen
die Infrastruktur, -en
die Anbindung, -en
   Verkehrsanbindung
die Autobahn, -en
die Bundesstraße, -n
der Bus, -se
die Straßenbahn, -en
die Station, -en
der Nahverkehr (nur Sg.)
in der Nähe
zu Fuß

Freizeit und Alltag:
das Angebot, -e
   Kulturangebot
das Kino, -s
die Kultur (hier nur Sg.)
das Theater, -
die Gastronomie (nur Sg.)
die Bar, -s
das Café, -s
die Kneipe, -n
die Betreuung, -en
   Kinderbetreuung
die Bildung (hier nur Sg.)
der Kindergarten, ⸚
die Schule, -n
   Ganztagsschule
die Möglichkeit, -en
   Einkaufsmöglichkeit
das Kaufhaus, ⸚er
der Sport (nur Sg.)
das Sportstadion, -stadien
der Sportverein, -e
das Freibad, ⸚er
das Hallenbad, ⸚er
der Badmintonclub, -s

Die Einrichtung:
einrichten
der Gegenstand, ⸚e
   Einrichtungsgegenstand
das Möbel, - (meist Pl.)
das Bett, -en
der Kleiderschrank, ⸚e
die Kommode, -n
der Esstisch, -e
der Stuhl, ⸚e
der Sessel, -
das Sofa, -s
die Couch, -es / -en /
   der Couch, -es (CH)
der Couchtisch, -e
der Teppich, -e
die Lampe, -n
das Bild, -er
das Regal, -e
die Garderobe, -n
der Geschirrspüler, -
der Herd, -e
der Küchenschrank, ⸚e
der Kühlschrank, ⸚e
die Spüle, -n
die Pflanze, -n
   Grünpflanze

Verben:
hängen
legen
liegen
setzen
sitzen
stecken
stehen
stellen
umräumen
ausfüllen
fragen nach + D
meinen
sprechen mit + D / über + A

Nomen:
der Baum, ⸚e
der Landessender, -
die Tasche, -n
die Umfrage, -n
der Nachteil, -e ≠
   der Vorteil, -e

Adjektive:
genial (umgangssprachlich
   für „sehr gut")
öffentlich
praktisch ≠ unpraktisch

Präpositionen:
an
auf
in
hinter
vor
über
unter
neben
zwischen

Ortsangaben:
in der Ecke
in der Mitte
oben ≠ unten
links ≠ rechts
draußen

A Eine Ausbildung zu …

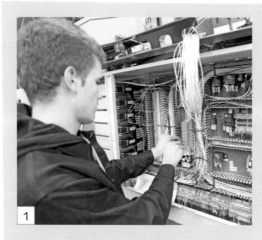

Die duale* Ausbildung

Als duale Ausbildung, auch duales Berufsaus-bildungssystem, bezeichnet man die parallele Ausbildung in Betrieb und Berufsschule in Deutschland, Österreich und der Schweiz. Im Betrieb findet der praktische Teil statt (3 – 4 Tage pro Woche), in der Berufsschule der theoretische (1 – 2 Tage pro Woche). Manchmal findet der theoretische Teil in Blockform, z. B. 3 Monate, statt. Voraussetzung: ein Ausbildungsvertrag / Lehrvertrag mit einem Betrieb.

*dual von lateinisch „duo" = 2

1 Ich begrüße Sie herzlich zu …

a **Lesen Sie den Informationstext oben und beantworten Sie dann die Fragen.** › ÜB: A1

1. Warum heißt die Ausbildung „duale" Ausbildung?
2. Wo lernt man die Berufspraxis?
3. Wo lernt man die Theorie?
4. Was braucht man vor der Ausbildung?

b ▶ 3|24 **Hören Sie die Begrüßung und die Vorstellung. Was ist richtig: a oder b? Kreuzen Sie an.**

1. Die Personen sind   a. ☐ im Betrieb.   b. ☐ in der Berufsschule.
2. Die Personen sind   a. ☐ Fachleute.   b. ☐ Auszubildende.

c **Hören Sie die Begrüßung noch einmal. Welche Ausbildung machen die Personen oben? Notieren Sie unter den Fotos. Eine Ausbildung passt nicht.**

- Fachkraft für Lagerlogistik
- Industriekaufmann/frau
- Elektroniker/in
- Produktdesigner/in

13

2 Ausbildungsberufe im Steckbrief

a Lesen Sie die Steckbriefe A und B. Welche Berufe auf den Fotos links oben sind das? Notieren Sie.

A

Ausbildungsart:	Duale Berufsausbildung
Ausbildungsdauer:	3 Jahre
Lernorte:	Betrieb und Berufsschule

Was machen Sie in diesem Beruf?
* betriebswirtschaftliche Prozesse in Unternehmen steuern
* Angebote vergleichen, mit Lieferanten verhandeln
* Verkaufsverhandlungen führen
* Warenproduktion planen, steuern und kontrollieren

Was ist wichtig?
* Flexibilität, z. B. auf Wünsche von Kunden reagieren
* Verhandlungsfähigkeit, z. B. beim Einkauf
* Kenntnisse in Mathematik, Wirtschaft, EDV und Sprachen (z. B. Englisch)

Was verdienen Sie in der Ausbildung?
Ausbildungsvergütung in der Industrie pro Monat:
von € 811 – € 870 (1. Ausbildungsjahr) bis
€ 920 – € 997 (3. Ausbildungsjahr)

B

Ausbildungsart:	Duale Berufsausbildung
Ausbildungsdauer:	3,5 Jahre
Lernorte:	Betrieb und Berufsschule

Was machen Sie in diesem Beruf?
* elektrische Bauteile und Anlagen installieren, warten und reparieren
* elektronische Systeme programmieren und prüfen
* Montage von Anlagen organisieren und kontrollieren
* die Anlagen dem Kunden zeigen und beschreiben

Was ist wichtig?
* Genauigkeit, z. B. beim Programmieren und beim Prüfen von Anlagen
* Flexibilität, z. B. Wechsel von Arbeitsorten
* Kenntnisse in Mathematik, Technik und Informatik

Was verdienen Sie in der Ausbildung?
Ausbildungsvergütung pro Monat:
von € 835 – € 881 (1. Ausbildungsjahr) bis
€ 1.003 – € 1.065 (4. Ausbildungsjahr)

b Welcher Steckbrief passt? Lesen Sie die Steckbriefe noch einmal und kreuzen Sie an. › ÜB: A2

		A	B			A	B
1.	Welche Ausbildung dauert 42 Monate?	☐	☒	4. Wer verhandelt bei seiner Arbeit?		☐	☐
2.	Wer organisiert die Produktion von Waren?	☐	☐	5. Wer geht oft von Arbeitsort zu Arbeitsort?		☐	☐
3.	Wer muss programmieren können?	☐	☐	6. Wer verdient besser?		☐	☐

3 Grammatik auf einen Blick: Die n-Deklination › G: 2.1

Markieren Sie die Wörter „Kunde" und „Lieferant" in 2a, ergänzen Sie dann die Tabelle und die Regel. › ÜB: A3

	Singular		Plural	
Nom.	der / ein	Kunde / Lieferant	die / Ø	Kunden / Lieferanten
Akk.	den / einen	Kunden / Lieferanten	die / Ø	Kunden / Lieferanten
Dat.	dem / einem	/ Lieferanten	mit / von den / Ø	/ Lieferanten

G

Nomen im Maskulinum mit der Endung „-(e)n" im Plural, haben auch im Singular immer die Endung _____,
außer im Nominativ. Ausnahme: Nomen auf „-or": z. B. Motor, -en → den Motor / dem Motor

T ⓟ 4 Mein Traumberuf

Schreiben Sie einen Steckbrief für Ihren Beruf oder Ihren Traumberuf und stellen Sie ihn im Kurs vor. Beschreiben Sie
auch Ihren Arbeitsort, die Arbeitszeiten und Ihre Kollegen.

B Eine Erfolgsgeschichte

A

Betonzertrümmerer

B

Standort Windhagen

C

Heißfräse

D

LKW

E

Kaltfräse

F

Maschinenbau

G

Asphaltaufbereitung

H

Maschinenpark

1 Von der „Wirtgen GmbH" zur „Wirtgen Group"

a Lesen Sie den Informationstext über die Firmengeschichte und ordnen Sie die Fotos zu.

1. **Im November 1961** gründete Reinhard Wirtgen, erst 20 Jahre alt, in Windhagen ein Fuhrunternehmen. Er machte seine Arbeit mit nur einem LKW. — Foto: D

2. **1965** baute er einen Betonzertrümmerer und arbeitete als Subunternehmer für Straßenbaufirmen. Zusammen mit 10 Mitarbeitern baute er noch weitere Betonzertrümmerer und erledigte erfolgreich viele Aufträge. Bald war die Firma deutschlandweit bekannt. — Foto: _____

3. **1970** baute die Firma eine von den ersten Heißfräsen weltweit. — Foto: _____

4. **1970–1979:** Die Firma hatte schon 150 Mitarbeiter. Sie erweiterte den Maschinenpark auf über 100 Maschinen und eröffnete auch Niederlassungen im Ausland. — Foto: _____

5. **1979** entwickelte die Firma auch eine Kaltfräse. — Foto: _____

6. **1980–1996:** Reinhard Wirtgen konzentrierte die Aktivitäten auf die Produktion von Maschinen für den Neubau von Straßen und den Tagebau. Die Firma war nun kein Dienstleister mehr, sondern Maschinenbauer. — Foto: _____

7. **Seit 1997** leiten seine Söhne Jürgen und Stefan Wirtgen das Unternehmen. Sie bauten den Standort Windhagen aus. Sie führten die drei Firmen Wirtgen, Vögele und Hamm sowie die Firmen Kleemann und Benninghoven zusammen zur „Wirtgen Group". Diese ist weltweit tätig und ist Marktführer im mobilen Straßenbau, in der Straßenreparatur und im Tagebau. — Foto: _____

8. **2011–heute:** Die „Wirtgen Group" entwickelt immer mehr umweltfreundliche Technologien, zum Beispiel mit einer Maschine zur Aufbereitung von Asphalt in Australien. — Foto: _____

b Lesen Sie den Informationstext noch einmal und ordnen Sie den Stichworten die Jahreszahlen zu. › ÜB: B1

1. Gründung: *1961*

2. Erhöhung Maschinenanzahl: _____

3. Maschinenbauer: _____

4. Neue Geschäftsleitung: _____

5. Erster Betonzertrümmerer: _____

6. Erste Heißfräse: _____

7. Erste Kaltfräse: _____

8. Weitere Entwicklung – umweltfreundliche Technologien: _____

2 Grammatik auf einen Blick: Präteritum – regelmäßige Verben › G: 1.4

a Markieren Sie in 1a die Verben „machen", „ausbauen", „gründen", „arbeiten" und „eröffnen" und ergänzen Sie die Tabelle.

	machen	ausbauen	gründen	arbeiten	eröffnen
ich	mach-t-e	bau-t-e … aus	gründ-et-e	arbeit-et-e	eröffn-et-e
du	mach-t-est	bau-t-est … aus	gründ-et-est	arbeit-et-est	eröffn-et-est
er / sie / es		bau-t-e … aus	*gründ-et-e*		
wir	mach-t-en	bau-t-en … aus	gründ-et-en	arbeit-et-en	eröffn-et-en
ihr	mach-t-et	bau-t-et … aus	gründ-et-et	arbeit-et-et	eröffn-et-et
sie / Sie	mach-t-en		gründ-et-en	arbeit-et-en	eröffn-et-en

b Was fällt auf? Schauen Sie die Verbformen in 2a an und ergänzen Sie die Regeln. › ÜB: B2

Ⓖ

Präteritum – Gebrauch: Man erzählt oder berichtet von etwas Vergangenem im Zusammenhang.
1. Das Präteritum von regelmäßigen Verben bildet man so: Stamm + _____ + Endung: „-e", „-est", „-e", „-en", „-et", „-en".
2. Der Stamm endet auf „d", „t" oder „n": Stamm + _____ + Endung, **aber:** lernte.
3. Bei trennbaren Verben steht die Vorsilbe am _____ .

3 Wann und wie war das? – Die Firmengeschichte

Stellen Sie Ihrem Partner / Ihrer Partnerin Fragen zum Informationstext in 1a. › ÜB: B3

▶ Wann gründete Reinhard Wirtgen die Firma?
▶ Mit nur einem LKW. – Wann baute er …?

▶ 1961. – Wie machte er seine Arbeit?
▶ …

Der Gründer Reinhard Wirtgen

Moderne Kaltfräse

Jürgen und Stefan Wirtgen

C Wie kam das?

1 Erzähl doch mal ...

a ▶ 3|25-26 **Hören Sie das Gespräch. Was ist das Hauptthema? Kreuzen Sie an.**

    a. ☐ Die Familiengeschichte.
    b. ☐ Die Ausbildung.

b **Hören Sie das Gespräch noch einmal. Von welchen Familienmitgliedern im Stammbaum spricht Diego Gómez? Markieren Sie.** › ÜB: C1

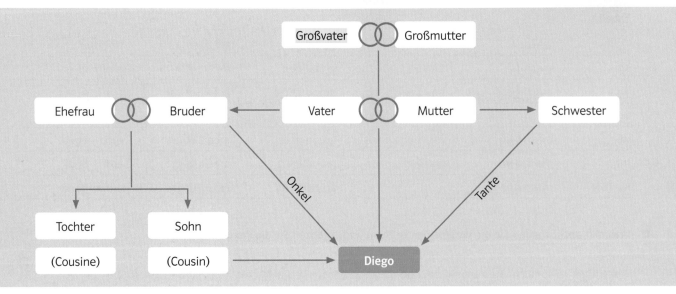

B **P** **C** **Hören Sie das Gespräch noch einmal. Was ist richtig: a, b oder c? Kreuzen Sie an.** › ÜB: C2

1. Die Azubis sitzen
    a. ☐ im Garten von Wirtgen.
    b. ☒ in einem Lokal am Rhein.
    c. ☐ in einem Restaurant im Kölner Zentrum.

2. Der Großvater von Diego
    a. ☐ hatte eine Ausbildung als Elektriker.
    b. ☐ arbeitete als Elektroniker.
    c. ☐ erledigte Aufträge für Nachbarn.

3. Der Vater von Diego
    a. ☐ ist ausgebildeter Elektroniker.
    b. ☐ ist im Geschäft angestellt.
    c. ☐ leitet das Geschäft.

4. Diego wollte
    a. ☐ schon immer Elektroniker werden.
    b. ☐ sehr gern eine Ausbildung in Deutschland machen.
    c. ☐ schon immer in einer Tapas-Bar arbeiten.

5. Die Firma
    a. ☐ ist sehr gewachsen.
    b. ☐ hat keine Webseite.
    c. ☐ ist kein Familienbetrieb mehr.

2 Familienmitglieder und ihre Berufe?

Fragen und antworten Sie. Partner A: Datenblatt A14, Partner B: Datenblatt B14.

3 Grammatik auf einen Blick: Präteritum – unregelmäßige und gemischte Verben › G: 1.4

a Lesen Sie die Sätze aus dem Gespräch in 1c und markieren Sie die Präteritumformen.

1. Mein Großvater wusste viel über Elektrik.
2. Er kam aus einer Familie mit vielen Kindern.
3. Er erledigte kleine Arbeiten für die Nachbarn.
4. So wurde er bekannt und bekam immer mehr Aufträge.
5. Ich rannte schon als kleines Kind immer im Laden herum und fand alles sehr spannend.
6. Und dann dachte ich auch: Eine Ausbildung zum Elektroniker ist heute besser.

b Ergänzen Sie die Tabelle mit den Präteritumformen aus 3a.

	unregelmäßige Verben			gemischte Verben		
	kommen	finden	werden	rennen	denken	wissen
ich	kam		wurd-e			wuss-t-e
du	kam-st	fand-est	wurd-est	rann-t-est	dach-t-est	wuss-t-est
er / sie / es		fand		rann-t-e	dach-t-e	*wuss-t-e*
wir	kam-en	fand-en	wurd-en	rann-t-en	dach-t-en	wuss-t-en
ihr	kam-t	fand-et	wurd-et	rann-t-et	dach-t-et	wuss-t-et
sie / Sie	kam-en	fand-en	wurd-en	rann-t-en	dach-t-en	wuss-t-en

c Schauen Sie die Formen in 3b an. Was ist richtig: a oder b? Kreuzen Sie an. › ÜB: C3 – 4

Ⓖ

1. a. **Unregelmäßige Verben** ändern   a. ☐ den Stammvokal.   b. ☐ den Stammvokal nicht.
   b. Die 1. und 3. Person Singular haben   a. ☐ die Endung „-e".   b. ☐ keine Endung.
   c. Ausnahme: „werden" hat Endungen wie   a. ☐ regelmäßige Verben.   b. ☐ unregelmäßige Verben.
2. a. **Gemischte Verben** ändern   a. ☐ den Stammvokal.   b. ☐ den Stammvokal nicht.
   b. Sie haben Endungen wie   a. ☐ regelmäßige Verben.   b. ☐ unregelmäßige Verben.

4 Wie war das bei dir?

a Machen Sie Notizen zu „Ihrer Familiengeschichte". Sie können auch eine Geschichte erfinden. Die Fragen helfen.

1. Woher kommen Sie? / Wo haben Sie früher gelebt?
2. Welchen Beruf haben Ihre Eltern / Großeltern?
3. Haben Sie Geschwister?
4. Wo sind Sie in die Schule gegangen?
5. Wo haben Sie Deutsch gelernt?
6. Welchen Abschluss haben Sie?
7. Wann haben Sie Ihren Abschluss gemacht?
8. Welche Ausbildung haben / möchten Sie machen?
9. Was wollten Sie früher werden? Warum?
10. Was sind Ihre Pläne für die Zukunft?

T Ⓟ b Erzählen Sie einem Partner / einer Partnerin „Ihre Familiengeschichte". Ihr Partner macht Notizen.

c Schreiben Sie nun die „Familiengeschichte" von Ihrem Partner / Ihrer Partnerin auf. Verwenden Sie das Präteritum.

Mein Partner / Meine Partnerin lebte früher in ...

d Tauschen Sie Ihre Geschichten. Hat Ihr Partner Ihre Familiengeschichte richtig verstanden?

D Eine Firmenpräsentation

Heute Vormittag

9.00 – 10:15	Firmenpräsentationen:
	1. Joseph Vögele AG
	2. Hamm AG
	3. Kleemann GmbH
	4. Benninghoven GmbH & Co. KG
10:30 – 10:30	Kaffeepause
10:30 – 12:00	Arbeitsgruppen

WIRTGEN GROUP

1 Herzlich willkommen zum Informationstag!

a ▶ 3|27 **Lesen Sie das Flipchart und hören Sie Teil 1 von der Präsentation. Auf dem Flipchart gibt es zwei Fehler. Welche?**

b **Lesen Sie die Sätze aus der Präsentation. Hören Sie Teil 1 von der Präsentation noch einmal. Welche Sätze hören Sie? Kreuzen Sie an.** › ÜB: D1a

1. Guten Morgen, alle zusammen. ☒
2. Mein Name ist Maria Baum und ich gehöre zum Team von Herrn Wolf. ☐
3. Ich möchte Ihnen heute die vier Firmen in der Wirtgen Group vorstellen. ☐
4. Zuerst möchte ich Ihnen – sehr kurz – etwas zur Firmengeschichte erzählen. ☐
5. Zum Schluss können Sie Fragen stellen. ☐
6. Danach geht es wie folgt weiter. ☐
7. Um 10:00 Uhr gibt es eine Kaffeepause. ☐

> **TIPP**
>
> AG = Aktiengesellschaft
> GmbH = Gesellschaft mit beschränkter Haftung
> & Co KG = und Compagnie Kommanditgesellschaft

c ▶ 3|28 **Hören Sie nun Teil 2 von der Präsentation. Was ist richtig (r)? Was ist falsch (f)? Kreuzen Sie an.** › ÜB: D1b

		r	f
1.	1878 gründeten Franz und Anton Hamm die Firma Hamm.	☒	☐
2.	Sie produzierten Straßenbaumaschinen.	☐	☐
3.	Die Firma war schnell erfolgreich.	☐	☐
4.	1911 baute Hans Hamm die erste Straßenwalze mit Motor.	☐	☐
5.	Ab 1928 entwickelte die Firma die Straßenwalzen weiter und hatte international Erfolg.	☐	☐
6.	Seit den 50er-Jahren ist der Export immer weiter gestiegen.	☐	☐
7.	Seit 1989 gehört die Firma zur „Wirtgen Group".	☐	☐
8.	2003 feierte die Firma ihr 125-jähriges Jubiläum.	☐	☐
9.	In den letzten 10–15 Jahren hat sie die Absatzmärkte erweitert.	☐	☐
10.	Zurzeit arbeitet Hamm in einhundert Ländern.	☐	☐
11.	Die Mitarbeiterzahl ist gesunken.	☐	☐
12.	2005 bekam die Firma den „Design Oscar" für die DV-Walze.	☐	☐

Die erste Straßenwalze

„Design Oscar" für die DV-Walze

2 Meine Präsentation

a Bereiten Sie mit einem Partner / einer Partnerin eine Präsentation vor. Verwenden Sie die Daten im Kasten und die Redemittel aus 1b und unten. Sie können auch eine Firma im Internet wählen.

> **Firma Wald Baumaschinen GmbH:**
> Hans Wald: Gründung 1980 – Standort: Neustadt – Mitarbeiterzahl: 1980 zwei Mitarbeiter, heute 15 Mitarbeiter –
> Ausbau von Standort: 2002 – Vertrieb von gebrauchten Baumaschinen – ständig ca. 60 Maschinen im Angebot –
> 2010: Jubiläum – Umsatz: von 350.000 € auf 1,8 Millionen € – Absatzmarkt: 20 Länder in Europa

> Ich beginne also mit der Firmengeschichte: … gründete(n) … | mit Sitz in … | Die Mitarbeiterzahl wuchs von
> … auf … | … baute die Firma ihren … aus. | Sie vertreibt … | Sie hat ständig … im Angebot. | … feierte
> sie ihr …-jähriges Jubiläum. | Sie erhöhte den Umsatz von … auf … | Sie konnte den Absatzmarkt auf …
> Länder … erweitern. | Ich komme nun zum Schluss von der Firmengeschichte. | Haben Sie noch Fragen?

b Lernen Sie Ihre Präsentation und tragen Sie sie Ihrem Partner / Ihrer Partnerin vor. Tragen Sie sie dann im Kurs vor.

Aussprache

1 Wie spricht man „sch" – „sp" – „st"?

a ▶ 3|29 **Hören Sie die Wörter und sprechen Sie sie nach.**

- sprechen   - Gespräch   - Schule   - elektrisch
- Standort   - bestellen   - Geschichte   - gestiegen

b ▶ 3|30 **Hören Sie die Wörter und sprechen Sie sie nach.**

- Restaurant   - Transport   - du gingst   - Mittagspause
- Espresso   - System   - Dienst   - Ausbildungsteam

c Wann spricht man [sch], wann [s]? Kreuzen Sie an.

wir schreiben	Beispiele	wir sprechen			
1. „sch"	Schule	[sch]	☒	[s]	☐
2. „sp" am Anfang von einem Wort	sprechen	[schp]	☐	[sp]	☐
3. „sp" am Anfang von einer Silbe	Gespräch	[schp]	☐	[sp]	☐
4. „sp" an der Wort- und Silbengrenze	Transport, Mittagspause	[schp]	☐	[sp]	☐
5. „st" am Anfang von einem Wort	Standort	[scht]	☐	[st]	☐
6. „st" am Anfang von einer Silbe	bestellen	[scht]	☐	[st]	☐
7. „st" an der Wort- und Silbengrenze	Ausbildungsteam, Restaurant	[scht]	☐	[st]	☐
8. „st" am Ende von einem Wort	Dienst	[scht]	☐	[st]	☐

d Machen Sie aus den Wörtern in 1a und 1b Sätze und sprechen Sie.

> Ich fand das Gespräch interessant.

E Schlusspunkt

Situation 1

Person A

Sie sind Tobias Völker, Auszubildender bei einem Straßenbauunternehmen.
Sie sind im dritten Ausbildungsjahr zur „Fachkraft für Lagerlogistik" und gehen zu einem Bewerbungstraining. Sie berichten dort von Ihrer Ausbildung.

Wer bin ich und was will ich werden?
– Mein Name ist …
– Ich bin im letzten Ausbildungsjahr zum / zur …
– … ist eine duale Ausbildung, sie dauert 3 Jahre.

Was mache ich in dem Beruf?
Ich …
– Angebote vergleichen
– Waren bestellen, die Bezahlung kontrollieren
– Waren annehmen und prüfen, Waren transportieren, Waren sortieren und lagern
– Lieferungen planen, Lieferscheine schreiben

Was muss ich sein / haben?
Ich muss …
– genau sein, z. B. beim Prüfen von Lieferungen
– gut organisieren können
– Kenntnisse in Mathematik, EDV und Englisch haben
– gut Deutsch sprechen und schreiben

Situation 2

Person B

Sie sind Olga Schmitz, Auszubildende bei der Baufirma Kohn GmbH.
Sie sind im ersten Ausbildungsjahr zur Elektronikerin.
In der Stadt gibt es einen Azubi-Stammtisch. Sie gehen hin und berichten den anderen Azubis von Ihrer Ausbildung.

Wer bin ich und was will ich werden?
– Mein Name ist …
– Ich mache eine Ausbildung bei …
– Ich will … werden.
– Das ist eine duale Ausbildung.
– Das ist mein erstes Ausbildungsjahr.

Was mache ich in dem Beruf?
Ich …
– elektrische Anlagen installieren
– elektrische Anlagen warten und reparieren
– elektronische Systeme programmieren und kontrollieren
– die Montage von Anlagen organisieren und prüfen
– die Kunden beraten

Was muss ich sein / haben?
Ich muss …
– genau sein beim Programmieren und beim Kontrollieren von Anlagen
– flexibel sein, z. B. den Arbeitsort oft wechseln
– Kenntnisse in Technik, Informatik und Mathematik haben
– gute Deutschkenntnisse haben

Situation 3

Ihre Ausbildung / Ihr Beruf:
– Wer bin ich?
– Was mache ich in meinem Beruf / meiner Ausbildung?
– Was muss ich sein / haben?
Schreiben Sie zuerst einen Text und tragen Sie ihn dann einem Partner / einer Partnerin vor.

Lektionswortschatz

Die (duale) Ausbildung:
der / die Auszubildende, -n
  der Azubi, -s
eine Ausbildung machen
  zu + D
die Ausbildungsart, -en
die Ausbildungsdauer
  (nur Sg.)
das Ausbildungssystem, -e
der Abschluss, ̈e
die Lehre, -
  eine Lehre machen
der Lehrvertrag, ̈e
der Lehrling, -e
die Berufsschule, -n
  zur Schule gehen
der Betrieb, -e
der Block, ̈e
  in Blockform
die Einführung, - en
die Einführungswoche, -n
der Lernort, -e
die Praxis (hier nur Sg.) ≠
  die Theorie, -n
praktisch ≠ theoretisch
das Talent, -e
der Teil, -e
die Vergütung (nur Sg.)
verdienen
die Voraussetzung, -en
etwas werden wollen

Berufe / Funktionen:
der Elektroniker, - / die
  Elektronikerin, -nen
der Elektriker, - / die
  Elektrikerin, -nen
der Industriekaufmann,
  -leute / die Industrie-
  kauffrau, -en
der Maschinenbauer, -
der Produktdesigner, - / die
  Produktdesignerin, -nen
die Fachkraft, ̈e für …
der Unternehmer, -
  Subunternehmer
die Geschäftsleitung
  (hier nur Sg.)
die Buchhaltung (hier
  nur Sg.)
die Lagerlogistik (nur Sg.)
der Vertrieb (hier nur Sg.)
angestellt sein

Berufliche Abläufe:
das Angebot, -e
  im Angebot haben
beraten
der Auftrag, ̈e
  einen Auftrag erledigen
die Verhandlung, -en
  eine Verhandlung führen
der Kunde, -n
der Dienstleister, -
die Lagerung, -en
der Lieferant, -en
die Lieferung, -en
der Lieferschein, -e
das Material, -ien
die Ware, -n
die Warenannahme
  (nur Sg.)
die Montage, -n
die Anlage, -n
das Bauteil, -e
die Produktion, -en
der Prozess, -e
das System, -e
installieren
kontrollieren
lagern
organisieren
planen
programmieren
prüfen
reparieren
sortieren
steuern
warten
betriebswirtschaftlich

Kenntnisse / Fähigkeiten:
die Flexibilität (nur Sg.)
die Genauigkeit (nur Sg.)
die Kenntnis, -se
  Kenntnisse haben in + D
EDV (= Elektronische
  Datenverarbeitung)
die Informatik (nur Sg.)
die Mathematik (nur Sg.)
die Technik (hier nur Sg.)
die Fähigkeit, -en
  Verhandlungsfähigkeit
verhandeln mit + D
reagieren auf + A
wissen

Die Firmengeschichte:
gründen
die Gründung, -en
entwickeln
die Entwicklung, -en
die Aktivität, -en
der Wechsel, -
der Erfolg, -e
erfolgreich
bekannt sein
der Absatzmarkt, ̈e
der Marktführer, -
der Export, -e
der Umsatz, ̈e
erhöhen von + D auf + A
erweitern von + D auf + A
die Erhöhung, -en
sinken ≠ steigen
wachsen von + D auf + A
über … (= mehr als)
die Niederlassung, -en
der Standort, -e
eröffnen
ausbauen
die Technologie, -n
umweltfreundlich
der Preis, -e
  einen Preis bekommen
gehören + D
gehören zu + D
etw. konzentrieren auf + A
leiten
vergleichen mit + D
zusammenführen
modern

Der (Straßen-)Bau:
der Bau (hier nur Sg.)
  Straßenbau
  Tagebau
der Asphalt, -e
der Beton (Pl. selten)
die Aufbereitung (hier
  nur Sg.)
das Fuhrunternehmen, -
der Lastkraftwagen, -
  (LKW, -s)
der Maschinenpark, -s
die Fräse, -n
die Straßenwalze, -n
zertrümmern
gebraucht

Die Präsentation:
beginnen mit + D
erzählen
Fragen stellen
zum Schluss kommen
Danach geht es wie folgt
  weiter.

Die Familie:
das Familienmitglied, -er
der Vater, ̈
die Mutter, ̈
der Bruder, ̈
die Schwester, -n
die Geschwister (Pl.)
die Eltern (Pl.)
  Großeltern
der Großvater, ̈ / der Opa, -s
die Großmutter, ̈ / die
  Oma, -s
der Onkel, -
die Tante, -n
der Cousin, -s
die Cousine, -n
der Stammbaum, ̈e

Verben:
beibringen
rennen
herumrennen
verbringen
werden

Nomen:
das Geschäft, -e
der Laden, ̈

Adjektive:
ständig

BEUMER Group

1 Ihr Spezialist für Intralogistik

a Film | 4 **Sehen Sie den Film. In welcher Reihenfolge kommt welcher Filmteil? Nummerieren Sie.**

A. Ihr Spezialist für Intralogistik
B. Palettieren und Verpacken
C. Kundenservice
D. Fördern und Verladen
E. 3.200 Experten für Sie im Einsatz
F. Sortieren und Verteilen
G. Die Welt ist in Bewegung – immer schneller

1. G 2. ___ 3. ___ 4. ___ 5. ___ 6. ___ 7. ___

TIPP

Intralogistik = logistische Material- und Warenflüsse in einem Unternehmen

b **Welches Verb passt zu welchem Nomen? Ordnen Sie zu.**

1. die Verpackung	A. verteilen	1. ___
2. die Verteilung	B. palettieren	2. ___
3. die Förderung	C. verladen	3. ___
4. die Palette	D. sortieren	4. ___
5. die Sortierung	E. verpacken	5. ___
6. die Verladung	F. fördern	6. ___

c **Schauen Sie den Film noch einmal an. Was ist was? Ordnen Sie die Verben zu.**

fördern | palettieren | sortieren | verladen | verpacken | ~~verteilen~~

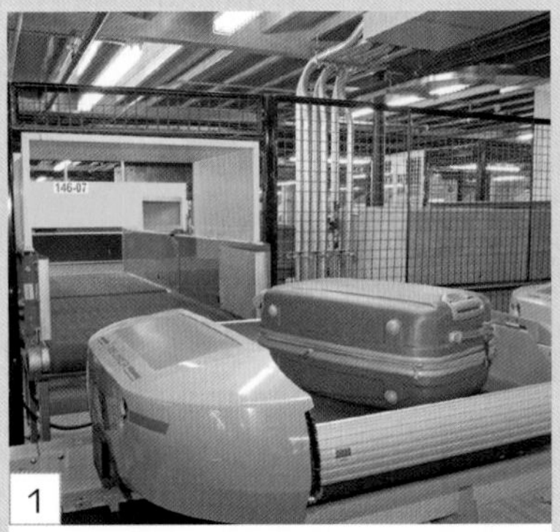
1 verteilen

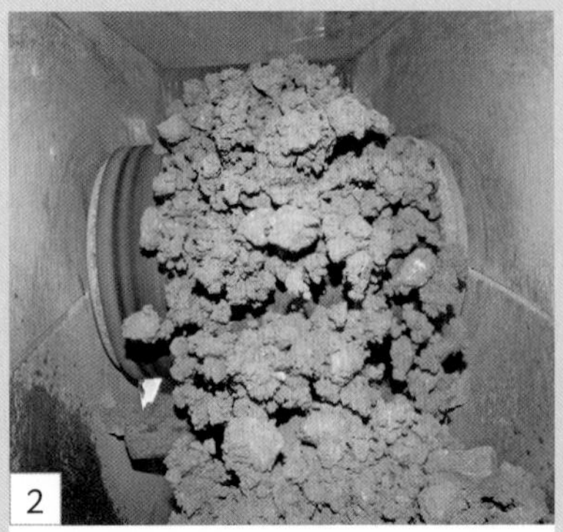
2 ___

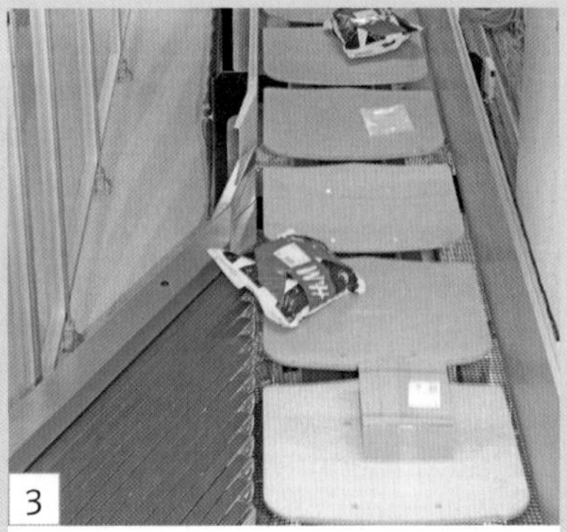
3 ___

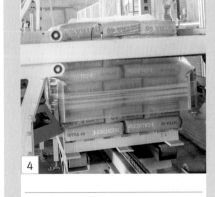

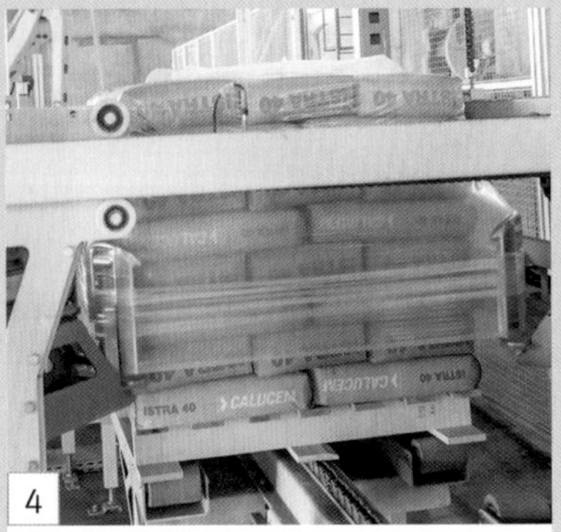
4 ___

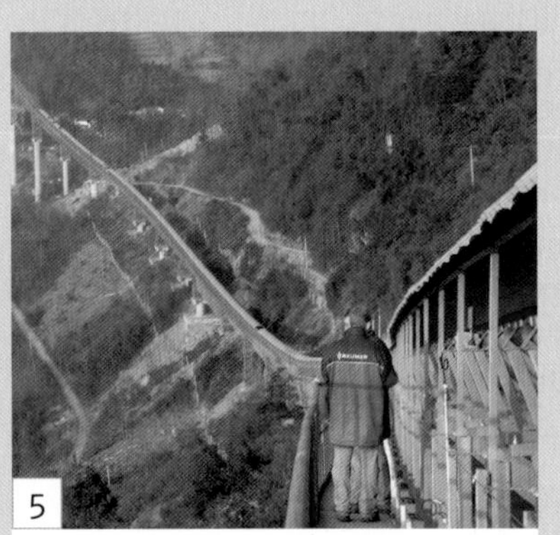
5 ___

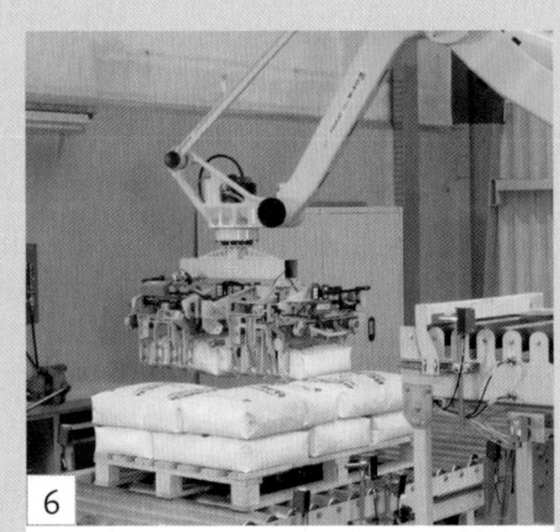
6 ___

2 Die BEUMER Group: Zahlen und Fakten

a Lesen Sie den Steckbrief. Fragen und antworten Sie dann zu zweit: Partner A deckt die rechte Spalte ab und stellt fünf Fragen. Dann wechseln Sie die Rollen und Partner B deckt die rechte Spalte ab und fragt Partner A.

Haupt- und Gründungssitz:	Beckum (Deutschland)
Gründer:	Bernhard Beumer
Unternehmensgründung:	1935
Mitarbeiterzahl:	ca. 4.000 (2014)
Jahresumsatz:	ca. 680 Mio. Euro (2014)
Vorsitzender Geschäftsführung:	Dr. Christoph Beumer
Produktbereiche:	Förder-, Verlade-, Palettier- und Verpackungstechnik, Sortier- und Verteilsysteme, technische Dienstleistungen und Engineering
Branchen:	Zement-, Kalk-, Gipsindustrie, Chemische Industrie, Agrar- und Bergbauindustrie, Pharmazie, Nahrungs- und Genussmittel, Getränkeindustrie, Flughäfen, Multimedia, Distribution
Vertretungen:	in über 70 Ländern
Tätigkeit:	weltweit

BEUMERGROUP

Wo sitzt …? | Wer ist …? | Seit wann gibt es …? | Wie viele Personen arbeiten …? |
Wie hoch ist … | Wer ist der Vorsitzende von …? | Was produziert …? |
Wo / In welchen Branchen ist … tätig? | In wie vielen Ländern hat …?

Wo ist der Hauptsitz von BEUMER?

Der Hauptsitz von …

b Ergänzen Sie die fehlenden Informationen. Der Steckbrief in 2a hilft.

KURZPORTRAIT

Die BEUMER Group ist ein international führender Hersteller für Intralogistik in den [1] _Produktbereichen_

Förder- und Verladetechnik, Palettier- und Verpackungstechnik sowie Sortier- und Verteilanlagen. Zusammen

mit Crisplant a/s und Enexco Teknologies India Limited hat die BEUMER Group etwa [2] _____

Mitarbeiter und macht einen Jahresumsatz von rund [3] _____. Mit ihren Niederlassungen und

Vertretungen ist die BEUMER Group in über [4] _____ Ländern präsent.

UNTERNEHMENSHISTORIE

[5] _____ gründete [6] _____ die Maschinenfabrik BEUMER am Standort

[7] _____. Erste Aufträge kamen aus der westfälischen Zement- und Kalkindustrie

und vom Bergbau im Ruhrgebiet. Heute ist das Unternehmen mit einem Auslandsanteil von über 85 %

[8] _____ tätig. Seit der Gründung ist das Unternehmen im Familienbesitz. Die Geschäfte

führt [9] _____.

c Recherchieren Sie auf der Internetseite von der BEUMER Group (www.beumergroup.com). Welche Karriere-Möglichkeiten haben Sie? Sprechen Sie mit Ihrem Partner.

Es gibt Stellenangebote für die Länder / in den Bereichen / für … |
In … kann ich eine Ausbildung zum / zur … machen. |
Es gibt Stellen / Jobs / Praktikumsstellen im Bereich … |
Ich kann mich bewerben für …

Welche Stellenangebote gibt es bei BEUMER?

Es gibt Angebote für …

Home-Office, aber wie? Wählen Sie bitte die ... Endlich arbeitsfähig

Installation leicht?

A Home-Office, aber wie?

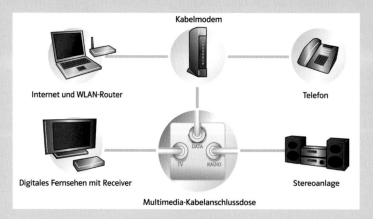

Willkommen bei „Kabel Perfekt" – DER Kabelnetzbetreiber!

Drahtlos ins Internet: Installationsanleitung für den Wireless-LAN-Router „KP1"

Kabelmodem

Internet und WLAN-Router

Telefon

DATA

TV   RADIO

Digitales Fernsehen mit Receiver

Stereoanlage

Multimedia-Kabelanschlussdose

Betriebssysteme: Windows Vista, Windows 7, Windows 8, Windows 10, Linux, Mac OS X ab 10.8

Sendung komplett? Prüfen Sie!

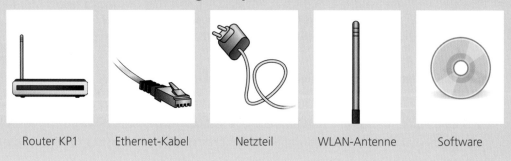

| Router KP1 | Ethernet-Kabel | Netzteil | WLAN-Antenne | Software |

---

1 Das Angebot „Kabel Perfekt 3"

a ▶ 3|31 **Hören Sie Teil 1 vom Telefongespräch von Herrn Sinn mit der Hotline von „Kabel Perfekt". Er hat das Angebot „Kabel Perfekt 3" gebucht. Welchen Inhalt hat es?** › ÜB: A1a

b ▶ 3|32 **Hören Sie Teil 2 vom Telefongespräch. Was ist Herrn Sinns Problem?**

c **Schauen Sie zuerst die Anleitung oben an. Hören Sie dann Teil 2 vom Telefongespräch noch einmal. Was ist richtig: a oder b?** › ÜB: A1b

1. Was fehlt im Paket von „Kabel Perfekt"?
   a. ☐ Antenne und CD-ROM.
   b. ☐ CD-ROM und Ethernet-Kabel.

2. Die Mitarbeiterin kann Herrn Sinn nicht helfen, weil
   a. ☐ sie ihn nicht versteht.
   b. ☐ sie nicht in der Produkt- und Kaufberatung arbeitet.

3. Die Mitarbeiterin kann Herrn Sinn nicht verbinden, weil
   a. ☐ alle Leitungen besetzt sind.
   b. ☐ ihre Kunden das nicht wollen.

14

2 Grammatik auf einen Blick: Gründe ausdrücken – Nebensätze mit „weil" › G: 4.2

Schreiben Sie die Nebensätze mit „weil" aus 1c in die Tabelle und ergänzen Sie die Regeln. › ÜB: A2a

Hauptsatz	Nebensatz		
Die Mitarbeiterin kann Herrn Sinn nicht helfen,	weil	sie ihn nicht	versteht.

1. Sätze mit „weil" sind Nebensätze. Sie drücken einen _____ aus.
2. Das konjugierte Verb steht am _____. Zwischen Haupt- und Nebensatz steht ein Komma.

3 Anleitung gelesen, aber …

Lesen Sie die E-Mail und beantworten Sie die Fragen. › ÜB: A2b–c

→ ✉ info@kabel-perfekt.de _ □ ✕

Betreff: Kundennummer 3000458 Reklamation

Sehr geehrte Damen und Herren,

ich habe bei Ihnen am 4. Mai einen Vertrag über „Kabel Perfekt 3" abgeschlossen. Nach zwei Wochen (!) ist die Hardware nun endlich komplett. Die Internetverbindung ist o. k. Aber man kann die SmartCard für den Kabelreceiver nicht freischalten.
In Ihrer Installationsanleitung steht:
„So schalten Sie Ihre SmartCard frei:
– die SmartCard richtig in den Kartenschlitz von Ihrem Digital-Receiver stecken.
– einen Sendersuchlauf durchführen – das kann bis zu 30 Minuten dauern.
– den Sender „Kabel-Perfekt-aktuell" wählen (Programmplatz 216).
– nach einer Stunde Wartezeit ist der Sender da und die Freischaltung komplett.
Ich habe das alles gemacht – dreimal – aber es hat nicht funktioniert!! Ich habe es auch zweimal online versucht – nichts!
Ich möchte nun direkt mit einem Techniker sprechen, weil ich den Fernseher beruflich brauche! Bitte rufen Sie mich an oder schicken mir eine Telefonnummer. Wenn ich bis diesen Freitag keine Antwort habe, kündige ich meinen Vertrag mit Ihnen.

Mit freundlichen Grüßen
David Sinn

1. Warum schreibt Herr Sinn und was möchte er erreichen?
2. Wie lange braucht man circa für die Installation von der SmartCard?
3. Herr Sinn wollte die SmartCard aktivieren. Wie viele Versuche hat er gemacht?
4. Warum will Herr Sinn direkt mit einem Techniker sprechen?

4 Warum brauchst/willst/… du …?

Fragen Sie einen Partner/eine Partnerin nach Gründen.

einen PC zu Hause brauchen? – im Home-Office arbeiten | die Hotline anrufen? – ein Problem mit dem Internet-Anschluss haben | mit einem Techniker sprechen wollen? – kommen sollen | …

▸ Warum brauchst du zu Hause einen PC? ▸ Ich brauche ihn, weil ich im Home-Office arbeite.

B Wählen Sie bitte die …

1 Immer wieder die Hotline

a ▶ 3|33 **Herr Sinn ruft die Hotline an. Hören Sie das Telefongespräch und beantworten Sie die Fragen.**

1. Welche Nummer muss man wählen, wenn man die Produkt- und Kaufberatung sprechen will? ⎵

2. Welche Nummer muss man wählen, wenn man neue Produkte kennenlernen will? ⎵

3. Welche Nummer muss man wählen, wenn man eine technische Störung hat? ⎵

b **Hören Sie das Telefongespräch noch einmal. Was passiert: a oder b? Kreuzen Sie an.** › ÜB: B1–2

1. Der Computer   a. ☐ versteht die Antwort von Herrn Sinn.   b. ☐ versteht die Antwort von Herrn Sinn nicht.
2. Herr Sinn   a. ☐ muss warten.   b. ☐ spricht direkt mit einem Kundenberater.

2 Grammatik auf einen Blick: Bedingungen ausdrücken – Nebensätze mit „wenn" › G: 4.2

a ▶ 3|33 **Hören Sie das Gespräch mit der Hotline noch einmal und ergänzen Sie die Sätze.**

Nebensatz		Hauptsatz
Wenn	*Sie mit der Produkt- und Kaufberatung* *sprechen wollen,*	

Hauptsatz	Nebensatz	
	wenn *Sie mit der Produkt- und Kaufberatung*	*sprechen wollen.*

b **Lesen Sie die Sätze in 2a noch einmal und ergänzen Sie die Regeln.** › ÜB: B3   Ⓖ

1. Sätze mit „wenn" sind _____ sätze: Das konjugierte Verb steht am _____.
2. Sie drücken eine _____ aus: „wenn … → dann … ". Im Hauptsatz kann „dann" stehen oder nicht.
3. Der Nebensatz kann vor oder nach dem _____ stehen.

3 Nur, wenn ich Zeit habe …

Sprechen Sie mit einem Partner / einer Partnerin und formulieren Sie Bedingungen.

⌈ Sollen wir …? | Wollen wir …? | Möchtest du …? | O.k. | Einverstanden.

1. ▶ heute die Grafiken zeichnen
2. ▶ morgen die Pressemitteilung besprechen
3. ▶ die Rechnungen prüfen
4. ▶ den Kunden zum Mittagessen einladen
5. ▶ am Mittwoch die Messe besuchen
6. ▶ …

1. ▶ ich habe Zeit
2. ▶ ich bin mit dem Artikel fertig
3. ▶ alle sind da
4. ▶ der Kunde bleibt bis mittags
5. ▶ die Firma „serva systems" stellt aus
6. ▶ …

Nur, wenn ich Zeit habe.

▶ Sollen wir heute die Grafiken zeichnen?
▶ O.k. Wenn du Zeit hast, zeichnen wir die Grafiken.

▶ Nur, wenn ich Zeit habe.

4 Hier Michaela Maier, Kundenservice

a Lesen Sie die Zusammenfassungen von einem Telefongespräch mit einem Kunden und markieren Sie die Unterschiede.

A **Gespräch mit Kunde Nr. 3000458**
– Kann SmartCard für Receiver nicht aktivieren.
– Hat es schon online versucht.
– Kunde braucht den Service dringend (arbeitet im Home-Office, schreibt beruflich über Fernsehsendungen).
– Habe mit Kundenberater verbunden, war im Gespräch.
– Ruft den Kunden zurück unter: 09568 997356.
– Habe ihm ausgerichtet: „Rückruf ist sehr dringend."

B **Gespräch mit Kunde Nr. 3000458**
– Kunde kann SmartCard für Receiver nicht aktivieren.
– Will es nicht online versuchen.
– Habe mit Kundenberater Technik verbunden: nicht da.
– Er ruft zurück unter 09568 997356.
– Habe Nachricht hinterlassen: „Es ist dringend."
– Habe Kunden Durchwahl gegeben.
– Das Gespräch mit dem Kunden war sehr kompliziert.

b ▶ 3|34 **Hören Sie das Telefongespräch von Herrn Sinn und der Mitarbeiterin vom Kundenservice. Welche Zusammenfassung in 4a passt?**

T ℗ c **Hören Sie das Telefongespräch noch einmal. Was ist richtig (r), was ist falsch (f)? Kreuzen Sie an.** › ÜB: B4

	r	f
1. Frau Maier fragt nach dem Geburtsdatum, weil sie die Daten vergleichen will.	☒	☐
2. Herr Sinn sagt sein Geburtsdatum sofort.	☐	☐
3. Herr Sinn kann nicht fernsehen.	☐	☐
4. Der Kollege telefoniert mit einem anderen Kollegen.	☐	☐
5. Frau Maier darf Herrn Sinn die Durchwahl von ihrem Kollegen nicht geben.	☐	☐
6. Der Kollege soll gleich anrufen, weil Herr Sinn arbeiten muss.	☐	☐

5 Können Sie mich verbinden?

a **Sie wollen ein Telefongespräch führen. Ordnen Sie zuerst die Redemittel den Personen zu.** › ÜB: B5

> ~~Guten Tag!~~ | ~~Guten Tag, hier ...~~ | ~~Hier spricht ... Was kann ich für Sie tun?~~ | ~~Ich möchte gern Frau/Herrn ...~~
> ~~sprechen.~~ | Einen Moment, ich verbinde Sie. | Es ist besetzt. Frau/Herr ... ist gerade im Gespräch. |
> Können Sie mir die Durchwahl geben? | Die Durchwahl ist ... | Können Sie Frau/Herrn ... eine Nachricht
> hinterlassen? | Richten Sie ihr/ihm bitte aus, ... | Frau/Herr ... ist leider nicht da. Kann ich etwas
> ausrichten? | Kann Frau/Herr ... mich zurückrufen? | Ja, natürlich, ich richte es aus. | Vielen Dank. |
> Auf Wiederhören. | Auf Wiederhören.

Anrufer/in – Sie wollen mit der Leiterin/dem Leiter „Technische Beratung" sprechen:

Guten Tag, hier ... Ich möchte gern Frau .../Herrn ... sprechen.

Assistent/in – Sie bedienen das Telefon:

Guten Tag. Hier spricht ... Was kann ich für Sie tun?

b **Führen Sie nun ein Telefongespräch mit einem Partner/einer Partnerin. Partner A: Datenblatt A15, Partner B: Datenblatt B15.**

C Installation leicht?

1 Installationsanleitung Wireless-LAN-Router

Lesen Sie die Punkte 1 bis 5 von der Installationsanleitung und ordnen Sie sie den Abbildungen A bis E zu. › ÜB: C1a

1. So schließen Sie das Kabelmodem an: Mit dem Kabelmodem haben Sie zwei Ethernet-Kabel bekommen (1: grau, 2: blau) Stecken Sie das Ethernet-Kabel 1 (grau) in das Modem und in den Internet-Anschluss auf der Rückseite vom Wireless-LAN-Router.

   Bild: *B*

2. So verbinden Sie den WLAN-Router mit dem Computer: Stecken Sie das Ethernet-Kabel 2 (blau) in den Ethernet-Anschluss vom Computer und in den LAN-4-Anschluss auf der Rückseite vom WLAN-Router.

   Bild: _____

3. Stecken Sie nun den Netzstecker vom Kabelmodem und den Netzstecker vom WLAN-Router in die Steckdose.

   Bild: _____

4. Wenn die An-/Aus-, die Wireless- und die LAN 4-Leuchte auf der Vorderseite grün leuchten und die Internet-Leuchte vom WLAN-Router grün blinkt, ist die Installation fertig.

   Bild: _____

5. Jetzt können Sie die CD in das Laufwerk einlegen und die Software installieren. Laden Sie dann sofort ein Update von der Software von unserer Webseite herunter.

   Bild: _____

2 Wie installiert man den Router?

a ▶ 3|35 **Lesen Sie die Anleitung in 1 und hören Sie das Telefongespräch von Herrn Sinn und einer Freundin. Was hat sie nicht gemacht?** › ÜB: C1b

b **Welche Probleme bei der Installation von Computern kennen Sie? Sprechen Sie im Kurs.**

3 Ich verlange, dass ein Techniker kommt!

Lesen Sie den Brief rechts oben von Herrn Sinn an „Kabel Perfekt" und beantworten Sie die Fragen. › ÜB: C2

1. Was ist das Problem mit dem Router?
2. Was soll „Kabel Perfekt" machen?
3. Was soll der Techniker machen?
4. Was macht Herr Sinn, wenn der Techniker nicht bis zum 31.05. kommt?

A

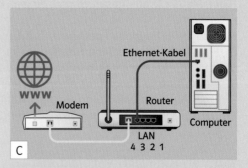

Modem — Router — Ethernet-Kabel

B

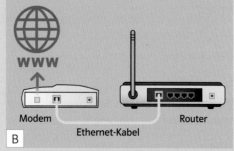

Ethernet-Kabel — www — Modem — Router — Computer — LAN 4 3 2 1

C

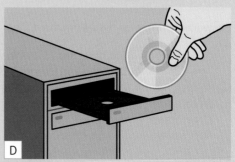

D

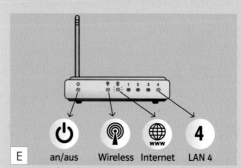

an/aus — Wireless — Internet — LAN 4

E

David Sinn
Grüner Weg 6
96465 Neustadt

Kabel Perfekt
Südstraße 136
96465 Neustadt
per Einschreiben

Reklamation: Umtausch und Installation WLAN-Router vor Ort   23.05.2016

Sehr geehrte Damen und Herren,
ich habe am 11.05. einen WLAN-Router mit Zubehör von Ihnen erhalten. Leider hat es viele Probleme gegeben:
Zuerst war das Zubehör nicht komplett, dann konnte ich die SmartCard nicht aktivieren und jetzt funktioniert der
Router nicht mehr! Ich habe alles noch einmal installiert, aber er funktioniert immer noch nicht. Sie verstehen
sicher, dass das so nicht weitergeht.
Ich schlage vor, dass Sie bis zum 31.05. einen Techniker mit einem Router (neu!) schicken. Der Techniker soll
hier alles installieren und prüfen. Ich denke, dass es so am besten ist. Sie wissen, dass ich das Internet dringend
brauche, weil ich im Home-Office arbeite.
Wenn der Techniker nicht bis zum 31.05. kommt, kündige ich meinen Vertrag mit Ihnen.
Mit freundlichen Grüßen
David Sinn

4 Grammatik auf einen Blick: Nebensätze mit „dass" › G: 4.2

Markieren Sie in 3 die Sätze mit „dass", schreiben Sie sie in die Tabelle und ergänzen Sie die Regeln. › ÜB: C3

Hauptsatz	Nebensatz		
Sie verstehen sicher,	dass	es so nicht	weitergeht.

1. Sätze mit „dass" sind _____ sätze: Das konjugierte Verb steht am _____.
2. Sie stehen oft nach Verben wie „sagen", „denken", „meinen", „hoffen", „verstehen", „_____"
   oder „_____" etc.

5 Reklamation

**Ein Kollege von Herrn Sinn hat auch Probleme mit dem Router. Schreiben Sie für ihn eine E-Mail an „Kabel Perfekt".
Die Stichpunkte helfen. Vergessen Sie nicht Anrede und Gruß.** › ÜB: C4

mir Router am 17.05. geliefert | leider Router funktioniert nicht | Installationsanleitung gelesen |
Router dreimal installiert | ich denke, dass Router kaputt ist | ich verlange, dass Techniker kommt |
ich möchte, dass Techniker Router umtauscht und installiert | wenn nicht, kündige ich Vertrag

Sehr geehrte Damen und Herren,
Sie haben mir am 17.5. einen Router geliefert. Leider funktioniert er nicht. Ich habe ...

D Endlich arbeitsfähig

1 Aktuell im Fernsehen – eine Besprechung von David Sinn

a Herr Sinn kann endlich arbeiten. Lesen Sie den Titel und die Einleitung von seiner Besprechung. Was hat man wo präsentiert?

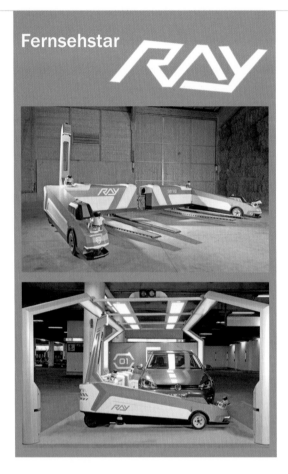

Fernsehstar RAY

Spät am Flughafen? Kein Parkplatz?
Kein Problem! RAY, der Parkroboter, hilft –
eine interessante Sendung über den
Düsseldorfer Flughafen.

Die Sendung über automatisiertes Parken (ohne Fahrer) am Düsseldorfer Flughafen war faszinierend. Die Präsentation in 3D zeigte klar die Vorteile von dieser Innovation. Mit RAY können 60 % mehr Autos auf gleicher Fläche parken. Von automatisiertem Parken können viele profitieren, z. B. Logistik-Unternehmen, PKW-Hersteller oder Parkhäuser.

Wie funktioniert der Parkroboter RAY? RAY misst mit Laser die Autos und kennt die Größe von allen Parkplätzen. So kann RAY die Autos zu günstigen Parkplätzen bringen. Wenn ein Kunde sein Auto braucht, bestellt er es per Smartphone. RAY bringt das Auto dann für den Kunden in die erste Reihe.

Die Startup-Firma „serva transport systems" aus Süddeutschland hat dieses System entwickelt. „serva" kam 2013 ins Finale vom Deutschen Gründerpreis für Startups. Im Internet können Sie interessante Filme über die Firma und das System sehen.

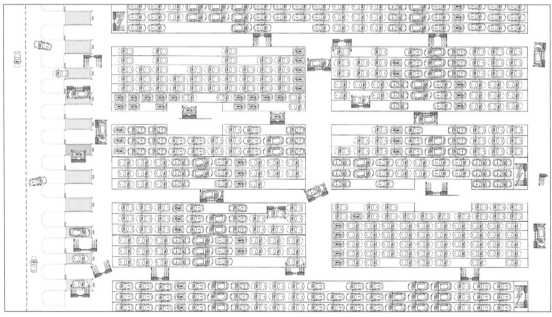

T P **b** **Lesen Sie die Besprechung von David Sinn. Was ist richtig: a, b oder c? Kreuzen Sie an.** › ÜB: D1

1. Herr Sinn schreibt über
   a. ☐ einen Fernsehstar.
   b. ☒ eine Sendung über den Parkroboter „Ray".
   c. ☐ Düsseldorf.

2. Mit „Ray" kann man
   a. ☐ ohne Fahrer parken.
   b. ☐ zum Düsseldorfer Flughafen fahren.
   c. ☐ ohne Fahrer fahren.

3. Automatisiertes Parken
   a. ☐ gibt es nur am Düsseldorfer Flughafen.
   b. ☐ ist nur für Parkhäuser wichtig.
   c. ☐ finden verschiedene Unternehmen interessant.

4. Der Roboter
   a. ☐ bringt die Autos direkt zum Kunden.
   b. ☐ bestellt den Parkplatz per Smartphone.
   c. ☐ findet günstige Parkplätze, weil er die Autos mit Laser misst.

5. Wenn ein Kunde wegfahren will,
   a. ☐ findet er sein Auto in der ersten Reihe.
   b. ☐ muss er anrufen.
   c. ☐ muss er warten.

6. 2013
   a. ☐ war das Gründungsjahr von „serva".
   b. ☐ hat „serva" Filme ins Internet gestellt.
   c. ☐ war „serva" Finalist beim Deutschen Gründerpreis.

c **Wie hole ich mein Auto ab? Sprechen Sie mit einem Partner / einer Partnerin.**

⌈ brauchen – was? | machen müssen – was? | am Terminal machen – was? | Auto bekommen – wie?

⌈ App auf Smartphone brauchen | Datum und Uhrzeit eingeben und speichern | am Terminal Barcode
⌊ einscannen | RAY Auto in die erste Reihe bringen

1. ▶ Was brauche ich?   ▶ Sie brauchen eine App auf dem Smartphone.
2. ▶ Was …

Aussprache

1 Satzmelodie in längeren Sätzen

a ▶ 3|36 **Hören Sie die Sätze und lesen Sie mit. Achten Sie auf die Melodiebewegung.**

1. Wenn Sie die Produkt- und Kaufberatung sprechen möchten, → / wählen Sie bitte die „Drei". ↘
2. Ich habe gestern → / von Ihnen → / die Sendung mit der Hardware bekommen, → / aber sie ist nicht komplett. ↘
3. Ich kann Sie leider nicht verbinden, → / weil alle Mitarbeiter im Gespräch sind. ↘
4. Frau Maier, → / können Sie mir bitte jetzt gleich → / die Durchwahl von dem Kollegen geben? ↗
5. Ich habe dem Kollegen gesagt, → / dass es dringend ist → / und er noch heute zurückrufen soll. ↘

b **Lesen Sie die Ausspracheregel und überlegen Sie: Wo ist das Wort mit dem Hauptakzent in jedem Sinnschritt in 1a?**
Markieren Sie das Wort und lesen Sie die Sätze laut.

Ⓐ

1. Wenn man spricht, gliedert man lange Sätze durch Pausen in sinnvolle Abschnitte = Sinnschritte.
   Wenn man langsam spricht, macht man mehr Pausen.
2. Jeder Sinnschritt hat einen Hauptakzent. Der liegt meist am Ende vom Sinnschritt.
3. Die Melodie im Satz ist schwebend →, am Ende vom Satz fallend ↘ oder steigend ↗.

c **Hören Sie die Sätze noch einmal. Welche Hauptakzente hören Sie?**

E Schlusspunkt

Situation 1

Person A

Sie sind Frau Hu und arbeiten im Technischen Service von „Kabel Perfekt".
Ein Kunde ruft Sie an, weil er nicht ins Internet kommt.
Stellen Sie Fragen:
– Welche Kundennummer?
– Geburtsdatum?
– Was ist genau das Problem?
– Software vom Router installiert?
Und geben Sie Anweisungen:
– Router vom Strom trennen und wieder verbinden.
– Update von Software installieren.

Person B

Sie sind Herr Da Costa. Sie rufen den Technischen Service an, weil Sie nicht ins Internet kommen.
Antworten Sie auf die Fragen von der Technikerin:
– Kundennummer: 538914
– Ihr Geburtsdatum
– keine WLAN-Verbindung
– Software vom Router installiert
Und notieren Sie die Anweisungen von der Technikerin.

▶ Guten Tag, hier spricht … Was kann ich für Sie tun?
▶ Hier spricht … Ich habe ein Problem.
▶ Welche …?
▶ …
▶ Was ist …?
▶ …
▶ Was ist …?
▶ Ich …
▶ Haben Sie …?
▶ Ja, ich …
▶ Sie müssen …
▶ Vielen Dank für Ihre Hilfe.
▶ Nichts zu danken. Auf Wiederhören.
▶ Auf Wiederhören.

Situation 2

Person A

Sie sind Frau Hey und rufen im Service-Center von „Kabel-Perfekt" an. Ein Techniker war schon dreimal bei Ihnen, aber der Fernseher funktioniert immer noch nicht.
Sie wollen den Geschäftsführer sprechen. Der ist nicht da.
Der Geschäftsführer soll Sie zurückrufen.

Person B

Sie sind Herr Wall und arbeiten im Service-Center von „Kabel-Perfekt".
Eine Kundin ruft Sie an. Sie will den Geschäftsführer sprechen. Der ist nicht da.
Sie sagen der Kundin, dass sie eine Nachricht hinterlassen kann.
Die Kundin möchte, dass der Geschäftsführer sie zurückruft.
Sie schlagen vor, dass die Kundin eine E-Mail schreibt.

▶ Guten Morgen, hier spricht … Was kann ich für Sie tun?
▶ Guten Morgen, hier … Könnte ich bitte den Geschäftsführer sprechen?
▶ … ist leider nicht da. Kann ich …?
▶ Bitte richten Sie ihm aus, dass …
▶ Sie können auch …
▶ Eine E-Mail? Nein ich möchte lieber, dass … Wann ist der Geschäftsführer wieder da?
▶ Ich weiß es nicht. Ich richte ihm aus, dass … soll.
▶ Bitte schön. Auf Wiederhören!
▶ Vielen Dank. Auf Wiederhören.

Lektionswortschatz

Die Hardware:
der Anschluss, ⸚e
anschließen
die Antenne, -n
die CD-ROM, -s
    eine CD (ins Laufwerk)
    einlegen
der Fernseher, -
fernsehen
das Programm, -e
der Programmplatz, ⸚e
das Kabel, -
    Ethernet-Kabel
die Karte, -n
der Kartenschlitz, -e
die SmartCard, -s
aktivieren
freischalten
die Freischaltung, -en
das Laufwerk, -e
die Leitung, -en
die Leuchte, -n
leuchten
blinken
das Modem, -s
    Kabelmodem
das Netzteil, -e
der Netzstecker, -
drahtlos (engl. wireless)
der Router, -
der Receiver, -
    Digitalreceiver
    Kabelreceiver
der Sender, -
die Sendung, -en
der Suchlauf, ⸚e
die Steckdose, -n
stecken in + A ≠
    ziehen aus + D
das Zubehör (nur Sg.)

Die Software:
die App, -s (engl. applica-
    tion)
die Daten (hier nur Pl.)
die Datei, -en
    eine Datei öffnen
das Betriebssystem, -e
die Installation, -en
die Anleitung, -en
    Installationsanleitung
das Netz, -e

der Netzbetreiber, -
das lokale Netzwerk, -e
    (engl. LAN)
das WLAN, -s (engl. wireless
    LAN)
das Internet (nur Sg.)
die Internetverbindung, -en
online
das Update, -s
herunterladen

Dienstleistungen:
die Beratung, -en
der Berater, - /
    die Beraterin, -nen
der Vertrag, ⸚e
    einen Vertrag abschlie-
    ßen über + A / mit + D ≠
    einen Vertrag kündigen
die Reklamation, -en
die Hotline, -s
die Störung, -en
ein Problem haben mit + D
der Umtausch (hier nur Sg.)
umtauschen
einverstanden sein mit + D
funktionieren
verlangen

Die Telefonanlage:
das Telefon bedienen
das Telefongespräch, -e
    ein Telefongespräch
    führen
telefonieren mit + D
anrufen, jmdn. / bei + D
die Nummer, -n
die Nummer wählen
das Telefonbuch, ⸚er
der (Telefon-)Apparat, -e
    am Apparat sein
ausrichten, jmdm. etw.
besetzt
die Durchwahl, -en
    die Durchwahl geben
die Nachricht, -en
    eine Nachricht hinter-
    lassen
der Rückruf, -e
    zurückrufen
die Verbindung, -en
verbinden, jmdn. mit + D

der Anrufbeantworter, -
    den Anrufbeant-
    worter abhören
das Display, -s
der Hörer, -
    den Hörer abnehmen ≠
    auflegen
das Headset, -s
    das Headset anschließen
die Lautstärke, -n
laut ≠ leise stellen
    das Telefon auf laut ≠
    leise schalten
die Leuchtdiode, -n
    (die LED, -s)
die Taste, -n
die Tastatur, -en
die Wahlwiederholung, -en
klingeln

Verben:
ausdrücken
erreichen
gliedern
messen
profitieren von + D
(ein)scannen

Nomen:
der Abschnitt, -e
das Anliegen, -
der Barcode, -s
die Einleitung, -en
das Einschreiben, -
das Finale, -
das Geburtsdatum, -daten
der Gründer, -
der Hersteller, -
das Home-Office, -s
    im Home-Office arbeiten
die Innovation, -en
der Laser, -
der Personenkraftwagen, -
    (PKW, -s)
die Reihe, -n
der Roboter, -
    Parkroboter
die Rückseite, -n ≠
    die Vorderseite, -n
der Star, -s
die Startup-Firma, -Firmen
die Stereoanlage, -n
der / das Terminal, -s

Adjektive:
aktuell
arbeitsfähig
automatisiert
direkt
dringend
faszinierend
günstig
kaputt
komplett
sinnvoll

Adverbien:
endlich

Andere Wörter:
an ≠ aus
in 3D (dreidimensional)
vor Ort

Konnektoren:
dass
weil
wenn

Redemittel:
Was kann ich für Sie tun?
Könnte ich bitte … spre-
    chen?
Frau / Herr … ist im Ge-
    spräch.
Können Sie ihm / ihr etw.
    ausrichten?
Ich möchte lieber, dass …
Vielen Dank für Ihre Hilfe.

A Dienstleistungen

BGM –
Berliner Gebäudemanagement GmbH

Unsere Leistungen

1. *Gartenpflege*

- Hecken schneiden
- Rasen mähen
- Blumen pflanzen

2. _____

- Monitore überwachen
- Alarmanlagen prüfen
- Objekt schützen

3. _____

- Aufzug warten
- Heizung kontrollieren
- Klimaanlage überwachen

4. _____

- Büros putzen
- Flure wischen
- Fassade reinigen

1 Service rund um das Gebäude

**a Lesen Sie die Angebote auf der Webseite von einer Firma für Gebäude-
management und notieren Sie die Überschriften.**

⌐ ~~Gartenpflege~~ | Gebäudereinigung | Gebäudetechnik | Sicherheit

**b Welche Tätigkeiten aus der Webseite oben gehören zu den Fotos 1 bis 4 auf
der Webseite? Notieren Sie.** › ÜB: A1

Foto 1: *Rasen mähen* _____

Foto 2: _____

Foto 3: _____

Foto 4: _____

2 Mein Beruf und ich – Berufstätige stellen sich vor

a ▶ 3|37–40 **Hören Sie die Radiosendung „Berufstätige stellen sich vor" und notieren Sie:**
Welchen Beruf haben die Personen? › ÜB: A2

1. *Sicherheitskraft*

2. _____

3. _____

4. _____

T Ⓟ **b Hören Sie die Berichte noch einmal. Was ist richtig: a, b oder c? Kreuzen Sie an.**

1. Sandra Kleinert, 28 Jahre,
   a. ☐ und ihre Kollegin ärgern sich oft.
   b. ☐ arbeitet mit der Kamera.
   c. ☒ hat viele Männer als Kollegen.

2. Hans Richter, 37 Jahre,
   a. ☐ sitzt viel im Büro.
   b. ☐ kümmert sich um die Grünflächen.
   c. ☐ hat keine Ausbildung gemacht.

3. Mehmet Atalay, 30 Jahre,
   a. ☐ arbeitet als Anlagenmechaniker.
   b. ☐ kann alles selber reparieren.
   c. ☐ muss auch Schreibtischarbeit machen.

4. Vitali Kusmin, 42 Jahre,
   a. ☐ findet seine Arbeit spannend.
   b. ☐ arbeitet in einem Hochhaus.
   c. ☐ wünscht sich eine andere Arbeit.

3 Grammatik auf einen Blick: Verben in reflexiver Form › G: 3.5

a Markieren Sie die Reflexivpronomen in den Sätzen in 2b und schreiben Sie sie in die Tabelle.

		Reflexivpr. Akkusativ	Personalpr. Akkusativ			Reflexivpr. Dativ	Personalpr. Dativ
Ich	ärgere	mich	mich	Ich	wünsche	mir	mir
Du	ärgerst	dich	dich	Du	wünschst	dir	dir
Er / Sie / Es	ärgert	sich	ihn / sie / es	Er / Sie / Es	wünscht		ihm / ihr / ihm
Wir	ärgern	uns	uns	Wir	wünschen	uns	uns
Ihr	ärgert	euch	euch	Ihr	wünscht	euch	euch
Sie / Sie	ärgern		sie / Sie	Sie / Sie	wünschen	sich	ihnen / Ihnen

(ärgert sich ... oft. / wünscht ... eine andere Arbeit.)

b Vergleichen Sie die Reflexivpronomen mit den Personalpronomen und ergänzen Sie die Regeln. › ÜB: A3–4

Ⓖ

1. Die reflexive Form von einem Verb zeigt, dass der Sprecher sich selbst meint. Dann hat das Verb ein

   _____ .

2. Das Reflexivpronomen und das Personalpronomen sind im Akkusativ und Dativ gleich.
   Ausnahmen: 3. Person Sg., Pl. und Höflichkeitsform. Dort heißt das Pronomen „_____".

4 Ich möchte mich kurz vorstellen

Wählen Sie einen Arbeitsbereich von der Webseite in 1a und stellen Sie einem Partner Ihren Arbeitsbereich vor.

Ich möchte mich kurz vorstellen. | Bei der BGM / … kümmere ich mich um … | Ich warte den Aufzug / … |
Ich muss Hecken schneiden / … | Außerdem bin ich zuständig für … | Ich finde meine Arbeit spannend / …

B Unser Auftrag für Sie!

B ⓟ 1 Hausverwaltung Zander sucht einen Dienstleister

Lesen Sie die Anzeigen aus einer Zeitschrift für Facility-Management und ordnen Sie die Aussagen 1 bis 5 den Anzeigen zu. Zwei Anzeigen passen zweimal. › ÜB: B1

A

Pieper Gebäudereinigung

Für ein gutes Arbeitsklima sind saubere Büros und Gebäude wichtig. Das Ergebnis: zufriedene Mitarbeiter und Erfolg bei den Kunden. Ihre Wünsche sind uns wichtig: Sie brauchen einen regelmäßigen Tagesdienst? Oder muss die Reinigung zu einer festen Zeit erfolgen? Unser freundliches Team reinigt zielorientiert und nach Plan. Auch mit dringenden Aufträgen sind Sie bei uns richtig.
Pieper Gebäudereinigung ist immer ein zuverlässiger Partner!

B

Meyer Hausmeisterservice

Ihr Partner für alle Leistungen rund um Ihre Immobilie: Ihre Mieter brauchen neue Schlüssel? Das Licht im Keller funktioniert nicht? Es gibt ein Problem mit der Heizung?
Unser mobiles Team ist 24 Stunden für Sie da. Um ein kleines technisches Problem kümmern wir uns selbst. Bei einer großen Reparatur kontaktieren wir für Sie eine Fachfirma. Unsere Partner für Elektro- und Heizungstechnik lösen das Problem sofort.

C

BGM Berliner Gebäudemanagement GmbH

Mit unserem „Rundum-Sorglos-Paket" für Ihr Gebäude bieten wir Service mit System. Ob Bürogebäude oder Wohnimmobilie – wir stellen Ihnen bei Planung, Bau und Verwaltung unsere qualifizierten Mitarbeiter bereit.
Sprechen Sie uns an: Unsere Experten für Klima-, Heizungs- und Aufzugstechnik sind genauso für Sie da wie unser kaufmännisches Personal. BGM – wir bieten Ihnen eine kompetente Dienstleistung aus einer Hand.

---

1. Sie brauchen eine regelmäßige Dienstleistung.   *A*

2. Diese Firma bietet alle möglichen Dienstleistungen im Gebäudemanagement an.   ___

3. Dieser Service kümmert sich rund um die Uhr um Ihr Problem.   ___

4. Diese Firma kooperiert mit anderen Firmen.   ___

5. Diese Firma möchte, dass Ihr Personal und Ihre Kunden zufrieden sind.   ___

2 Grammatik auf einen Blick: Adjektive nach unbestimmtem Artikel, Negativ- und Possessivartikel › G: 5.1

a Lesen Sie die Sätze aus den Anzeigen in 1 und analysieren Sie die grau markierten Artikel, Präpositionen und Nomen. Notieren Sie Singular / Plural, Genus und Kasus.

1. Saubere Büros und Gebäude sind wichtig. *Plural, Neutrum, Nominativ*

2. Für ein gutes Arbeitsklima sind saubere Gebäude wichtig. *Singular, Neutrum, Akkusativ*

3. Sie brauchen einen regelmäßigen Tagesdienst. *Singular, Maskulinum, Akkusativ*

4. Unser freundliches Team reinigt zielorientiert und nach Plan. _____

5. Auch mit dringenden Aufträgen sind Sie bei uns richtig. _____

6. Pieper Gebäudereinigung ist immer ein zuverlässiger Partner! _____

7. Ihre Mieter brauchen neue Schlüssel? _____

8. Bei einer großen Reparatur kontaktieren wir für Sie eine Fachfirma. _____

9. Wir bieten Ihnen eine kompetente Dienstleistung aus einer Hand. _____

b Markieren Sie die Adjektive in 2a und schreiben Sie sie in die Tabelle.

	Maskulinum (M)	Neutrum (N)	Femininum (F)	Plural (M, N, F)
Nom.	ein _____ Partner	ein _____ Team	eine große Reparatur	*saubere* _____ Büros / keine sauberen Büros
Akk.	einen _____ Tagesdienst	für ein _____ Arbeitsklima	eine _____ Dienstleistung	_____ Schlüssel / keine neuen Schlüssel
Dat.	mit einem regelmäßigen Dienst	mit einem freundlichen Team	bei einer _____ Reparatur	mit _____ Aufträgen / mit unseren dringenden Aufträgen

c Markieren Sie die Adjektivendungen in der Tabelle in 2b und vergleichen Sie sie mit den grauen Markierungen von den Artikeln. Was fällt auf? Lesen Sie die Regel und ergänzen Sie die Beispiele. › ÜB: B2

Ⓖ

1. „ein" (unbestimmter Artikel), „kein" (Negativartikel), „mein"/„dein"/ … (Possessivartikel) **ohne** Endung
   → **Signalbuchstabe am Adjektiv.**
   Diese Regel gilt auch für den Nullartikel im Plural, z. B. (Ø) sauber**e** Büros.
   Beispiele: *ein zuverlässiger Partner, ein freundliches Team, …* _____

2. a. „ein-" (unbestimmter Artikel), „kein-" (Negativartikel), „mein-"/„dein-"/ … (Possessivartikel) **mit** Endung
   → **Adjektiv hat Endung „-en".**
   Beispiele: *einen regelmäßigen Tagesdienst, mit einem regelmäßigen Dienst, …*

   b. **Ausnahme:** Feminine Nomen Singular im Nominativ und Akkusativ → **Adjektiv hat Endung „-e".**
   Beispiele: *eine große Reparatur, …*

B Ⓟ 3 Wir haben einen Auftrag für Sie

▷ 3 | 41 **Hören Sie das Gespräch zwischen der Hausverwaltung Zander und der Reinigungsfirma Pieper. Ergänzen Sie die fehlenden Informationen in den Auftragsformularen.** › ÜB: B3 – 4

Wohngebäude Waldstraße 92a, Berlin-Grünau

Treppenhausreinigung:

Grundreinigung gewünscht?   Ja ☒   Nein ☐

Reinigung von:	Intervall:
Flächen: 280 m²	wöchentlich
Fenster: 10 Stück	1 x monatlich
Lampen: 20 Stück	2x monatlich
Aufzug im Gebäude?	Ja ☐ Nein ☐

Bürogebäude Kleistpark 56, Berlin-Schöneberg

Unterhaltsreinigung:

Räume:	Fläche:	Intervall:
Empfang:	250 m²	_____
Flure:	320 m²	_____ wöchentlich
Büros:	1120 m²	täglich
WCs	210 m²	_____ täglich
Abstellräume	90 m²	_____ monatlich

---

4 Der Reinigungsplan für Teeküche und Besprechungsraum

Besprechen Sie die Reinigungspläne mit einem Partner. Partner A: Datenblatt A16, Partner B: Datenblatt B16.

C Bitte trennen Sie ...

1 Ein Brief von der Hausverwaltung

a Lesen Sie den Brief. Welche neuen Informationen bekommen die Mieter: a, b oder c? Kreuzen Sie an.

Die Hausverwaltung
a. ☐ Mietvertrag, Gebäudemanagement, Müll
b. ☐ Hausverwaltung, Störungen, Mülltonnen
c. ☐ Ansprechpartner, Mülltonnen, Mülltrennung

Hausverwaltung Zander • Mommsenstraße 275 • 10629 Berlin

Herrn
Torsten Henrich
Waldstraße 92a
12527 Berlin

07.12.2015

Sehr geehrte Mieterin, sehr geehrter Mieter,

wir hoffen, dass Sie mit Ihrer Wohnung zufrieden sind. Heute möchten wir Ihnen Ihre Ansprechpartner für alle Fragen zum Gebäude Waldstr. 92a mitteilen. Bitte wenden Sie sich in Zukunft nicht mehr direkt an uns, sondern an die Ansprechpartner unten. Für Fragen zum Mietvertrag sind wir natürlich weiter zuständig.

Störungen im Bereich Elektrik, Heizungen: BGM Gebäudemanagement: 030/134789-0. Reinigung von Treppenhaus und Aufzug, Anlage für Mülltonnen: Pieper Gebäudereinigung: 030/5547998-0.

Die Berliner Abfallbetriebe stellen ab Montag, dem 4.1.2016, zusätzlich zu der gelben, blauen und grauen Tonne noch eine braune Tonne für Bioabfälle bereit. Den alten Glascontainer im Alkenweg gibt es nicht mehr. Aber es gibt einen neuen in der Friedrich-Wolf-Straße.

Und noch eine Bitte: Trennen Sie Ihren Abfall bitte sorgfältig. Informationen dazu finden Sie auf dem Informationsblatt zur Mülltrennung. Wohin gehört der Müll? Die Beispiele und das farbige Symbol helfen Ihnen weiter.

Mit freundlichen Grüßen

Nicole Michels
Nicole Michels

---

b Lesen Sie den Brief noch einmal. Welche Tonnen/Container sind neu? Kreuzen Sie in den Fotos an.

1 ☐ 2 ☐ 3 ☐ 4 ☐ 5 ☐ 6 ☐

2 Wie trenne ich meinen Müll richtig?

Lesen Sie das Informationsblatt zur Mülltrennung und ordnen Sie die Wörter den Bildern zu.

Restmüll | Biomüll | Glas | ~~Wertstoffe~~ | Papier

Wertstoffe				
Verpackungen aus: Kunststoff Metall	zum Beispiel: Getränkeflaschen Marmeladengläser	zum Beispiel: Zeitungen Zeitschriften Bücher	zum Beispiel: Obst und Gemüse Essensreste Blumen	zum Beispiel: Tassen und Teller Stifte Kosmetik

3 Grammatik auf einen Blick: Adjektive nach bestimmtem Artikel › G: 5.1

a **Lesen Sie den Brief in 1a noch einmal und markieren Sie die bestimmten Artikel, Nomen und die Adjektivendungen. Ergänzen Sie dann die Tabelle.**

	Maskulinum (M)	Neutrum (N)	Femininum (F)	Plural (M, N, F)
Nom.	der alte Glascontainer	das farbig___ Symbol	die blaue Tonne	die grauen Tonnen
Akk.	den alt___ Glascontainer	das farbige Symbol	die blaue Tonne	die grauen Tonnen
Dat.	in dem alten Glascontainer	mit dem farbigen Symbol	zu der blau*en* Tonne	zu den grauen Tonnen

b **Schauen Sie die Tabelle in 3a noch einmal an und ergänzen Sie die Regeln.** › ÜB: C1–2

(G)

Adjektive nach dem bestimmten Artikel haben nur zwei verschiedene Endungen: „-e" und „-en":
1. Nach „der" (Sg. Mask. Nom.), „das", „die" (Sg. Fem. Nom. und Akk.) hat das Adjektiv die Endung „_____".
2. In allen anderen Fällen hat das Adjektiv die Endung „_____".

4 Und Ihr Müll?

a **Welcher Müll kommt wohin? Sprechen Sie zu zweit. Die Informationen vom Infoblatt in 2 helfen.** › ÜB: C3

Brotreste | Karton | Kugelschreiber | Weinflasche | Konservendose | Spülmittelflasche | Kalender | Computerkabel | Gemüsereste

▶ Wohin gehören Brotreste?
▶ Und ein Karton? Gehört der auch in die braune Tonne?

▶ Brotreste gehören in die braune Tonne.
▶ Nein, nicht in die braune, der gehört in …

b **Trennen Sie Ihren Müll? Wenn ja, wie machen Sie das? Wenn nein, warum nicht? Sprechen Sie mit einem Partner / einer Partnerin.** › ÜB: C4

D Ihr Gebäude – wir managen es!

1 BGM GmbH – Servicezentrale

a In der Zentrale kommen alle Störungsmeldungen zusammen. Lesen Sie die Meldungen und überlegen Sie zu zweit: Haustechniker, Reinigungskraft oder Sicherheitskraft – wer kümmert sich um welches Problem? › ÜB: D1

- ▶ Die Nummer … ist eine Aufgabe für …
- ▶ Wer kann sich um … kümmern?
- ▶ Und das offene Fenster / …?

- ▶ Ja, das stimmt. / Ist das nicht eine Aufgabe für …?
- ▶ Das kann der / die … machen.
- ▶ Für … ist ein / eine … zuständig.

Nr.	am / um	Objekt	Bauteil / Gebäudeteil	Betreff	Status
10	10.12. – 10:00	Reiss Pharma	Klimaanlage	Störung	offen
09	10.12. – 9:30	Europa-Center	1. Stock, Flur	Kaffee vor Automat	offen
08	10.12. – 9:05	Haus Herthastr. 25	Eingang, Außenbeleuchtung	Leuchte beschädigt	offen
07	10.12. – 8:30	Autohaus Neumann	Garagentor	Automatik defekt	offen
06	10.12. – 6:30	Reiss Pharma	3. Stock	Alarm	offen
05	10.12. – 5:20	Europa-Center	Hauptgebäude, EG	Fenster offen	offen
04	09.12. – 19:30	Reiss Pharma	Eingang	Schnee	ok.

b Die Servicemitarbeiter bekommen die Störungsmeldung auf ihr Smartphone. Lesen Sie sie. Waren Ihre Vermutungen in 1a richtig? Sprechen Sie mit einem Partner / einer Partnerin.

Haustechnik
Heute: Do. 10.12.

8:30 Autohaus Neumann
Garagentor –
Automatik
reparieren

9:05 Haus Herthastr. 25
Leuchtmittel
auswechseln

10:00 Reiss Pharma
Klimaanlage –
Störung beheben

Sicherheit
Heute: Do. 10.12.

5:20 Europa-Center
Fenster schließen –
Kontrolle

6:30 Reiss Pharma
Alarmanlage prüfen +
Türen zu Labors
und Büros
kontrollieren

c ▶ 3|42 Hören Sie die Mailbox-Nachricht von dem Haustechniker und notieren Sie: Wie sieht sein Arbeitsplan am 10. Dezember aus? Machen Sie eine Liste und vergleichen Sie sie mit einem Partner / einer Partnerin. › ÜB: D2

9:00: Autohaus Neumann – Motor für Garagentor bestellt

…

2 Grammatik auf einen Blick: Temporale Ausdrücke für Zeitpunkt und Reihenfolge › G: 6.1

a ▶ 3|42 **Der Haustechniker macht viele Zeitangaben. Hören Sie die Mailbox-Nachricht noch einmal und markieren Sie hier die Zeitangaben in der Nachricht.** › ÜB: D3–4

Zeitpunkt	Reihenfolge
heute Morgen, heute Mittag, heute Abend	als Erstes, als Zweites, als Drittes
um 4:00 Uhr, um 11:00 Uhr	als Erstes, als Nächstes, als Letztes
vorgestern, gestern, morgen, übermorgen	zu Beginn, zum Schluss
letzte Woche, diese Woche, nächste Woche	zuerst, dann, danach

b Beschreiben Sie eine Tätigkeit aus Ihrem privaten oder beruflichen Alltag und verwenden Sie temporale Ausdrücke wie in 2a. Machen Sie Notizen.

c Hören Sie den Bericht von Ihrem Partner und notieren Sie den Ablauf. Berichten Sie dann Ihrem Partner, was er / sie wann gemacht hat und vergleichen Sie Ihre Angaben. Im Anschluss berichten Sie Ihrem Partner, was Sie gemacht haben.

Gestern Morgen …

Aussprache

1 Diphthonge

a ▶ 3|43 **Hören Sie die Laute und die Wörter und sprechen Sie sie nach.**

Laut	Schrift	Beispiele
[aɪ̯]	ei, ai, ey, ay	reinigen, Mai, Meyer, Atalay
[ɔy̑]	eu, äu	neu, Europa, Leuchte, Gebäude
[au̯]	au	Auftrag, Aufzug, Haus, blau

b ▶ 3|44 **Hören Sie die Wortpaare und sprechen Sie sie nach.**

1.	a. ☐ sauber	b. ☐ säubern		6.	a. ☐ gebaut		b. ☐ Gebäude
2.	a. ☐ Haus	b. ☐ heiß		7.	a. ☐ Kreuz		b. ☐ Kreis
3.	a. ☐ freut	b. ☐ frei		8.	a. ☐ Laute		b. ☐ Leute
4.	a. ☐ Bauten	b. ☐ Beutel		9.	a. ☐ Raum		b. ☐ Räume
5.	a. ☐ leisten	b. ☐ leuchten		10.	a. ☐ Reis		b. ☐ raus

c ▶ 3|45 **Sie hören jeweils nur ein Wort von den Wortpaaren in 1b. Was hören Sie: a oder b? Kreuzen Sie an.**

d ▶ 3|46 **Hören Sie die Sätze und sprechen Sie sie nach.**

1. Im Mai mache ich eine Reise durch Europa.
2. In der Nacht sind alle blauen Tonnen grau.
3. Ich bleibe noch eine Zeit lang bei den Gebäudereinigern.

E Schlusspunkt

Situation 1

Person A

Sie sind Frau Michels. Sie sind Mitarbeiterin von der Hausverwaltung Zander und haben eine Anfrage an die Gebäudereinigungsfirma „Perfect-Cleaning" geschickt.
Herr Fries von der Gebäudereinigungsfirma „Perfect-Cleaning" ruft bei Ihnen an, weil er noch Informationen braucht.
Antworten Sie auf die Fragen von Herrn Fries.

Person B

Sie sind Herr Fries. Sie sind Geschäftsführer von der Gebäudereinigungsfirma „Perfect-Cleaning" und haben eine Anfrage von der Hausverwaltung Zander bekommen. Es geht um die Reinigung von einem Bürogebäude.
Sie rufen bei der Hausverwaltung Zander an, weil Sie noch Informationen brauchen.
Stellen Sie Fragen zu folgenden Punkten:
- Büroräume – wie viele?
- Büroräume / Flur – wie groß?
- reinigen – wie oft?
- Bürozeiten – von wann bis wann?

▶ Hausverwaltung Zander …, Guten Tag.
▶ Guten Tag, …, Gebäudereinigung … Ich habe Ihre Anfrage bekommen. Ich brauche noch ein paar genaue Informationen.
▶ Was möchten Sie denn wissen?
▶ Wie viele Büroräume gibt es pro Etage?
▶ Jede Etage hat …
▶ Und dann noch eine Frage: Wie …?
▶ Die Büroräume sind ca. … m² groß. Der Flur ist … lang und … breit.
▶ Danke, und wie oft sollen wir … reinigen?
▶ Reinigen Sie die … bitte täglich / wöchentlich und den …
▶ Wie sind …?
▶ Die Bürozeiten sind von … bis …
▶ Vielen Dank, ich schicke Ihnen ein Angebot.
▶ Vielen Dank. Ich melde mich dann.
▶ Gut. Auf Wiederhören.
▶ Auf Wiederhören.

Situation 2

Person A

Sie sind Herr Seiler und arbeiten in der Hausverwaltung HVW. Sie sprechen mit Ihrem Hausmeisterservice „Klier" über neue Aufgaben.
Stellen Sie Fragen zu folgenden Punkten:
- Gartenpflege möglich?
- ab Januar Hausmeister für Immobilie Herthastraße?
- Hausmeister muss Reinigung und Beleuchtung kontrollieren, Heizung warten
Sie bitten um ein Angebot.
Sie wollen es mit Ihrem Chef besprechen.

Person B

Sie sind Frau Lasar, Geschäftsführerin vom Hausmeisterservice „Klier". Ihr Kunde, Herr Seiler von der Hausverwaltung HVW, möchte Ihnen eine neue Aufgabe geben:
- Problem: keinen Gärtner angestellt. Empfehlen Sie eine Partnerfirma.
- Angebot: Hausmeisterservice → Hausmeister kontrolliert Reinigung und Beleuchtung, wartet Heizung
- Angebot zusenden

(…)
▶ Zum Schluss habe ich zwei Fragen: Bieten Sie auch … an?
▶ Wir haben … Hier arbeiten wir erfolgreich mit … zusammen. Die kann ich Ihnen empfehlen.
▶ Danke, Sie können mir ja mal die Adresse geben. Dann gibt es da noch etwas: In der … brauchen wir ab Januar …
▶ Dann ist unser … das Richtige für Sie.
▶ Wir möchten, dass …
▶ Kein Problem, unsere Hausmeister …
▶ Können Sie mir … zusenden?
▶ Ja, …
▶ Gut, ich bespreche es dann mit … und melde mich dann.
▶ Ich bedanke mich für Ihr Interesse. Auf Wiederhören.
▶ Auf Wiederhören.

Lektionswortschatz

Gebäude / Haustechnik:
der Eingang, ⸚e
der Empfang (nur Sg.)
der Aufzug, ⸚e
der Lift, -e / -s
das Treppenhaus, ⸚er
die Etage, -n
der Abstellraum, ⸚e
die Teeküche, -n
die Automatik (nur Sg.)
die Anlage, -n
   Alarmanlage
   Heizungsanlage
   Klimaanlage
das Garagentor, -e
die Beleuchtung, -en
   Außenbeleuchtung
das Leuchtmittel,-

Dienstleistungen:
die Fachkraft, ⸚e
der Hausmeister, -
der Haustechniker, -
das Management, -s
   Gebäudemanagement
   Facility-Management
der Tagesdienst, -e
die Zentrale, -n
   Service-Zentrale
die Sicherheit (hier nur Sg.)
die Sicherheitskraft, ⸚e
die Fassade, -n
das Gebäude, -
die Immobilie, -n
das Objekt, -e
die Kamera, -s
der Monitor, -e
schützen
überwachen

Störungen:
die Störung, -en
   eine Störung beheben
die Meldung, -en
   Störungsmeldung
beschädigt
defekt
auswechseln
kümmern, sich um + A
ein Problem lösen
reparieren
warten

Die Gartenpflege:
der Garten, ⸚
die Grünfläche, -n
der Rasen, -
mähen
die Hecke, -n
schneiden
pflanzen

Der Reinigungsauftrag:
die Reinigung, -en
   Grundreinigung
die Reinigungskraft, ⸚e
reinigen
putzen
säubern
wischen
sauber ≠ schmutzig
das Intervall, -e
einmalig
stündlich
täglich
wöchentlich
monatlich
jährlich

Die Mülltrennung:
der Müll (nur Sg.)
   Biomüll
   Hausmüll
   Restmüll
   Müll (sorgfältig) trennen
der Container, -
   Glascontainer
der Eimer, -
   Mülleimer
die Tonne, -n
   Mülltonne
das Symbol, -e
der Abfall, ⸚e
der Wertstoff, -e
der Kunststoff, -e
der Becher, -
das Metall, -e
die Konservendose, -n
die Verpackung, -en
der Rest, -e
   Essensrest
die Schale, -n
stinken

Verben:
ansprechen
aussehen
ärgern, sich über + A
beauftragen, jmdn. mit + D
bekannt machen
bereitstellen
danken für + A
entschuldigen (sich)
erinnern (sich) an + A
freuen, sich auf / über + A
fühlen (sich)
gehören
   Das gehört in + A
hinterlassen
   eine Nachricht hinter-
   lassen
interessieren, sich für + A
kontaktieren
kooperieren
mitteilen
sichern
testen
vorstellen (sich)
   Ich möchte mich kurz
   vorstellen.
   Ich kann mir das vor-
   stellen.
wenden, sich an + A
wünschen (sich)
da sein für + A
erreichbar sein
richtig sein bei + D
verabredet sein
zuständig sein für + A

Nomen:
das Angebot, -e
das Arbeitsklima (nur Sg.)
das Autohaus, ⸚er
die Bedienung (hier nur Sg.)
das Informationsblatt, ⸚er
das Labor, -e / -s
der Kuli, -s
die Kosmetik, -a
die Regelung, -en
der Schlüssel, -
das Spülmittel, -
die Tasse, -n
der Teller, -
die Zeitschrift, -en
die Zigarette, -n

Adjektive:
berufstätig
dringend
erreichbar
halb ≠ ganz
kaufmännisch
kompetent
mobil
qualifiziert
regelmäßig ≠ unregelmäßig
sorgfältig
spannend
vielseitig
wahrscheinlich
zielorientiert
zufrieden ≠ unzufrieden
zuverlässig ≠ unzuverlässig

Adverbien:
außerdem
meistens

Zeitangaben:
vorgestern – gestern –
   heute – morgen –
   übermorgen
letzt- – dies- – nächst-
   (Woche / Monat / Jahr)
als Erstes / Zweites / … – als
   Nächstes – als Letztes
zu Beginn – zum Schluss
zuerst – dann – danach

Redemittel:
rund um …
aus einer Hand
Das war's von meiner Seite.

A Auf Geschäftsreise

Reiseziel:

Hamburg

Anreise:	**Einzelzimmer:**	**Erwachsene:**
16.11.15	1	1

Abreise:	**Doppelzimmer:**	**Kinder:**
20.11.15	–	–

Hotel suchen

Suchergebnis   **96 freie Hotels in Hamburg**

Hotel Schönblick

EZ 86,00 EUR
exkl. Frühstück
(+ 12,00 EUR)

Hoteldetails

⊙ 12 km
✈ 14 km
🚆 13 km

Hotel Hansa

EZ 132,25 EUR
inkl. Frühstück

Hoteldetails

⊙ 6,3 km
✈ 2,5 km
🚆 6,6 km

Königin Hamburg

EZ 99,90 EUR
exkl. Frühstück
(+ 11,50 EUR)

Hoteldetails

⊙ 2,8 km
✈ 6,4 km
🚆 2,5 km

Zur Buchung

1 Herr Reinhardt sucht ein Hotelzimmer in Hamburg

a **Welche Informationen gibt Herr Reinhardt bei der Onlinesuche an: a oder b?
Kreuzen Sie an.**

1. Die Geschäftsreise ist im   a. ☐ Oktober.   b. ☐ November.
2. Er ist im Hotel   a. ☐ 4 Nächte.   b. ☐ 5 Nächte.
3. Er reist   a. ☐ mit seiner Frau.   b. ☐ alleine.

16

b Herr Reinhardt reist beruflich nach Hamburg, weil er eine Anlage reparieren muss. Lesen Sie die folgenden Punkte sowie die Hotelinformationen unten und links und überlegen Sie in Gruppen, welches Hotel gut passt. › ÜB: A1

- Er reist mit dem Flugzeug an.
- Er mag keine sehr großen Hotels.
- Die Firma ist in der Nähe vom Flughafen.

- Er möchte im Hotel essen können.
- Er geht zur Entspannung gern in die Sauna.
- Er muss im Hotelzimmer arbeiten können.

Hotel Schönblick
Hotelausstattung
✓ Hoteleigener Parkpl.: 0,00 EUR / Tag
✓ Nichtraucherzimmer: 21
✓ WLAN im Zimmer: 0,00 EUR / Std.
✓ persönliche Atmosphäre
✓ eigener Garten mit Terrasse
✓ Hotel Garni

Hotel Hansa
Hotelausstattung
✓ Hoteleigener Parkpl.: 14,00 EUR / Tag
✓ Nichtraucherzimmer: 500
✓ WLAN im Zimmer: 0,00 EUR / Std.
✓ Hotelrestaurant und Bar in der Lobby
✓ Wellnessbereich mit Sauna und Schwimmbad

Königin Hamburg
Hotelausstattung
✓ Parkplatz: 5 Geh-Minuten entfernt
✓ Nichtraucherzimmer: 73
✓ WLAN im Zimmer: 2,50 EUR / Std.
✓ Hotelrestaurant
✓ großes Frühstücksbuffet
✓ Wäschereiservice

> Hotel … ist gut, aber … | Hotel … hat …, aber … | Hotel … passt nicht, weil … | Hotel … passt gut / am besten, weil …

2 Fehler bei der Reservierung

a Herr Reinhardt hat direkt beim Hotel gebucht und erhält eine Buchungsbestätigung. Was ist falsch?

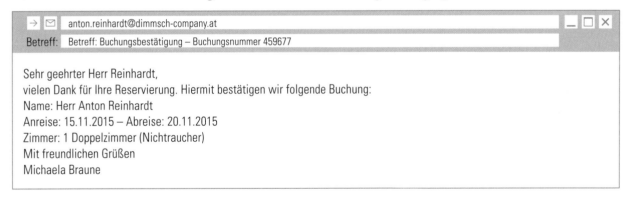

> → ✉ anton.reinhardt@dimmsch-company.at
>
> Betreff: Betreff: Buchungsbestätigung – Buchungsnummer 459677
>
> Sehr geehrter Herr Reinhardt,
> vielen Dank für Ihre Reservierung. Hiermit bestätigen wir folgende Buchung:
> Name: Herr Anton Reinhardt
> Anreise: 15.11.2015 – Abreise: 20.11.2015
> Zimmer: 1 Doppelzimmer (Nichtraucher)
> Mit freundlichen Grüßen
> Michaela Braune

b ▶ 3 | 47 Herr Reinhardt ruft beim Hotel an. Hören Sie das Telefongespräch und beantworten Sie die Fragen. › ÜB: A2

1. Wie kam es zu den Buchungsfehlern?
2. Warum bekommt Herr Reinhardt kein Einzelzimmer?
3. Welchen Preis zahlt er für das Zimmer?

T ⓟ 3 Ein Hotelzimmer buchen

a Wählen Sie ein Hotel aus der Hotelübersicht links. Schreiben Sie eine E-Mail mit Ihrer Reservierung und fragen Sie nach einer Tiefgarage. Vergessen Sie nicht Anrede und Gruß.

> Ich möchte vom … bis … ein / zwei / … Einzel- / Doppelzimmer reservieren, wenn möglich ein / zwei / … / alles Nichtraucherzimmer. | Ich möchte das / die Zimmer mit / ohne Frühstück. | Haben Sie Zimmer mit Balkon / …? | Noch eine Frage: Sind die Parkplätze in einer Tiefgarage? | Bitte schicken Sie mir eine Bestätigung.

b Geben Sie Ihrem Partner Ihre Reservierungs-E-Mail. Er / Sie schreibt eine Buchungsbestätigung. › ÜB: A3

B Auf dem Weg nach Hamburg

A

B

C

1 Der Flug

a ▶ 3|48-50 **Sie hören drei Durchsagen am Flughafen und im Flugzeug. Ordnen Sie die Durchsagen den Fotos zu.**

Durchsage 1: Foto ⌐_⌐   Durchsage 2: Foto ⌐_⌐   Durchsage 3: Foto ⌐_⌐

b **Hören Sie die Durchsagen noch einmal. Was ist richtig (r), was ist falsch (f)? Kreuzen Sie an.**   › ÜB: B1–2

		r	f
1.	Herr Reinhardt soll sich am Informationsschalter melden.	☐	☒
2.	Herr Reinhardt fliegt vom Flugsteig B15 ab.	☐	☐
3.	Der Flug geht von Hamburg nach Wien.	☐	☐
4.	Die Flugzeit beträgt eine Stunde.	☐	☐
5.	Das Flugzeug landet auch in Hannover.	☐	☐
6.	Übermorgen regnet es in Hamburg.	☐	☐

2 Neuigkeiten aus der Airline-Zeitschrift

Herr Reinhardt liest in der Airline-Zeitschrift einen Artikel zu einem neuen Service am Hamburger Flughafen. Lesen Sie den Artikel. Welches Foto passt zum Hauptinhalt vom Text? Kreuzen Sie an.   › ÜB: B3

Airport Hamburg – Aktueller Service!

Seit Kurzem können die Fluggäste am Hamburger Flughafen ohne Wartezeit ein Taxi bekommen. Nach der Landung können Sie, lieber Fluggast, über eine App direkt ein Taxi an den Taxistand am Terminal 1 oder 2 bestellen. Jedes Taxi hat eine Nummer. Die App zeigt Ihnen die Nummer direkt nach der Bestellung an. Das bedeutet, wenn Sie aus dem Terminal kommen, wählen Sie am Taxistand das Taxi mit Ihrer Nummer und können direkt einsteigen und losfahren. Dies bedeutet in Zeiten von vielen Passagieren einen hohen Komfort. Genießen Sie diesen Service, wenn Sie in Hamburg am Flughafen ankommen.

1

2

3 Grammatik auf einen Blick: Temporale Nebensätze mit „wenn" – Gegenwart › G: 4.2

Markieren Sie in Satz 2 „wenn" und das Verb im Nebensatz. Ergänzen Sie dann die Regel. › ÜB: B4 – 6

1. Wenn Sie aus dem Terminal kommen, wählen Sie am Taxistand das Taxi mit Ihrer Nummer.
2. Genießen Sie diesen Service, wenn Sie in Hamburg am Flughafen ankommen.

Ⓖ

Mit temporalen Nebensätzen mit „wenn" kann man einen Zeitpunkt in der _____ (oder Zukunft) benennen.

4 Ankunft im Hotel

a ▶ 3 | 51 **Hören Sie das Gespräch an der Rezeption. Was sind die Themen? Kreuzen Sie an.**

1. die Schließkarte vom Zimmer ☐   3. ein Stadtplan von Hamburg ☐   5. das Frühstück ☐
2. der WLAN-Empfang ☐   4. Sehenswürdigkeiten in Hamburg ☐   6. die Dauer vom Aufenthalt ☐

b **Ordnen Sie die Satzteile aus dem Gespräch an der Rezeption zu. Hören Sie dann das Gespräch noch einmal.**

1. Können Sie mir sagen,	A. welche Sehenswürdigkeiten ich in Hamburg besichtigen kann.	1. _B_
2. Ich wollte nachsehen,	B. ob ich im Zimmer WLAN habe?	2. __
3. Können Sie mir raten,	C. wann es bei Ihnen Frühstück gibt.	3. __
4. Ich möchte gern noch wissen,	D. was ich auf jeden Fall anschauen soll?	4. __

5 Grammatik auf einen Blick: Indirekte Fragesätze › G: 4.2

Formulieren Sie die indirekten Fragen aus 4b in direkte Fragen um und ergänzen Sie dann die Regeln. › ÜB: B7

1. _Habe ich im Zimmer WLAN?_   3. _____

2. _____   4. _____

Ⓖ

1. Indirekte Fragesätze sind Nebensätze. Das Verb steht am _____.
2. Wenn die direkte Frage eine Ja- / Nein-Frage ist, beginnt die indirekte Frage mit „_____"
   z. B. Satz _____.
3. Wenn die direkte Frage mit einem Fragewort beginnt, beginnt die indirekte Frage mit dem gleichen Fragewort,
   z. B. Sätze _____.
4. Wenn man höflich sein will, stellt man oft keine direkten Fragen, sondern indirekte.

6 Ich checke im Hotel ein

Sprechen Sie mit einem Partner / einer Partnerin und bitten Sie höflich um Informationen zu folgenden Punkten.

- WLAN im Zimmer gratis sein?   – Wie ins Stadtzentrum kommen?
- Hotel ein Restaurant haben?   – Wann der Wellnessbereich geöffnet sein?
- Zimmer mit Balkon bekommen können?   – …

⌈ Entschuldigung, können Sie mir sagen, …? | Ich möchte gern wissen, … | Wissen Sie, …? |
⌊ Meine Frau / Mein Mann / … möchte wissen, … | Können Sie mir bitte auf dem Plan zeigen, …?

C Unterwegs in der Stadt

1 Hamburg an einem Tag

a Herr Reinhardt schreibt in seinem Blog gern Reiseberichte. Lesen Sie seinen Bericht über Hamburg und ordnen Sie die Fotos den Stationen zu. › ÜB: C1

„Hamburg", das Tor zur Welt – an nur einem Tag

Geschrieben von: Anton, 19. November 2015
Hinterlasse einen Kommentar

Heute berichte ich euch aus Hamburg. Es war meine dritte Geschäftsreise dorthin – aber diesmal war es anders. Immer wenn ich früher dort war, hatte ich keine Zeit für Besichtigungen. Na ja, das kennt ihr ja! Aber diesmal lief beim Kunden alles sehr schnell und so hatte ich fast einen ganzen Tag frei. Ich wollte mir den Hafen, die Landungsbrücken, die Speicherstadt und die Hafencity ansehen. Den Tag begann ich mit der Besichtigung von der St. Michaeliskirche – ihr Turm ist bekannt als „Michel". In allen Reiseführern steht, dass man von oben einen schönen Blick über Hamburg hat. Leider war an dem Tag richtiges Hamburger „Schietwetter" – mal Wind, mal Regen, mal beides!!! Aber ich wollte auf den Turm! Als ich endlich oben war (452 Stufen uff!!!), war die Sicht total schlecht. Also bin ich ganz schnell wieder runter – nichts mit schöner Aussicht. Schade!

Landungsbrücken

Als ich wieder unten war, bin ich zu Fuß zu den Landungsbrücken gegangen. Das war keine gute Idee. Denn: Jedes Mal wenn ich den Schirm aufgemacht habe, hat er sich durch den Wind komplett umgedreht. Als ich dann an den Landungsbrücken ankam, war ich nass und der Schirm kaputt. Super! Da hab' ich mir in einem Souvenirladen einen „Friesennerz" gekauft. Mit der regenfesten Kleidung konnte ich ohne Probleme die Landungsbrücken entlang gehen und den Blick auf die Elbe und den Hafen genießen. Dann wollte ich eine Hafenrundfahrt machen. Aber als ich dort war, fuhr kein Schiff und ich wollte nicht warten. Also bin ich zu Fuß zur Speicherstadt gegangen. Auf dem Weg habe ich ein leckeres Fischbrötchen gegessen. Immer wenn ich in der Nähe vom Meer bin, **muss** ich Fisch essen!

In der Speicherstadt habe ich mir dann die Backsteingebäude aus dem 19. Jahrhundert angesehen. Dort hat man früher Kaffee, Tee, Gewürze und viele Waren aus aller Welt gelagert. Ich bin direkt in das Gewürzmuseum gegangen. Dort kann man Gewürze anfassen, riechen und probieren. Und man lernt, wie man Gewürze anbaut, verarbeitet und transportiert.

Von dort bin ich noch zur Hafencity gegangen und habe mir die Elbphilharmonie angeschaut – fantastisch! Hoffentlich kann ich hier in Zukunft einmal in ein Konzert gehen. Leider musste ich dann zurück ins Hotel zu einer Besprechung um 15 Uhr.

Mein Fazit: Hamburg ist einen Besuch wert! Und es gibt noch so viel mehr zu sehen!

in Geschichten Inhalt verstehen + Informationen über Heimatstadt recherchieren und präsentieren

P b **Lesen Sie den Reisebericht von Herrn Reinhardt noch einmal. Was ist richtig: a, b oder c? Kreuzen Sie an.** › ÜB: C2

1. Der „Michel" ist
   a. ☐ ein Hafengebäude.
   b. ☒ ein Kirchturm.
   c. ☐ ein Tor.

2. Die Landungsbrücken sind
   a. ☐ die Hafencity von Hamburg.
   b. ☐ ein Einkaufszentrum.
   c. ☐ der Startpunkt für Hafenrundfahrten.

3. Im Gewürzmuseum
   a. ☐ lagert man Gewürze.
   b. ☐ verarbeitet man Gewürze.
   c. ☐ kann man sich über Gewürze informieren.

4. Die Elbphilharmonie ist
   a. ☐ ein Konzerthaus.
   b. ☐ ein Museum.
   c. ☐ ein modernes Hochhaus.

2 Grammatik auf einen Blick: Temporale Nebensätze mit „als" und „wenn" › G: 4.2

a **Markieren Sie im Reisebericht in 1a die Sätze mit „als" und „wenn" und notieren Sie sie.**

1. Das Ereignis ist einmal in der Vergangenheit passiert:

   _____

   _____

2. Das Ereignis ist jedes Mal in der Vergangenheit passiert:

   Immer wenn ich früher dort war, hatte ich keine Zeit für Besichtigungen.

   _____

3. Das Ereignis passiert einmal oder mehrmals in der Gegenwart oder Zukunft:

   _____

b **Lesen Sie die Sätze in 2a. Was ist richtig: a oder b? Kreuzen Sie an.** › ÜB: C3

1. Ein Ereignis passiert einmal in der Vergangenheit:
   Nebensätze mit   a. ☐ als.   b. ☐ (immer / jedes Mal) wenn.
2. Ein Ereignis passiert jedes Mal in der Vergangenheit:
   Nebensätze mit   a. ☐ als.   b. ☐ (immer / jedes Mal) wenn.
3. Ein Ereignis passiert einmal oder jedes Mal in der Gegenwart oder Zukunft:
   Nebensätze mit   a. ☐ als.   b. ☐ (immer / jedes Mal) wenn.

3 Ihre Stadt an einem Tag

a **Sie wollen einem Geschäftspartner aus dem Ausland etwas über Ihre Heimatstadt erzählen. Recherchieren Sie im Internet Informationen zu Ihrer Stadt. Berichten Sie dann Ihrem Partner / Ihrer Partnerin.**

Meine Heimatstadt ist …

Meine Heimatstadt ist … | Sie liegt in … | Sie hat … Einwohner. | Sie ist … | In … muss man … sehen. | Berühmt ist … | Eine besondere Sehenswürdigkeit ist außerdem … | Ich empfehle Ihnen, dass Sie … besichtigen / besuchen. | Sie können auch …

b **Recherchieren Sie in Gruppen im Netz weitere Sehenswürdigkeiten von Hamburg und stellen Sie sie im Kurs vor.**

D An der Hotelrezeption

T P **1 Die Abreise**

a ▶ 3|52–53 **Hören Sie das Gespräch an der Rezeption. Was ist richtig (r), was ist falsch (f)? Kreuzen Sie an.** › ÜB: D1

	r	f
1. Herr Reinhardt möchte auschecken.	X	☐
2. Aus der Minibar hatte Herr Reinhardt einen Orangensaft und einen Schokoriegel.	☐	☐
3. Er bezahlt für die Sachen aus der Minibar 5,80 €.	☐	☐
4. Für den WLAN-Anschluss muss er 2,50 € bezahlen.	☐	☐
5. Das Frühstück zahlt Herr Reinhardt.	☐	☐
6. Er war mit dem Frühstück nicht zufrieden.	☐	☐
7. Das Hotel war nicht ausgebucht.	☐	☐
8. Herr Reinhardt empfiehlt das Hotel nicht weiter.	☐	☐
9. Das Hotel schickt die Rechnung an die Firma.	☐	☐

b ▶ 3|53 **Hören Sie das Ende vom Gespräch an der Hotelrezeption noch einmal und füllen Sie für die Rezeptionistin das Beschwerdeformular aus.**

Datum / Uhrzeit von der Beschwerde	20.11.2015 / 9:45	
Name vom Gast / Zimmernummer	Anton Reinhardt, Zimmer 42	
Beschwerdebereich (bitte ankreuzen)	☐ Zimmer ☐ Küche ☐ Service im Restaurant	☐ Rezeption ☐ Sonstiges: _____
Beschreibung von der Beschwerde		
Kurzfristige Lösung (z.B. Reparatur, Zimmerwechsel, kleine Entschuldigung in Form von XXX)		
Weiteres Vorgehen: (z.B. Information an XXX, Sonstiges)		
Datum und Unterschrift des Mitarbeiters	20.11.2015, E. Meier	

2 Häufige Beschwerden im Hotel

a **Lesen Sie die Beschwerden und ergänzen Sie die passenden Adjektive. Manchmal gibt es zwei Lösungen.**

gut | hart | kalt | laut | sauber | schmutzig | teuer | warm | weich

1. Der Service ist nicht _gut_____.
2. Die Klimaanlage ist zu _____.
3. Das Zimmer ist zu _____.
4. Das Bad ist nicht _____.

5. Der Hotelparkplatz ist zu _____.
6. Der Teppich ist _____.
7. Das Duschwasser wird nicht _____.
8. Das Bett ist zu _____.

b Was passt zusammen? Ordnen Sie zu.

1.	Der WLAN-Anschluss im Zimmer	A.	kaputt.	1. ⎣D⎦
2.	Der Fernseher ist	B.	keinen Föhn.	2. ⎣⎦
3.	Im Bad gibt es	C.	ist verstopft.	3. ⎣⎦
4.	Die Fenster	D.	funktioniert nicht.	4. ⎣⎦
5.	Der Abfluss von der Dusche	E.	schließen nicht gut.	5. ⎣⎦

c Beschweren Sie sich an der Hotelrezeption. Partner A: Datenblatt A17, Partner B: Datenblatt B17.

3 Auschecken

Checken Sie im Hotel aus. Spielen Sie mit einem Partner / einer Partnerin.

Hotelgast
▶ Guten Tag. Ich möchte gern auschecken.
▶ Ich hatte das Zimmer …
▶ Ja, … / Nein.
▶ Ich zahle …
▶ Ja, sehr. Vielen Dank und auf Wiedersehen.

Rezeptionist / Rezeptionistin
▶ Ja, gern. Welches Zimmer hatten Sie?
▶ Hatten Sie etwas aus der Minibar?
▶ Zahlen Sie bar oder mit Karte?
▶ Vielen Dank. Ich hoffe, Sie waren zufrieden.
▶ Auf Wiedersehen.

Aussprache

1 „s"-Laute

a ▶ 3|54 Hören Sie die Wörter und sprechen Sie sie nach.

[s]	– Preis – Transport	– nass – Wasser	– Gruß – schließen
[z]	– Suche – sauber	– Lösung – Besichtigung	– Fernseher – also

[s]: Dieser Laut ist stimmlos. Das „s" zischt.
[z]: Dieser Laut ist stimmhaft. Das „s" summt.

b Hören Sie die Wörter in 1a noch einmal. Wann sprechen wir [s] und wann [z]? Kreuzen Sie an.

Wann?	Beispiele	Wir sprechen oft	
1. „s" steht am Wortanfang vor Vokal	Suche, sauber	[s] ☐	[z] ☐
2. „s" steht am Wortende oder am Silbenende	Preis, Transport	[s] ☐	[z] ☐
3. „s" steht am Silbenanfang vor Vokal (außer: nach einigen Konsonanten, z. B. b / p, g / k, f)	Lösung, Besichtigung, Fernseher, also	[s] ☐	[z] ☐

Wann?	Beispiele	Wir sprechen immer	
4. Wir schreiben „ss".	nass, Wasser	[s] ☐	[z] ☐
5. Wir schreiben „ß".	Gruß, schließen	[s] ☐	[z] ☐

c Welche Wörter mit [s] und [z] kennen Sie noch? Schreiben Sie sie in eine Tabelle.

Wörter aus anderen Sprachen:
„s" am Wortanfang häufig [s], z. B. Service, Song.

E Schlusspunkt

Situation 1

Person A

Sie sind Herr Schmidt. Sie checken im Hotel Königin Hamburg ein.
Sie haben Fragen an die Rezeptionistin:
- WLAN im Zimmer?
- Frühstück – wann und wo?
- Wellnessbereich - wo?
- einen Fernseher / einen Föhn / eine Minibar / … im Zimmer?

Person B

Sie sind Frau Krüger und arbeiten an der Rezeption vom Hotel Königin Hamburg. Herr Schmidt checkt ein. Antworten Sie auf seine Fragen.

▶ Guten Tag, mein Name ist … Ich habe ein Zimmer reserviert.
▶ Guten Tag. Wie war noch mal Ihr Name?
▶ Mein Name ist …
▶ Ja, hier ist Ihre Buchung. Zimmer … Hier ist Ihre Schließkarte / Ihr Schlüssel.
▶ Vielen Dank. Können Sie mir noch sagen, ob ich … habe?
▶ Ja, das ist im Zimmer. / Nein, das gibt es nur in der Lobby.
▶ Danke und wann gibt es …?
▶ Von … bis … Uhr.
▶ Und wo gibt es das Frühstück?
▶ Im Frühstücksraum.
▶ Wo ist der …?
▶ Er ist … / Er befindet sich …
▶ Wo finde ich …?
▶ … finden Sie im …
▶ Gibt es … im Zimmer?
▶ Ja, es gibt … / Nein, es gibt keinen / kein / keine …

Situation 2

Person A

Sie sind Herr Sand und arbeiten an der Rezeption vom Hotel Königin Hamburg. Frau Rose checkt aus. Stellen Sie Fragen.

Person B

Sie sind Frau Rose. Sie checken aus dem Hotel Königin Hamburg aus.
Antworten Sie auf die Fragen vom Rezeptionisten und beschweren Sie sich:
- Bad nicht immer sauber
- Rührei trocken und kalt

▶ Guten Tag. Ich möchte gern …
▶ Ja gern. Welches Zimmer hatten Sie?
▶ Ich hatte das Zimmer …
▶ Hatten Sie etwas aus …?
▶ Ja, … / Nein.
▶ Danke. Zahlen Sie bar oder mit Karte?
▶ Ich zahle …
▶ Vielen Dank. Ich hoffe, Sie waren zufrieden.
▶ Ja, aber ich muss mich über etwas beschweren.
▶ Oh, das tut mir leid. Was ist das Problem?
▶ Erstens: …, und zweitens das Frühstück: …
▶ Entschuldigen Sie bitte. Ich informiere …
▶ Gut, danke!
▶ Vielen Dank und auf Wiedersehen.
▶ Auf Wiedersehen.

Lektionswortschatz

Die Geschäftsreise:
reisen
verreisen
das Reiseziel, -e
fliegen
der Flug, ⸚e
der Flughafen, ⸚
das Flugzeug, -e
die Flugzeit, -en
der Fluggast, ⸚e
der Passagier, -e
der Flugsteig, -e
das Gate, -s
der (Co-)Pilot, -en /
    die (Co-)Pilotin, -nen
der Kapitän, -e /
    die Kapitänin, -nen
das Cockpit, -s
die Durchsage, -n
die Landung, -en
landen
die Wartezeit, -en
die App, -s
das Taxi, -s / der Taxi, -s (CH)
der Taxistand, ⸚e
einsteigen
losfahren

Die Zimmerreservierung:
die Onlinesuche, -n
das Suchergebnis, -se
reservieren
die Reservierung, -en
anreisen
die Anreise (hier nur Sg.)
abreisen
die Abreise (hier nur Sg.)
das Zimmer, -
    Einzelzimmer
    Doppelzimmer
    Raucherzimmer ≠
    Nichtraucherzimmer
ein Zimmer buchen
die Buchung, -en
die Buchungsbestätigung,
    -en
die Buchungsnummer, -n
(komplett) ausgebucht sein
das Reisedatum angeben
übernachten
exklusive (exkl.) ≠
    inklusive (inkl.)

Die Hotelausstattung:
das Hotel, -s
    Hotel Garni
hoteleigen
ausgestattet sein mit + D
die Bar, -s
    Minibar
die Lobby, -s
der Parkplatz, ⸚e
die Terrasse, -n
der Wellnessbereich, -e
die Sauna, -s / Saunen
das Schwimmbad, ⸚er
der Wäschereiservice
    (nur Sg.)
der (Haar-)Föhn, -s / -e
der WLAN-Empfang
    (nur Sg.)
die Atmosphäre (nur Sg.)
der Komfort (nur Sg.)
die Entspannung (nur Sg.)
gratis

An der Hotelrezeption:
einchecken
das Einchecken (nur Sg.)
auschecken
das Auschecken (nur Sg.)
die Schließkarte, -n
die Rezeption, -en
    Hotelrezeption
der Rezeptionist, -en /
    die Rezeptionistin, -nen
das Zimmermädchen, -
der Hotelmanager, - /
    die Hotelmanagerin, -nen
der Aufenthalt, -e
die Beschwerde, -n
beschweren, sich bei + D
    über + A
das Vorgehen (nur Sg.)
zahlen
    bar zahlen
    mit Karte zahlen
eine Rechnung stellen
etw. in Rechnung stellen
eine Rechnung ausstellen
    für + A
empfehlen
weiterempfehlen

Die Stadtbesichtigung:
die Besichtigung, -en
besichtigen
der Reiseführer, -
der Stadtplan, ⸚e
die Rundfahrt, -en
die Sehenswürdigkeit, -en
die Aussicht, -en
der Startpunkt, -e
die City, -s
die Brücke, -n
der Hafen, ⸚
die Kirche, -n
der Turm, ⸚e
    Kirchturm
die Stufe, -n
das Museum, Museen
die Philharmonie, -n
der Speicher, -
das Tor, -e
der Bericht, -e
    Reisebericht
berichten über + A
das Einkaufszentrum,
    -zentren
der Souvenirladen, ⸚
zu Fuß gehen

Verben:
anbauen
ändern
anfassen
befinden, sich
    (bei / in / über / …)
betragen (Die Temperatur
    beträgt …)
frei haben
Glück haben
genießen
melden (sich) bei + D
nachsehen
riechen
schließen
umdrehen (sich)
verarbeiten
wert sein (einen Besuch)
willkommen heißen + A

Nomen:
der Abfluss, ⸚e
der Backstein, -e
der Blog, -s
der / die Erwachsene, -n
das Fazit, -e / -s
der Friesennerz, -e
die Gebühr, -en
das Gewürz, -e
das Jahrhundert, -e
die Neuigkeit, -en
das Rezept, -e
der Schirm, -e
    Regenschirm
der Schokoriegel, -
das Schiff, -e
die Welt (hier nur Sg.)
die Zeitschrift, -en

Adjektive:
angenehm
fantastisch
hervorragend
hart ≠ weich
höflich ≠ unhöflich
kurzfristig
lecker
nass ≠ trocken
pünktlich ≠ unpünktlich
regenfest
reiselustig
sauber ≠ schmutzig
verstopft

Adverbien:
raus / hinaus ≠ rein / hinein
rauf / hinauf ≠ runter /
    hinunter
früher
seit Kurzem
unterwegs

Präpositionen:
entlang

Redemittel:
Entschuldigung, können Sie
    mir sagen, … / ich möch-
    te gern wissen, …
Gern geschehen.
auf jeden Fall

1 Das Unternehmen Louis Widmer SA

a Lesen Sie den Steckbrief und ergänzen Sie die fehlenden Informationen.

> Branche | Geschäftsführer | Gründer |
> Hauptsitz | Mitarbeiterzahl | Tochtergesellschaften |
> Unternehmensgründung | Vertretungen in

Louis Widmer
SWISS+DERMATOLOGICA

> *Hauptsitz*
>
> Schlieren (Schweiz)

> Louis Edouard Widmer und sein Sohn Louis-Max Widmer

> 1960

> ca. 250

> Annemarie Widmer, Roland Kuhn, Dr. Hans-Jürg Furrer

> Kosmetikindustrie

> in Österreich, Finnland, Deutschland, Belgien / Luxemburg und Holland

> 15 Staaten

b Pflegeprodukte von Louis Widmer. Ordnen Sie die Fotos zu.

1. Wundsalbe — _G_
2. Gesichtscreme — _
3. Fußcreme — _
4. Sonnenschutzcreme — _
5. Deodorant — _
6. Körpermilch — _
7. Lippenstift — _
8. Haarshampoo — _

2 Der Produktionsweg bei Louis Widmer SA

Film|5 **Welchen Produktionsweg durchläuft eine Hautcreme bei Louis Widmer?**
Sehen Sie den Film an und bringen Sie die Arbeitsschritte in die richtige Reihenfolge.

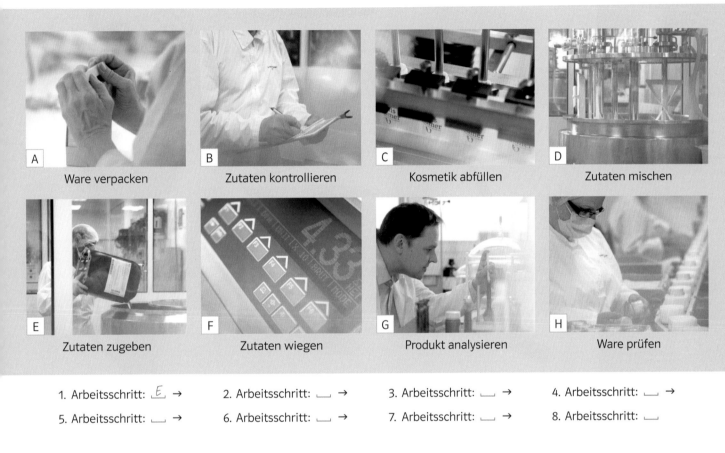

A Ware verpacken   B Zutaten kontrollieren   C Kosmetik abfüllen   D Zutaten mischen

E Zutaten zugeben   F Zutaten wiegen   G Produkt analysieren   H Ware prüfen

1. Arbeitsschritt: _E_ →   2. Arbeitsschritt: ⌴ →   3. Arbeitsschritt: ⌴ →   4. Arbeitsschritt: ⌴ →

5. Arbeitsschritt: ⌴ →   6. Arbeitsschritt: ⌴ →   7. Arbeitsschritt: ⌴ →   8. Arbeitsschritt: ⌴

3 Louis Widmer SA – Tradition und Neues

a **Lesen Sie den Informationstext. Was ist das Besondere an Louis Widmer?**
Notieren Sie Stichworte.

> Das Familienunternehmen Louis Widmer besteht heute in der dritten Generation. Seit 2006 leitet die Enkelin vom Gründer, Annemarie Widmer, das Unternehmen. Die Firma erforscht, entwickelt und produziert kosmetische und pharmazeutische Produkte. Der einzige Produktionsstandort ist Schlieren.
>
> „Wir sind ein Familienbetrieb mit langjährigen engagierten Mitarbeitern. Mein Großvater und Vater lebten für die Haut und wollten gesunde, sehr gut verträgliche Kosmetik herstellen. Das ist uns bis heute gelungen: Seit der Gründung mussten wir noch nie ein Produkt vom Markt nehmen. Außerdem testen wir Produkte nicht an Tieren. Die Leitidee von unserem Gründer ist auch heute noch aktuell! Unsere Philosophie ist: Tradition und Neues zusammenführen!", sagt Annemarie Widmer.

Familienunternehmen in der dritten Generation, ...

b **Finden Sie Kosmetikprodukte wichtig? Welche verwenden Sie?**

A Werbeartikel, aber welche?

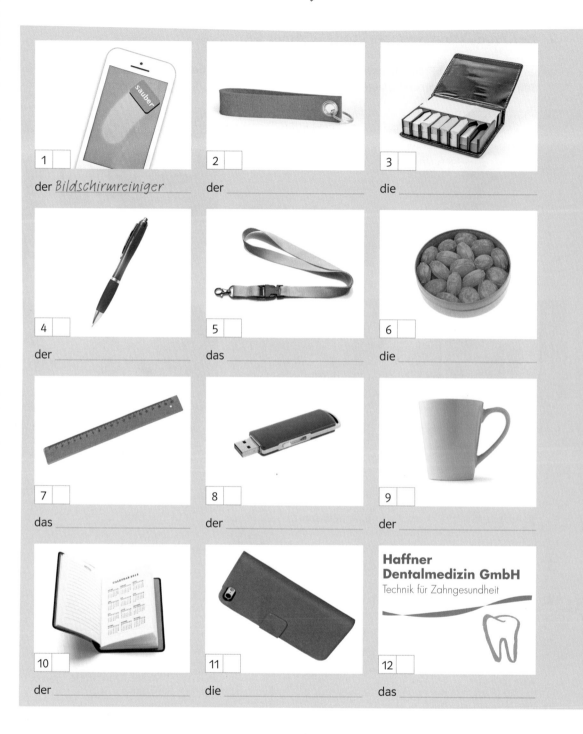

der *Bildschirmreiniger*   1

der   2

die   3

der   4

das   5

die   6

das   7

der   8

der   9

der   10

die   11

das   12

**Haffner
Dentalmedizin GmbH**
Technik für Zahngesundheit

1   Kleine Werbegeschenke

a   **Ordnen Sie die Wörter den Bildern oben zu.**   › ÜB: A1

> Bildschirmreiniger | Bonbons | Firmen-Logo | Haftnotizen |
> Kaffeebecher | Kalender | Kugelschreiber | Lineal | USB-Stick |
> Schlüsselanhänger | Schlüsselband | Smartphonehülle

b   **Welche Werbeartikel finden Sie gut? Haben Sie auch schon Werbeartikel
bekommen? Sprechen Sie im Kurs.**

17

c Lesen Sie die Nachricht im Intranet. Was ist richtig (r), was ist falsch (f)? Kreuzen Sie an.

Haffner Dentalmedizin GmbH // Marketing & PR // *Interne Termine*

19.11., 15:00 Uhr: Präsentation von Werbeartikeln von der Firma Promo-Effekt (Herr Pilner)

Wichtig! Bis 10.03. (Internationale Dental-Show) muss unser Material für Werbung / Präsentation komplett das neue Firmen-Logo haben!

---

		r	f
1.	Die Firma Haffner produziert Werbeartikel.	☐	☒
2.	Promo-Effekt kommt zur Internationalen Dental-Show.	☐	☐
3.	Die Abteilung für Werbung und PR braucht Werbeartikel.	☐	☐
4.	Bei der Internationalen Dental-Show will die Firma Haffner neues Werbematerial verwenden.	☐	☐

2 Die Produkte von Promo-Effekt

a **Lesen Sie den Katalogtext von Promo-Effekt und beantworten Sie die Fragen.** › ÜB: A2

Promo-Effekt – Give-aways für alle Gelegenheiten!

Sie haben einen Messestand? Und die Besucher sind Ihnen wichtig? Dann brauchen Sie preiswerte Werbeartikel. Kleines Zubehör für das Büro ist zum Beispiel bei den Kunden sehr beliebt und für Sie ist es eine schöne Werbung für Ihre Firma.

Sie brauchen hohe Stückzahlen? Dann bekommen Sie bei uns einen besonders günstigen Preis. Wir können auch spezielle Sonderformen für Sie produzieren. (Fast) alle Farben und Formen sind möglich. Sprechen Sie mit uns, wir beraten Sie gern!

1. Warum brauchen Firmen Werbeartikel?

2. Was bietet Promo-Effekt?

b ▶ 3|55 **Herr Pilner präsentiert Werbeartikel. Hören Sie Teil 1 vom Gespräch. Über welche Artikel auf den Bildern in 1a sprechen die Personen? Kreuzen Sie dort an.**

c **Hören Sie Teil 1 vom Gespräch noch einmal und ergänzen Sie die Notizen von Frau Fuller.**

1. Preis – einfache Kugelschreiber: _30 Cent_

2. Preis – gute Kugelschreiber: _____

3. Haftnotizen: viel Platz für _____

4. Schlüsselband: sehr beliebt bei _____

5. Preis – normale Schlüsselanhänger: _____

6. witzige Schlüsselanhänger: beliebt bei _____

d ▶ 3|56 **Hören Sie Teil 2 vom Gespräch. Herr Pilner präsentiert einen Bildschirmreiniger. Welche Vorteile hat er?**

1. Er ist besonders für junge Kunden interessant. ☒
2. Er ist nicht sehr praktisch, aber beliebt. ☐
3. Man kann das Display mit beiden Seiten reinigen. ☐
4. Der Kunde sieht immer das Logo. ☐
5. Er ist preiswert. ☐
6. Es gibt auch Sonderformen. ☐

e **Herr Pilner hat nicht alle Produkte aus 1a präsentiert. Wählen Sie ein Produkt und präsentieren Sie es im Kurs. Geben Sie Informationen und berichten Sie, welche Vorteile Ihr Produkt hat. Die Redemittel helfen.** › ÜB: A3

Ich möchte Ihnen … präsentieren. | Der / Das / Die … ist für alle Kundengruppen / besonders für junge Kunden / für … interessant. | Sehen Sie hier: Das Produkt hat … | Das Produkt ist sehr praktisch / beliebt / nützlich / schön / preiswert. | Man braucht es oft im Büro / im Alltag. | Der Vorteil ist: … | Es kostet circa …

B Zusammen entscheiden

1 Wir haben nicht viel Zeit!

a **Lesen Sie die E-Mail. Was ist passiert und was müssen die Mitarbeiter jetzt machen?** › ÜB: B1

→ ✉ Marketing@Haff-Dent.com	▁ ☐ ✕

Betreff: Team-Besprechung – dringend!

Guten Morgen Frau Gruner und Herr Kühn,

heute habe ich eine neue Information bekommen: Die Personalabteilung präsentiert unsere Firma bei einer Recruitingmesse an einer Hochschule. Wir suchen dort neue Mitarbeiter. Die Messe ist schon Anfang Februar. Es ist wichtig, dass wir für diesen Termin neue Werbeartikel haben. Wir müssen also schnell eine Entscheidung treffen.
Ich kann zwei Termine vorschlagen: morgen, 25.11., 16:00 Uhr, oder am Donnerstag, 26.11., 9:00 Uhr. Wir machen die Besprechung in meinem Büro.
Welcher Termin geht bei Ihnen? Bitte geben Sie mir schnell Bescheid.

Beste Grüße
H. Fuller

b **Frau Gruner antwortet. Bringen Sie die Sätze in die richtige Reihenfolge.**

A. Ich halte mir diesen Termin frei. ☐

B. Da habe ich schon einen wichtigen Termin. ☐

C. danke für die Information. ☐

D. Liebe Frau Fuller, _1_

E. Ich kann aber am 26.11. ☐

F. Viele Grüße, Marlene Gruner ☐

G. Leider kann ich morgen Nachmittag nicht. ☐

c **Herr Kühn kann nicht. Schreiben Sie für ihn eine Antwort. Die Redemittel und die Sätze in 1b helfen Ihnen.**

> Leider sind beide Termine bei mir nicht möglich, weil … | Ich kann aber einen anderen Termin / zwei andere Termine / … vorschlagen: … | Ich möchte die Besprechung lieber heute machen, weil …

2 Die Mitarbeiter entscheiden

a ▶ 4|1 **Hören Sie Teil 1 von der Besprechung. Welche Artikel wollen die Mitarbeiter nehmen? Notieren Sie.**

b **Überlegen Sie: Was passt zusammen? Hören Sie dann Teil 1 von der Besprechung noch einmal. Was sagen die Personen zu den Artikeln 1 bis 6? Ordnen Sie zu.**

1. blauer Kugelschreiber	A. Aber es ist nicht so nützlich wie die Haftnotizen.	1. _E_
2. weißer Kugelschreiber	B. Aber der weiße ist nicht so teuer wie der blaue.	2. ☐
3. grüner Kugelschreiber	C. Aber den braucht man nicht so oft wie Haftnotizen.	3. ☐
4. Lineal	D. Der ist genauso billig wie der weiße.	4. ☐
5. Bildschirmreiniger	E. Ich finde den blauen genauso schön wie den weißen.	5. ☐
6. Schlüsselanhänger in Zahnform	F. Der passt genauso gut zu unseren Kunden wie zu unserem Logo.	6. ☐

3 Grammatik auf einen Blick: Vergleiche › G: 5.2

a Markieren Sie in 2b die Ausdrücke für Vergleiche und ergänzen Sie die Sätze.

0,30 €   1,10 €   0,30 €   0,30 €

1. Der weiße Kugelschreiber ist nicht _____   2. Der grüne Kugelschreiber ist _____

   teuer _____ der blaue.   billig _____ der weiße.

b Vergleichen Sie die Sätze in 3a. Wann sagt man was? Kreuzen Sie an. › ÜB: B2a

1. Man vergleicht gleiche Sachen oder Personen: a. ☐ nicht so … wie   b. ☐ (genau)so … wie
2. Man vergleicht ungleiche Sachen oder Personen: a. ☐ nicht so … wie   b. ☐ (genau)so … wie

c ▶ 4|2 **Hören Sie Teil 2 von der Besprechung. Welche Sätze hören Sie? Kreuzen Sie an.**

1. Der Zahn-Schlüsselanhänger ist nett, er ist aber auch teurer als ein normaler Anhänger. ☒
2. Ja, der Zahn-Schlüsselanhänger ist von allen Artikeln am teuersten. ☐
3. Aber wir haben ja auch noch die Haftnotizen. Die sind viel billiger. ☐
4. Die großen Haftnotizen sind genauso billig wie die kleinen. ☐
5. Schade. Ich finde ihn wirklich schöner als die anderen. ☐
6. Der blaue Kugelschreiber ist sehr teuer, aber am schönsten. ☐
7. Den Zahn-Schlüsselanhänger finde ich am besten. ☐
8. Dieses Give-away ist bei der Messe bestimmt am beliebtesten. ☐
9. Von den Kugelschreibern brauchen wir am meisten. ☐

d Lesen Sie die Sätze in 3c noch einmal und markieren Sie alle Ausdrücke für Vergleiche. Was fällt auf? Ergänzen Sie die Tabelle und die Regeln. › ÜB: B2b–3

Adjektiv Grundform	Komparativ	Superlativ
teuer	teurer als	
		am billigsten
schön		
beliebt	beliebter als	

1. Den Komparativ bildet man mit Adjektiv + Endung _____. Adjektive mit „-er" und „-el" am Ende verlieren das „e", z. B. teu**e**rer → _____
2. Den Superlativ bildet man mit „am" und Adjektiv + Endung _____. Adjektive mit „d", „t", „-s", „ß", „sch", „-z" am Ende: Superlativ-Endung: _____. Ausnahme: „groß" → „am größten" und Adjektive auf „-isch". Sonderformen: gut → besser → _____, viel → mehr → _____.
3. Für einen Vergleich mit dem Komparativ verwendet man: a. ☐ als   b. ☐ wie.

4 Was ist besser?

Wählen Sie mit einem Partner zwei Werbeartikel von Doppelseite 17A, Aufgabe 1a. Vergleichen Sie die Vorteile. Die Sätze in 2b und 3c helfen.

beliebt | gut | langweilig |
praktisch | preiswert | schön |
teuer | witzig

Haffner Dentalmedizin GmbH • Ulmenweg 118 • 68167 Mannheim

Promo-Effekt GmbH & Co. KG
Bogenstraße 175
56073 Koblenz

30.11.2015

Anfrage

Sehr geehrte Frau Drexler,

im Anschluss an den Besuch von Ihrem Mitarbeiter, Herrn Pilner, erbitten wir Ihr Angebot für die Artikel unten. Könnten Sie uns bitte die Preise und die Lieferzeit mitteilen?

| 4.000 Stück | Kugelschreiber, weiß |
| | Artikel-Nummer 0013-22 B |

| 1.000 Stück | Haftnotizen, klein |
| | Artikel-Nummer 0027-27 B |

Wir haben auch Interesse an dem Artikel Schlüsselanhänger, Sonderform, Artikel-Nummer 0200-41 S. Wir hätten gern eine Zahnform wie in unserem Firmenlogo (Logo in der Anlage).

Könnten Sie bitte ein Produktmuster herstellen und uns mit der Preisangabe schicken?

Wäre es möglich, dass Sie 1.000 Stück produzieren und uns bis zum 29.1. liefern?

Mit freundlichen Grüßen

Marlene Gruner

Marlene Gruner
Marketing & PR

Anlage

Haffner Dentalmedizin GmbH
Ulmenweg 118
68167 Mannheim

www.haffner-dentalmedizin.de

Ansprechpartner:
Marlene Gruner
Marketing & PR
Tel.: +49 06 21 712-35
Fax: +49 06 21 712-44
Gruner@Haff-Dent.com

Haffner Dentalmedizin GmbH
Mannheim HRB 1234
Umsatzsteuer-ID-Nr.:
DE 90112

Geschäftsführer:
Andreas Haffner

1 Eine formelle Anfrage

a Warum schreibt man eine Anfrage? Sprechen Sie im Kurs.

b Lesen Sie die Anfrage. Was möchte Frau Gruner? Was ist richtig (r), was ist falsch (f)? Kreuzen Sie an. › ÜB: C1

		r	f
1.	Informationen zu den Kosten von vier Artikeln	☐	☒
2.	Information zu der Lieferzeit von zwei Artikeln.	☐	☐
3.	Ein Produktmuster von einem Artikel.	☐	☐
4.	Schlüsselanhänger in der Form vom Firmenlogo.	☐	☐
5.	Lieferung von 1.000 Schlüsselanhängern in vier Wochen.	☐	☐

2 Eine Änderung

a ▶ 4|3 **Hören Sie das Telefongespräch. Was hat sich geändert? Was muss jetzt passieren?**

b **Hören Sie das Telefongespräch noch einmal. Was sagt Frau Fuller, was sagt Herr Scholz? Kreuzen Sie an.**

		Fr. Fuller	Hr. Scholz
1.	Du weißt ja schon, dass wir zu der Recruitingmesse gehen.	☐	☒
2.	Dürfte ich wissen, ob ihr schon eine Entscheidung getroffen habt?	☐	☐
3.	Wie findest du das?	☐	☐
4.	Könntest du den zusätzlich für uns bestellen, wärest du so nett?	☐	☐
5.	Welche Stückzahl würdest du denn vorschlagen?	☐	☐

3 Grammatik auf einen Blick: Der Konjunktiv II als Form für Höflichkeit › G: 1.5

a **Markieren Sie in der Anfrage in 1a und in den Sätzen in 2b die Ausdrücke für einen höflichen Wunsch.**

b **Schreiben Sie die Verben aus den markierten Sätzen in die Tabelle. Ergänzen Sie dann die Regeln.** › ÜB: C2

	können	dürfen	werden	haben	sein
ich	könnte		würde	hätte	wäre
du		dürftest		hättest	wär(e)st
er / sie / es	könnte	dürfte	würde	hätte	
wir	könnten	dürften	würden		wären
ihr	könntet	dürftet	würdet	hättet	wär(e)t
sie / Sie	*könnten*	dürften	würden	hätten	wären

1. Die Konjunktiv-II-Formen von „können", „dürfen", „werden", „haben" und „sein" sind wie
   a. ☐ die Präteritumformen.   b. ☐ die Präteritumformen + Umlaut.
2. „sein" im Konjunktiv II → Präteritumform + Umlaut + „-e": ich, er / sie / es war → ich, er / sie / es _____
3. Mit „werden" im Konjunktiv II + Infinitiv vom _____ kann man auch höfliche Fragen oder Bitten formulieren.

Ⓖ

T Ⓟ c **Frau Fuller muss jetzt eine neue Anfrage schreiben. Schreiben Sie den Brief fertig, verwenden Sie die Notizen von Frau Fuller unten. Die Redemittel aus der Anfrage in 1b helfen.** › ÜB: C3

- Interesse am Artikel „Bildschirmreiniger", Sonderform, 0300-32 S, in Zahnform, 500 Stück.
- Muster und Preisinformation bekommen?
- Entschuldigung Umstände: Entschuldigen Sie bitte …

> Sehr geehrte Frau Drexler,
> nach unserer Anfrage vom 30.11. hat sich unser Bedarf geändert. Wir haben auch …

4 Eine Anfrage am Telefon

Höfliche Wünsche und Bitten am Telefon. Partner A: Datenblatt A18, Partner B: Datenblatt B18.

D Das Angebot kommt

1 Von der Bestellung bis zur Lieferung

Betrachten Sie das Schaubild. Was ist bei der Firma Haffner schon passiert? Was muss jetzt noch passieren? Sprechen Sie im Kurs. › ÜB: D1–2

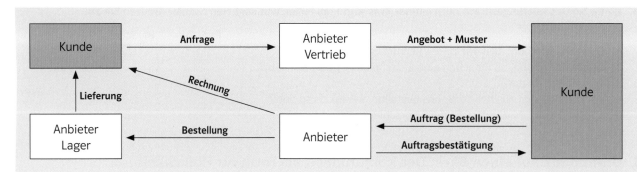

2 Ein Angebot

a Lesen Sie den Auszug aus dem Brief. Was ist das Thema?

a. ☐ Ein Angebot für Werbeartikel.   b. ☐ Eine Bestellung.

4.12.2015

Wir danken für Ihre Anfragen vom 30.11. und 2.12.
Hier sind die Preise und Konditionen für die Artikel:

4.000 Stück	Kugelschreiber 0013-22 B (ab 5.000 Stück: 2% Rabatt)	zum Stückpreis von 0,30 € + MwSt.
1.000 Stück	Haftnotizen 0027-27 B	zum Stückpreis von 0,79 € + MwSt.

Für die Sonderanfertigungen Schlüsselanhänger und Bildschirmreiniger haben wir Muster in Auftrag gegeben. Sie bekommen sie in den nächsten Tagen mit der Post. Wir bieten Ihnen an:

1.000 Stück	Schlüsselanhänger 0200-41 S	zum Stückpreis von 1,58 € + MwSt.
500 Stück	Bildschirmreiniger 0300-32 S	zum Stückpreis von 0,75 € + MwSt. (Mindestbestellzahl: 500 Stück)

Lieferzeit für die Sonderanfertigungen: 5–7 Wochen. Lieferzeit für die anderen Artikel: 10–14 Tage. Verpackung und Lieferung inklusive. Zahlbar bis 30 Tage nach Erhalt.

Wir würden uns über Ihren Auftrag freuen.

b Was bedeuten die Ausdrücke im Angebot? Ordnen Sie zu. › ÜB: D3

1.	ab 5.000 Stück 2% Rabatt	A.	Man kann nicht weniger Stück bestellen.	1.	_D_
2.	+ MwSt. (= Mehrwertsteuer)	B.	Verpackung und Lieferung kosten für den Kunden nichts.	2.	__
3.	Mindestbestellzahl	C.	Dazu kommen noch Steuern.	3.	__
4.	Verpackung und Lieferung inklusive	D.	Wenn die Menge größer ist, sinkt der Preis.	4.	__
5.	Zahlbar bis 30 Tage nach Erhalt.	E.	Wenn man die Rechnung bekommt, muss man sie in einem Monat oder früher bezahlen.	5.	__

c ▶ 4|4 **Hören Sie das Gespräch. Was wollen die Mitarbeiter jetzt bestellen? Kreuzen Sie an.**

1. Kugelschreiber   a. ☐ 4.000 Stück   b. ☐ 5.000 Stück
2. Haftnotizen   a. ☐ 1.000 Stück   b. ☐ 2.000 Stück
3. Schlüsselanhänger   a. ☐ 500 Stück   b. ☐ 1.000 Stück
4. Bildschirmreiniger   a. ☐ 500 Stück normal   b. ☐ 500 Stück in Zahnform

3 Und jetzt der Auftrag!

Schreiben Sie eine Bestellung mit den Informationen in 2a und 2c. Die Redemittel helfen. Vergessen Sie nicht Anrede und Gruß.

> Wir danken für Ihr Angebot vom … und die Muster. | Wir bestellen entsprechend den Zahlungs- und Liefer-bedingungen in Ihrem Angebot vom 4.12.2015: … | Bitte liefern Sie die Ware so bald wie möglich an unsere Firma. | Und bitte bestätigen Sie diesen Auftrag schriftlich. | Wir danken Ihnen im Voraus.

Aussprache

1 Wie spricht man „ü"?

a ▶ 4|5 **Hören Sie die Bildung vom Laut „ü" und sprechen Sie nach.**

i → ü ← u

b ▶ 4|6 **Hören Sie die Namen und sprechen Sie sie nach.**

1. a. ☐ Filler   b. ☐ Füller   c. ☐ Fuller   3. a. ☐ Kiehn   b. ☐ Kühn   c. ☐ Kuhn
2. a. ☐ Griener   b. ☐ Grüner   c. ☐ Gruner   4. a. ☐ Pilner   b. ☐ Pülner   c. ☐ Pulner

c ▶ 4|7 **Sie hören jetzt immer nur einen von den drei Namen in 1b. Welchen? Kreuzen Sie in 1b an.**

d ▶ 4|6 **Hören Sie die Namen in 1b noch einmal. Markieren Sie den Akzentvokal. Ist er _ = lang oder . = kurz?**

e ▶ 4|8 **Hören Sie die Wortpaare und sprechen Sie sie nach. Machen Sie einen starken Unterschied zwischen „u" und „ü".**

langer Vokal		kurzer Vokal	
Gruß	– Grüße	Wunsch	– Wünsche
Buch	– Bücher	Nutzen	– nützlich
Zug	– Züge	Schluss	– Schlüssel

f ▶ 4|9 **Lesen Sie die Sätze laut. Hören Sie sie dann und kontrollieren Sie: Haben Sie „u" und „ü" klar gesprochen?**

1. Vom Urlaub im Süden schicken wir Grüße.
2. Wir überlegen eine Überraschung für Ulrike.
3. In einer Minute ist es fünf Uhr.
4. Frühlingsblumen, die wünsche ich mir.

E Schlusspunkt

Situation 1

Person A

Sie sind Frau Kuhn. Sie sollen mit Ihrem Kollegen, Herrn Nopto, einen Laserpointer kaufen. Sie haben ein gutes Produkt im Katalog gefunden. Ihr Kollege hat ein anderes Produkt gefunden. Vergleichen Sie die Produkte:

Laserpointer „Classico"
- ist auch ein Kugelschreiber
- hat eine schöne Box
- ist sehr einfach
- 14,90 €

Person B

Sie sind Herr Nopto. Sie sollen mit Ihrer Kollegin, Frau Kuhn, einen Laserpointer kaufen. Sie haben ein gutes Produkt im Katalog gefunden. Ihre Kollegin hat ein anderes Produkt gefunden. Vergleichen Sie die Produkte:

Laserpointer „Digitalo"
- ist auch ein Stift für das Tablet
- hat viele komplizierte Funktionen
- hat Bluetooth-Technik
- 37,90 €

▶ Ich habe im Katalog den Laserpointer Classico gefunden. Der Classico ist auch … Und der …?
▶ Der … ist … Das ist ein Vorteil.
▶ Das stimmt. Aber der … hat …
▶ Das ist natürlich nützlich. Aber der Nachteil ist, dass er … ist.
▶ Das Problem beim … ist vielleicht, dass er … hat.
▶ Hat der … denn auch …? Das ist bei einer Präsentation praktisch.
▶ Das nicht, aber er kostet nur …
▶ Das ist wirklich eine schwere Entscheidung.

Situation 2

Person A

Sie haben sich jetzt für den Classico entschieden.
Sie erklären, warum Sie ihn gut finden.
Sie glauben nicht, dass der Laserpointer viel kosten darf.

Person B

Sie haben sich jetzt für den Digitalo entschieden.
Sie erklären, warum Sie ihn gut finden.
Sie wissen aber noch nicht, wie viel der Laserpointer kosten darf.

▶ Also, ich finde den … besser, weil …
▶ Wirklich? Mir gefällt der … besser, weil …
▶ Das sehe ich nicht so. Denn er ist nicht so … wie …
▶ Das finde ich nicht so schlimm, weil … hat.
▶ Wir müssen noch den Chef fragen, wie viel …
▶ Gute Idee. Kommen Sie, wir machen das gleich.

Lektionswortschatz

Anfragen und Angebote:
die Anfrage, -n
das Angebot, -e
   ein Angebot erbitten
der Auftrag, ̈-e
   in Auftrag geben
die Bestätigung, -en
   Auftragsbestätigung
bestätigen
die Bestellung, -en
bestellen
die Rechnung, -en
der Bedarf *(hier nur Sg.)*
die Stückzahl, -en
die Form, -en
   Sonderform
die Sonderanfertigung,
   -en
das Produkt, -e
das Muster, -
   Produktmuster
die Anlage, -n *(bei Briefen)*
liefern
die Lieferung, -en
die Lieferkosten *(nur Pl.)*
die Lieferzeit, -en
die Herstellung, -en
herstellen = produzieren
die Konditionen *(hier*
   nur Pl.)
die Mindestbestellzahl, -en
die Preisangabe, -n
der Rabatt, -e
   Mengenrabatt
die Steuer, -n
   Mehrwertsteuer (MwSt.)
   Umsatzsteuer
die Verpackung, -en

Werbeartikel:
der Artikel, -
die Werbung, -en
das Werbegeschenk, -e
das Give-away, -s
das Firmenlogo, -s
der / das Bonbon, -s
die Haftnotizen *(nur Pl.)*
der Kugelschreiber, -
das Lineal, -e
der Bildschirm, -e
das Display, -s
der Reiniger, -
   Bildschirmreiniger
   Displayreiniger
der Schlüsselanhänger, -
das Schlüsselband, ̈-er
die Smartphonehülle, -n
der USB-Stick, -s
das Zubehör, -e
haften
beliebt bei + D
nützlich
witzig

Die Zahntechnik:
der Zahn, ̈-e
der Zahnarzt, ̈-e
der Zahntechniker, -
die Dentalmedizin = die
   Zahnmedizin *(nur Sg.)*

Verben:
entscheiden
eine Entscheidung treffen
erbitten
Bescheid geben, jmdm.
passen (gut / schlecht)
passieren
vorschlagen

Nomen:
der Anbieter, -
   Telefonanbieter
der Auszug, ̈-e
die Besprechung, -en
die Bluetooth-Technik, -en
die Box, -en
die Gelegenheit, -en
der Laserpointer, -
die Hochschule, -n
   an der Hochschule
die Messe, -n
   Recruitingmesse
PR = Public Relations
die Spedition, -en
die Spezialität, -en
das Tablet, -s
der Vergleich, -e

Adjektive:
billig = preiswert = günstig
   ≠ teuer
einfach
flexibel
hoch
intern
langweilig
nah
rund
speziell
typisch
gut – besser – am besten
viel – mehr – am meisten

Adverbien:
genug

Redemittel:
Ich halte mir den Termin
   frei.
Leider ist der Termin bei mir
   nicht möglich, weil…
Ich kann aber einen ande-
   ren Termin / zwei andere
   Termine / … vorschlagen.
Im Anschluss an … erbitten
   wir …
Wir danken für Ihr Angebot
   vom …
Zahlbar bis … Tage nach
   Erhalt.
Wir würden uns über Ihren
   Auftrag freuen.
Wir bestellen entsprechend
   den Zahlungs- und Liefer-
   bedingungen in Ihrem
   Angebot vom …
Bitte liefern Sie die Ware so
   bald wie möglich an + A
Bitte bestätigen Sie diesen
   Auftrag schriftlich.
Vielen Dank im Voraus.
Entschuldigen Sie bitte die
   Umstände.
Dürfte ich wissen, ob …
Könnten Sie / Könntest
   du …
Wären Sie / Wärest du so
   nett / freundlich / …?
Das ist keine schlechte
   Idee.

A Berufskleidung

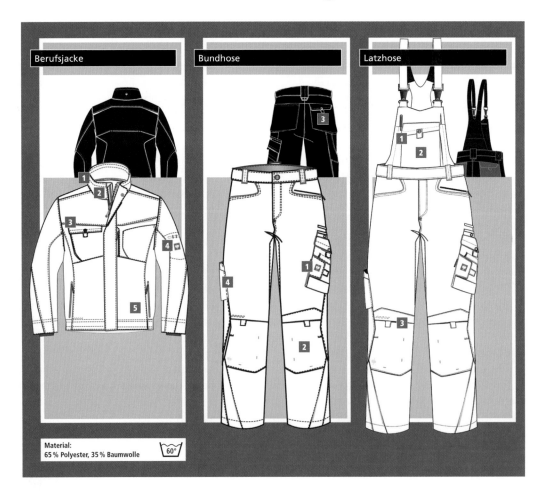

Berufsjacke

Bundhose

Latzhose

Material:
65 % Polyester, 35 % Baumwolle   60°

1 Berufsbekleidung und ihre Ausstattung

a Betrachten Sie die Bilder oben. Für welche Berufsgruppe ist die Kleidung? Kreuzen Sie an.   › ÜB: A1a

a. ☐ Medizin und Pflege
b. ☐ Handwerk
c. ☐ Kochen und Gastronomie

b Lesen Sie die Beschreibungen von der Ausstattung. Zu welchem Bild oben passt welche Beschreibung? Notieren Sie.   › ÜB: A1b

A. _____

1. schräges Handyfach
2. Knietaschen mit Klettverschluss
3. 2 Gesäßtaschen
4. Zollstocktasche

B. _____

1. Latz mit Stiftefächern
2. Latz mit Außentasche
3. Knietaschen mit Klettverschluss

C. _____

1. Stehkragen
2. Reißverschluss und Druckknöpfe
3. 2 Brusttaschen
4. Ärmel links: 2 Stiftetaschen
5. 2 Seitentaschen mit Reißverschluss

18

2 Hier Krüger-Berufsbekleidung: Ich habe eine eilige Einzelbestellung

a ▶ 4|10 Hören Sie Teil 1 vom Telefongespräch. Was aus 1a möchte Frau Noll bestellen?

b ▶ 4|11 Hören Sie Teil 2 vom Telefongespräch. Welche Ausstattung erhält Frau Noll? Kreuzen Sie an.

1. Jacke mit   a. ☒ Druckknöpfen   3. Ärmel mit   a. ☐ Handytasche
             b. ☐ Klettverschluss   b. ☐ Stiftetaschen

2. Jacke mit   a. ☐ Stehkragen   4. Hose mit   a. ☐ Knietasche
             b. ☐ normalem Kragen   b. ☐ Zollstocktasche

3 Noch mehr Bestellungen bei dem Großhandel für Berufsbekleidung, Mertens AG

a Welche Kleidungsstücke aus dem Katalog sind das? Notieren Sie
die Bezeichnungen.   › ÜB: A2

Bäckerhose | ~~Kittel~~ | Kochjacke | Kochmütze |
Latzschürze | Overall | Schutzschuhe | T-Shirt

b Lesen Sie den Bestellschein von Frau Noll. Welches Kleidungsstück ist nicht
in 3a abgebildet?

Bestellschein: 563 Datum: 29.10.2015	**Krüger**-Berufsbekleidung
1. T-Shirt, Damen, kurzärmlig, blau Größe 38 – 48 je 6	mit Firmenlogo am ~~rechten~~ Ärmel *linken*
2. Kittel, Herren Größe: 48, 52, 54 je 5	—
3. Overall, unisex, blau Größe M, L, XL je 3	mit Firmenlogo auf der Brusttasche
4. Kochhose, unisex, weiß Größe M, L, XL, XXL je 5	—
5. Schutzschuhe B201, Herren Größe 44, 48, 52 je 6 Paar	—

1   2

der *Kittel*   die L_____

3   4

der O_____   die K_____

5   6

die Sch_____   die B_____

7   8

die K_____   das T_____

c ▶ 4|12 Frau Noll hat Änderungen. Hören Sie das Telefongespräch und
korrigieren Sie den Bestellschein.

d Bestellen Sie Berufskleidung. Partner A: Datenblatt A19, Partner B:
Datenblatt B19.

B Eine Reklamation

1 Die Lieferung ist angekommen, aber …

a Die Bestellungen von Frau Noll sind angekommen. Betrachten Sie die Bilder rechts.
Was ist falsch? Schauen Sie, wenn nötig, noch einmal die Aufgaben 2b und 3c auf
der Doppelseite 18A an. Sprechen Sie mit einem Partner / einer Partnerin.

b Lesen Sie die E-Mail von Frau Noll an die Firma Mertens. Vergleichen Sie den
Inhalt mit Ihren Ergebnissen in 1a.

> → ✉ m.renz@mertensGfB.de   _ □ ✕
> Betreff: Reklamation – Lieferung Nr. 41, Kd.-Nr. KB 530-4078
>
> Sehr geehrter Herr Renz,
> weil ich Sie telefonisch nicht erreichen kann, schreibe ich Ihnen diese E-Mail. Die
> Lieferung Nr. 41 ist heute angekommen. Sie enthält im Prinzip alle Kleidungsstücke,
> die wir bestellt haben, aber es gibt ein Problem. Die Einzelbestellung ist zum Teil
> nicht korrekt und die Änderungen, die wir telefonisch besprochen haben, sind nicht
> alle erfolgt:
> 1. Damen-T-Shirt: Das Firmenlogo, das auf dem linken Ärmel sein soll, ist auf dem
>   rechten Ärmel.
> 2. Herrenkittel: Der Kittel, den ich in Grau bestellt habe, ist in Blau gekommen.
> 3. Bundhose: Die Hose, die ich ohne Knietaschen bestellt habe, hat Taschen am Knie.
> 4. Arbeitsjacke: Die Jacke hat einen Stehkragen. Wir wollten die Jacke 03, die einen
>   normalen Kragen hat.
> Sollen wir die Ware direkt zurückschicken? Können Sie die richtige Ware schnell
> liefern? Bitte machen Sie umgehend einen Vorschlag, wie wir das Problem lösen
> können, denn wir brauchen die Ware dringend. Unsere Kunden, denen wir eine
> schnelle Lieferung zugesagt haben, warten schon.
> Sie verstehen sicher, dass wir die Rechnung erst später bezahlen.
> Mit freundlichen Grüßen
> Erika Noll

c Lesen Sie die E-Mail noch einmal und beantworten Sie die Fragen. › ÜB: B1

1. Warum schreibt Frau Noll die E-Mail?
2. Was soll Herr Renz machen?
3. Warum braucht Frau Noll die Waren dringend?
4. Wann möchte Frau Noll die Ware bezahlen?

d Lesen Sie die Antwortmail von Frau Mahler. Welchen Vorschlag macht sie? Kreuzen Sie an. › ÜB: B2

a. ☐ Frau Noll soll die Ware zurückschicken.   b. ☐ Frau Noll soll eine neue Bestellung ausfüllen.

> → ✉ e.noll@krueger-bk.de   _ □ ✕
> Betreff: Reklamation – Lieferung Nr. 41, Kd.-Nr. KB 530-4078
>
> Sehr geehrte Frau Noll,
> vielen Dank für Ihre E-Mail. Ich vertrete Herrn Renz, der noch zwei Wochen in Urlaub ist. Wir bedauern, dass die Kleidungs-
> stücke, die wir geliefert haben, nicht die richtigen sind. Wir haben ein neues Computersystem, mit dem wir im Moment leider
> viele Probleme haben. Ich schlage vor, Sie senden uns die Ware zurück. Bitte fügen Sie der Rücksendung auch eine Kopie von
> Ihrer Bestellung bei, in der die Änderungen stehen. Sie erhalten dann umgehend die richtige Ware von uns. Entschuldigen Sie
> bitte die Umstände.
> Mit freundlichen Grüßen
> Renate Mahler

2 Grammatik auf einen Blick: Relativpronomen und Relativsätze › G: 4.2

a Lesen Sie die markierten Relativsätze in den E-Mails in 1b und 1d und unterstreichen Sie die Relativpronomen. Schreiben Sie sie dann in die Tabelle.

	Maskulinum (M)	Neutrum (N)	Femininum (F)	Plural (M, N, F)
Nom.	*der*			die
Akk.		das		*die*
Dat.	dem			

b Schauen Sie die Relativpronomen in 2a an und ergänzen Sie die Regel.

Im Nominativ, Akkusativ und Dativ Singular und im Nominativ und Akkusativ Plural sind die Relativpronomen wie der bestimmte _____. Der Dativ Plural heißt: _____

c Lesen Sie die Sätze aus den E-Mails in 1b und 1d und markieren Sie die Relativpronomen.

1. Der Kittel, den ich in Grau bestellt habe, ist in Blau gekommen.
2. Unsere Kunden, denen wir eine schnelle Lieferung zugesagt haben, warten schon.
3. Wir haben ein neues Computersystem, mit dem wir im Moment leider viele Probleme haben.

d Lesen Sie die Sätze in 2c und ergänzen Sie die Regeln. › ÜB: B3

Akkusativ | Dativ | Haupt- | Nomen | N̲e̲b̲e̲n̲s̲ä̲t̲z̲e̲

1. Relativsätze sind *Nebensätze*. Sie beschreiben ein Nomen im Hauptsatz genauer.
2. Das Relativpronomen bezieht sich auf ein _____. Das Genus (der, das, die) und der Numerus (Singular, Plural) vom Relativpronomen richten sich immer nach diesem Nomen.
3. Der Kasus (Nominativ, Akkusativ, Dativ) richtet sich nach dem Verb im Relativsatz (z. B. „bestellen" + _____ oder „zusagen" + _____) oder nach der Präposition (z. B. „Probleme haben mit" + Dativ).
4. Der Relativsatz steht meist direkt hinter dem Wort oder Ausdruck, zu dem er gehört. Dann kann er den _____satz teilen: Haupt-, Relativsatz, -satz.

⊓ Ⓟ 3 Reklamation – Lieferung

Formulieren Sie für Frau Noll eine Antwort-Mail an Frau Mahler. Schreiben Sie zu den folgenden Inhalten und vergessen Sie nicht Anrede und Gruß.

- Sie haben die Kleidungsstücke heute zurückgeschickt.
- Sie haben eine Kopie von der Bestellung mit den Änderungen beigelegt – wie besprochen.
- Sie erwarten eine schnelle Zusendung von den richtigen Waren.

→ ✉ r.mahler@mertensGfB.de	_ □ ×
Betreff: Reklamation – Lieferung Nr. 41, Kd.-Nr. KB 530-4078	

Sehr geehrte …,

C Richtig angezogen im Beruf

1 Einkauf bei Krüger-Berufsbekleidung

a **Lesen Sie die Wörter und ordnen Sie sie den Körperteilen zu.**

der Bauch | das Bein | die Brust | der Finger | der Fuß | ~~der Hals~~ | die Hand | das Knie | ~~der Kopf~~ | der Oberarm | der Unterarm | der Oberschenkel | der Unterschenkel | der Rücken | die Schulter | der Zeh

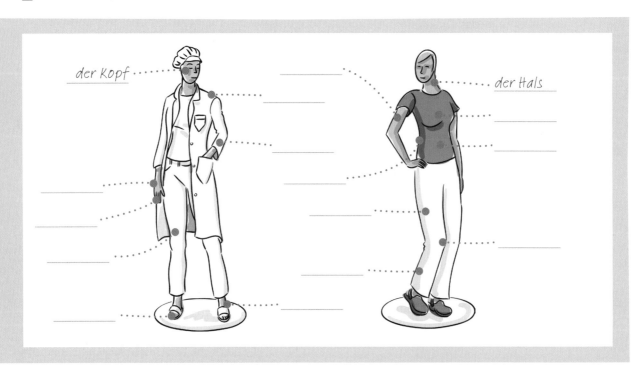

der Kopf

der Hals

b ▶ 4 | 13 **Hören Sie Teil 1 vom Gespräch zwischen Kundin und Verkäuferin bei „Krüger-Berufsbekleidung".
Warum braucht die Kundin neue Berufskleidung?**

c **Hören Sie Teil 1 vom Gespräch noch einmal. Was ist richtig: a oder b? Kreuzen Sie an.** › ÜB: C1

1. Die Kundin arbeitet   a. ☐ als Ärztin.   b. ☒ in einer internistischen Praxis.
2. Die Kundin möchte anprobieren: a. ☐ weiße Clogs.   b. ☐ einen weißen Arztmantel.
3. Sie hat Kleidergröße   a. ☐ 42.   b. ☐ 43.
4. Verkäuferin: „Sie sollten nicht sagen, a. ☐ dass Sie sehr groß sind." b. ☐ dass Ihre Füße sehr groß sind."
5. Die Kundin: „Ich sollte die Haube   a. ☐ noch anprobieren."   b. ☐ nicht anprobieren."

2 Grammatik auf einen Blick: Empfehlungen mit „sollen" im Konjunktiv II › G: 1.5

Markieren Sie die Formen von „sollen" in 1c, schreiben Sie sie in die Tabelle und kreuzen Sie in der Regel an. › ÜB: C2

ich	du	er / sie / es	wir	ihr	sie	Sie (Sg. + Pl.)
	solltest	sollte	sollten	solltet	sollten	

Ⓖ

Mit „sollen" im Konjunktiv II kann man eine Empfehlung oder die Bitte um eine Empfehlung ausdrücken.
Die Form von „sollen" im Konjunktiv II ist   a. ☐ gleich   b. ☐ nicht gleich   wie das Präteritum.

P 3 Vor der Umkleidekabine

▶ 4|14 **Hören Sie Teil 2 vom Gespräch im Bekleidungsgeschäft. Was ist richtig (r), was ist falsch (f)?** › ÜB: C3

	r	f
1. Die Kundin sollte den Mantel in Größe 40 probieren.	X	☐
2. Die Hosen gibt es nicht in Extralang.	☐	☐
3. Die Verkäuferin findet, dass das T-Shirt zu eng ist.	☐	☐
4. Die Kundin braucht keine Angst zu haben. Die Sachen laufen nicht ein.	☐	☐
5. Die hellroten Clogs gibt es nicht in 43. Die Verkäuferin braucht nicht im Lager nachzuschauen.	☐	☐
6. Die Verkäuferin braucht keine Clogs zu bestellen, weil es Clogs in Weiß gibt.	☐	☐

4 Grammatik auf einen Blick: „brauchen nicht/kein- … zu …" › G: 1.6

Markieren Sie in 3 die Sätze mit „brauchen nicht/kein- … zu …" und schreiben Sie sie in die Tabelle. Ergänzen Sie dann die Regeln. › ÜB: C4

	Position 2		Satzende
Die Kundin	braucht	keine Angst	zu haben.

Ⓖ

Bedeutung: „brauchen nicht/kein- … zu …" bedeutet, dass man etwas nicht machen muss.
1. „brauchen" → auf Position _____ , „zu" mit dem Infinitiv vom Verb → am _____ .
2. Bei trennbaren Verben: „zu" zwischen Vorsilbe und _____ vom Verb, z. B. nachzuschauen.
3. Bei Nomen: „brauchen kein- … zu", z. B. Die Verkäuferin braucht _____ Clogs zu bestellen.

5 An der Kasse: Das geht auf Lieferschein

a ▶ 4|15 **Hören Sie Teil 1 vom Gespräch an der Kasse. Wer bezahlt die Ware?** › ÜB: C5a–b

P b ▶ 4|16 **Hören Sie Teil 2 vom Gespräch. Was hat die Kundin gekauft? Ergänzen Sie den Lieferschein.** › ÜB: C5c

c **Spielen Sie „Kleidung kaufen" mit einem Partner / einer Partnerin. Die Redemittel helfen.** › ÜB: C6

Verkäufer/Verkäuferin: Guten Tag, was kann ich für Sie tun? | Welche Kleider-/Schuhgröße tragen Sie? | Die Umkleidekabinen sind dort. | Wir haben … auch in Größe … / leider nicht in Ihrer Größe. | Zahlen Sie bar oder mit Karte?

Kunde/Kundin: Guten Tag, ich brauche/suche … | Wo kann ich … anprobieren? | … passt gut/nicht. | … ist zu kurz/lang/eng. | Haben Sie … auch in Größe …? | … gefällt mir. | Ich nehme … | Können Sie … für mich bestellen?

▶ Guten Tag, was kann ich für Sie tun?
▶ Guten Tag, ich brauche eine Arbeitsjacke und …

Firma:
Internisten Ehler & Göller
Kd.-Nr.: 0104
Lieferschein: 478

Krüger-Berufsbekleidung

3	Arztmantel (weiß), Gr. 40	25117	€ 55,95	€ 167,85
1 Paar	Clogs (weiß), Gr. 43	12568		
	Hose (weiß), Gr. 42, extra lang	35189	€ 69,80	
2	T-Shirt (hellrot), Gr. _____	01745	€ 29,95	

D Die Ware ist mangelhaft!

1 So ein Pech!

a Sehen Sie sich die Bilder an. Was vermuten Sie, was ist Frau Raue passiert? Sprechen Sie im Kurs. Die Verben und Redemittel helfen.

> Ich denke, sie hat … | Vielleicht hat sie … | Vielleicht ist die Wäsche … | Ich glaube / meine, dass … ist.

> falsch gewaschen | ist verfärbt | ist eingelaufen

b Lesen Sie die E-Mail von Frau Raue an den Geschäftsführer von „Krüger-Berufsbekleidung". Warum hat Frau Raue geschrieben und was will sie erreichen?

→ ✉ a.schulz@krueger-bk.de   _ □ ✕

Betreff: Beschwerde

Sehr geehrter Herr Schulz,

ich war gestern mit einer Reklamation in Ihrem Geschäft. Weil Ihre Mitarbeiter mir nicht helfen wollten, wende ich mich nun direkt an Sie.

Es ist Folgendes passiert:
Ich arbeite in der Praxis „Internisten Ehler & Göller", die schon viele Jahre Ihr Kunde ist. Ich habe letzte Woche drei Arzthosen und zwei hellrote T-Shirts gekauft. Ihre Mitarbeiterin hat mir zugesagt, dass die T-Shirts nicht einlaufen. Ich habe sie gewaschen und sie sind sehr stark eingelaufen. Außerdem haben sie abgefärbt und zwei Hosen sind nun rosa. Ich wollte die Ware zurückgeben, aber Ihre Mitarbeiter haben das abgelehnt. Sie sagten, dass ich die Kleidungsstücke falsch gewaschen habe. Das stimmt nicht, denn in der Waschanleitung steht, dass man beides bis 90 Grad (für Industriewäsche geeignet) waschen kann und ich habe sie nur bei 60 Grad gewaschen. Ich habe keinen Fehler gemacht, sondern die Ware ist mangelhaft.

Bitte überweisen Sie den Betrag von € 199,50 für zwei Hosen und die T-Shirts umgehend auf das Konto von der Praxis zurück: IBAN: DE40 9999 0040 0568 8403 04, BIC: BCNKDEFF123.

Meine Chefs und ich hoffen auf eine schnelle Lösung von diesem Problem und freuen uns auf eine weitere gute Zusammenarbeit mit Ihnen.

Mit freundlichen Grüßen
Christine Raue

---

c Lesen Sie die E-Mail noch einmal. Was ist richtig: a oder b? Kreuzen Sie an. ⟩ ÜB: D1

1. Die Mitarbeiter der Praxis kaufen
   a. ☒ schon lange   b. ☐ noch nicht so lange   bei Krüger.

2. Die Mitarbeiter wollten die Ware
   a. ☐ zurücknehmen.   b. ☐ nicht zurücknehmen.

3. Frau Raue hat die T-Shirts
   a. ☐ zu heiß   b. ☐ nicht zu heiß   gewaschen.

4. Die Firma „Krüger" soll das Geld
   a. ☐ für die 3 Hosen   b. ☐ für 2 Hosen und 2 T-Shirts   zurückzahlen.

5. Die Praxis will
   a. ☐ weiter   b. ☐ nicht weiter   bei Krüger kaufen, wenn die Firma Krüger das Geld zurücküberweist.

2 Lösungsvorschläge

a Lesen Sie den Lösungsvorschlag von Herrn Schulz und markieren Sie die Hauptpunkte.

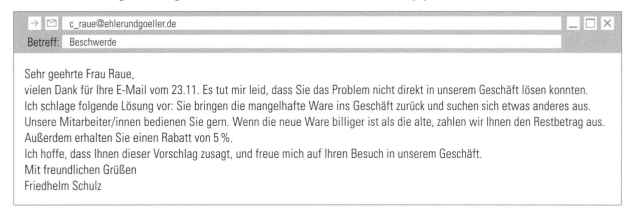

→ ✉ c_raue@ehlerundgoeller.de   ＿ ☐ ✕

Betreff: Beschwerde

Sehr geehrte Frau Raue,
vielen Dank für Ihre E-Mail vom 23.11. Es tut mir leid, dass Sie das Problem nicht direkt in unserem Geschäft lösen konnten.
Ich schlage folgende Lösung vor: Sie bringen die mangelhafte Ware ins Geschäft zurück und suchen sich etwas anderes aus.
Unsere Mitarbeiter/innen bedienen Sie gern. Wenn die neue Ware billiger ist als die alte, zahlen wir Ihnen den Restbetrag aus.
Außerdem erhalten Sie einen Rabatt von 5 %.
Ich hoffe, dass Ihnen dieser Vorschlag zusagt, und freue mich auf Ihren Besuch in unserem Geschäft.
Mit freundlichen Grüßen
Friedhelm Schulz

T ℗ b **Frau Raue ist mit dem Vorschlag nicht ganz einverstanden. Schreiben Sie für sie eine E-Mail mit den folgenden Inhalten und den Redemitteln unten. Vergessen Sie nicht Anrede und Gruß.** › ÜB: D2

- Vorschlag nicht gut: Praxis hat Kleidung bezahlt
- will mangelhafte Ware zurückbringen und neue auf Lieferschein kaufen, denn Praxis zahlt Rechnung
- Firma Krüger soll Problem mit Geld direkt mit Praxis lösen
- Bitte um kurze und schnelle Antwort auf Vorschlag

> Vielen Dank für … | Leider bin ich mit Ihrem Vorschlag nicht ganz einverstanden, denn … |
> Ich schlage vor, dass … | Bitte lösen Sie das Problem … | Ich freue mich über …

Aussprache

1 Wie spricht man „ö"?

a ▶ 4|17 **Hören Sie die Bildung vom Laut „ö" und sprechen Sie nach.**

    e → ö ← o

TIPP

Das „ö" ist in der Mitte zwischen „e" und „o".
Die Zunge ist wie beim „e", die Lippen sind wie beim „o".

b ▶ 4|18 **Hören Sie die Namen und sprechen Sie sie nach.**

1. a. Geller   b. Göller   c. Goller   3. a. Kehlmann   b. Köhlmann   c. Kohlmann
2. a. Ehler   b. Öhler   c. Ohler   4. a. Becker   b. Böcker   c. Bocker

c Hören Sie die Namen in 1b noch einmal. Markieren Sie den Akzentvokal. Ist er _ = lang oder . = kurz?

d **Frau Öhler und Herr Göller sind im Kaufhaus. Sie kaufen nur Sachen mit dem gleichen Akzentvokal. Wer kauft was? Sprechen Sie in Gruppen.**

> Größe 38 | Druckknöpfe | Zollstöcke | Zubehör | Söckchen | ein Wörterbuch | Möbel | Röcke |
> ein Hörbuch | Notizblöcke | einen Föhn

▶ Wer kauft Sachen in Größe 38?   ▶ Frau Öhler. Und wer kauft Druckknöpfe?

E Schlusspunkt

Situation 1

Person A

Sie sind Frau Göbel und arbeiten bei der Firma für Berufsbekleidung „job-fein".
Eine Kundin kommt zu Ihnen und reklamiert. Sie hat Waren gekauft, gewaschen und die Waren haben abgefärbt, sind eingelaufen oder defekt.
Fragen Sie die Kundin nach der Rechnung und wie sie die Ware gewaschen hat.
Sie glauben ihr nicht und sagen, dass man Ihre Waren sogar bei 95 Grad waschen kann.
Die Kundin betont, dass sie alles richtig gemacht hat.

Person B

Sie sind Emma Baum, Auszubildende in der Zahnarztpraxis Dr. Köhler.
Sie haben letzte Woche Kleidung bei der Firma für Berufsbekleidung „job-fein" gekauft:
2 blaue Hosen, 3 weiße T-Shirts, 2 weiße Kopfhauben, 3 Paar Socken, einen Arztmantel.
Nach dem Waschen bei 60 Grad:
- Hosen haben abgefärbt
  → T-Shirts hellblau
- Arztmantel eingelaufen
- eine Haube kaputt
- eine Socke hat ein Loch
Sie gehen ins Geschäft und reklamieren.
Sie zeigen die Rechnung und erklären, wie Sie die Sachen gewaschen haben. Sie haben alles richtig gemacht.

Situation 2

Person A

Die Kundin will die Waren zurückgeben und ihr Geld zurückhaben.
Sie bieten Umtausch an.
Die Kundin möchte das nicht.
Die Kundin will Ihren Namen notieren und will sich bei der Geschäftsführerin über den schlechten Service beschweren.
Sie nennen Ihren Namen und bitten die Kundin um ihre Telefonnummer. Sie wollen sie informieren, wenn die Geschäftsführerin wieder da ist. Dann kann die Kundin noch einmal wiederkommen.

Person B

Sie verlangen, dass das Geschäft die Ware zurücknimmt und Ihnen das Geld zurückzahlt.
Die Verkäuferin will das nicht tun, sondern bietet Umtausch an.
Sie wollen das nicht und fragen nach dem Geschäftsführer. Die Geschäftsführerin ist nicht da. Sie sollen wiederkommen.
Sie fragen nach dem Namen von der Verkäuferin. Sie wollen sich über den schlechten Service beschweren.
Die Verkäuferin bittet Sie um Ihre Telefonnummer. Sie geben sie ihr.

Sich begrüßen:
- ▶ Guten Tag! Was kann ich für Sie tun?
- ▶ Guten Tag, mein Name ist … Ich arbeite bei …

Situation beschreiben:
- ▶ Ich habe am … gekauft. Ich habe die Kleidung gewaschen. Da ist Folgendes passiert: … haben abgefärbt, … sind jetzt … Außerdem ist …, … ist … und … hat …

Nachfragen und antworten:
- ▶ Haben Sie die Rechnung noch?
- ▶ Ja, hier ist die Rechnung über … Euro.
- ▶ Entschuldigen Sie, wie haben Sie … gewaschen?
- ▶ Ich habe alles bei …
- ▶ Sind Sie sicher, dass Sie nichts falsch gemacht haben? Unsere Ware kann man bei …
- ▶ Ich habe alles …

Wunsch ausdrücken:
- ▶ Ich möchte, dass Sie … zurücknehmen und mir …
- ▶ Wir können das Geld nicht … Ich biete Ihnen an, dass Sie …
- ▶ Nein danke. Ich möchte … Ist Ihr Geschäftsführer da?
- ▶ Frau … ist leider nicht da. Sie kommt erst … wieder. Sie müssen … noch einmal wiederkommen.

Beschwerde äußern und reagieren:
- ▶ Wie ist Ihr Name bitte?
- ▶ Mein Name ist …
- ▶ Ich will mich bei … über den schlechten Service beschweren.
- ▶ Bitte geben Sie mir … Ich informiere Sie, wenn unsere Geschäftsführerin wieder da ist, dann können Sie …
- ▶ Meine Telefonnummer ist …

Lektionswortschatz

Der Körper:
der Körperteil, -e
der Kopf, ⁼e
der Hals, ⁼e
die Schulter, -n
der Arm, -e
  Oberarm
  Unterarm
die Hand, ⁼e
der Finger, -
die Brust (*hier nur Sg.*)
der Bauch, ⁼e
der Rücken, -
das Bein, -e
der Schenkel, -
  Oberschenkel
  Unterschenkel
das Knie, -
der Fuß, ⁼e
der Zeh, -en /
  die Zehe, -n

Die (Berufs-)Kleidung:
die Bekleidung (*nur Sg.*)
das Kleidungsstück, -e
die Haube, -n
die Mütze, -n
der Handschuh, -e
das T-Shirt, -s
die Jacke, -n
der Kittel, -
der Mantel, ⁼
  Arztmantel
die Hose, -n
  Bäckerhose
  Bundhose
  Latzhose
der Overall, -s
die Schürze, -n
  Latzschürze
die Socke, -n / der Socken, -
das Paar, -e
  ein Paar Schuhe
  ein Paar Socken
der Schuh, -e
  Schutzschuh

Die Ausstattung:
der Kragen, - / ⁼
  Stehkragen
der Ärmel, -
kurzärm(e)lig ≠
  langärm(e)lig
die Tasche, -n
  Außentasche ≠
  Innentasche
  Seitentasche
  Brusttasche
  Gesäßtasche
  Knietasche
  Stiftetasche
  Zollstocktasche
das Fach, ⁼er
  Handyfach
  Stiftefach
der Verschluss, ⁼e
  Klettverschluss
  Reißverschluss
schließen
der Knopf, ⁼e
  Druckknopf
die Farbe, -n
in Weiß / Beige / Braun / …
unisex

Der Kleidungskauf:
aussuchen (sich)
(an-)probieren
die Kabine, -n
  Umkleidekabine
passen
zusagen (= gefallen)
die Größe, -n
  Kleidergröße
  Schuhgröße
in 40 / 52 / XL
eng ≠ weit
die Länge, -n
kurz ≠ lang
extra lang
  in Extralang
bestellen in … (Größe /
  Länge)
der Schein, -e
  Bestellschein
  Lieferschein
auf Lieferschein kaufen
beilegen

die Kasse, -n
der Umtausch (*hier nur Sg.*)
umtauschen
die Waschanleitung
waschen bei … Grad
die Wäsche, -n
  Industriewäsche
geeignet für + A

Die Reklamation:
beschweren, sich bei + D
  über + A
bedauern
bitten um + A
erwarten
hoffen auf + A
ablehnen ≠ einverstanden
  sein mit + D
wenden, sich an + A
versprechen, jmdm. etw.
zusagen, jmdm. etw.
der Fehler, -
  einen Fehler machen
kaputtgehen
einlaufen
(ab-)färben
verfärbt
das Loch, ⁼er
korrekt
mangelhaft
erhalten
der Betrag, ⁼e
  den Betrag auszahlen
das Konto, Konten
überweisen (auf das
  Konto …)
umgehend
senden
zurücksenden
die Rücksendung, -en
zurückschicken
beifügen

Verben:
bedienen
brauchen nicht / kein- / nur
  … zu …
freuen, sich auf + A /
  über + A
gucken
rausgucken

regeln
tragen (Kosten)
nachschauen
vertreten

Nomen:
der Arbeitgeber, - ≠
  der Arbeitnehmer, -
das Folgende / Folgendes
die Gastronomie (*nur Sg.*)
das Gesetz, -e
der Großhandel (*nur Sg.*)
das Handwerk (*nur Sg.*)
der Handwerker, -
der Internist, -en
das Pech (*nur Sg.*)
die Medizin (*nur Sg.*)
die Pflege (*nur Sg.*)
die Praxis, Praxen
die Versicherung, -en

Adjektive:
eilig
unnötig

Adverb:
gerade (Ich habe gerade
  etw. getan)

Redemittel:
Welche Größe tragen Sie?
Ich brauche / suche … in
  Größe …, Farbe …
Ich hätte gern … in …
  (Größe / Farbe)
Außerdem möchte ich …
  in Größe … (in …)
  bestellen.
Die Änderung ist nicht
  erfolgt.
Entschuldigen Sie bitte die
  Mühe / Umstände.
Die Kosten trägt die Firma.
Ich denke / glaube / meine,
  dass …

A Interne Fortbildung EDV

Schulung 1

Titel: _____

❶ **Datensicherheit in der Firma**

- Benutzerkonto: Wahl des Passworts: Was ist ein sicheres Passwort?
- Automatische Sperrung des Arbeitsplatzes bei Inaktivität: Wie richtet man die Sperrung ein?

❷ **Datensicherheit auf der Dienstreise**

- Sicherung der Firmendaten: Durchführen eines Backups auf dem Laptop
- WLAN-Sicherheit: Öffentliche Netze (Internet-Nutzung z. B. im Hotel)
- Dateianhänge: Wie öffnet man auf dem mobilen Gerät einen Dateianhang an einer Mail sicher?
- Virenscanner

Schulung 2

Titel: _____

❶ **Desktop**

- Ordnung auf dem Desktop
- Logische Anordnung der Fenster
- Einrichten der Benutzeroberfläche des Desktops: Wie ist ein geordneter PC strukturiert?

❷ **Grundlagen der Dateiverwaltung – Zeit sparen mit Tastaturbefehlen**

- Anlegen einer Ordnerstruktur: Organisation von Dateien und Ordnern
- Ordner und Dateien umbenennen, kopieren, verschieben, löschen
- Ziehen und Ablegen von Dateien
- Wiederfinden eines Ordners oder einer Datei (Suchfunktionen)

---

1   Mitarbeiterschulung: Zwei EDV-Fortbildungen

a   Lesen Sie die Fortbildungsangebote oben und ergänzen Sie die Überschriften.

> Ordnung auf dem Desktop ist Ordnung in der Firma |
> Datensicherheit und Datensicherung im Unternehmen

b   Was lernen die Mitarbeiter und Mitarbeiterinnen in Schulung 1 und Schulung 2? Kreuzen Sie an.   ▸ ÜB: A1–2

Sie lernen,	1	2
A. wie man auf Reisen Firmendaten schützt.	☐	☐
B. wie man Ordner und Dateien verwaltet.	☐	☐
C. wie man verlorene Ordner und Dateien sucht.	☐	☐
D. wie man seinen Arbeitsplatz am PC sperrt, wenn man ihn nicht benutzt.	☐	☐

2 Ich mache beide Schulungen. Und du?

a ▶ 4|19–22 **Lesen Sie die zwei Fortbildungsangebote in 1a noch einmal und hören Sie vier Gespräche unter Kollegen. Wer macht welche Schulung? Füllen Sie den Anmeldebogen aus.**

Name	Abteilung	interne Schulung
1. Sandra Bär	Buchhaltung	1 ☒ 2 ☐
2. Katja Ruge		1 ☐ 2 ☐
3. Ansgar Jäger		1 ☐ 2 ☐
4. Bernd Dahl		1 ☐ 2 ☐

b **Hören Sie die vier Gespräche noch einmal. Warum möchten die Mitarbeiter die Schulung machen?** › ÜB: A3

1. Sandra Bär möchte die Schulung machen, weil
   a. ☐ sie Daten sicher an die Firma schicken muss.
   b. ☐ sie in der Schule nicht genug gelernt hat.

2. Katja Ruge möchte die Schulung machen, weil
   a. ☐ sie wenig Computerkenntnisse hat.
   b. ☐ sie bei der Arbeit viel am Computer arbeitet.

3. Ansgar Jäger möchte die Schulung machen, weil
   a. ☐ er oft Notizen zu Geschäftsgesprächen macht.
   b. ☐ er auf Dienstreisen sicher am PC arbeiten muss.

4. Bernd Dahl möchte die Schulungen machen, weil
   a. ☐ er zu viel Freizeit hat.
   b. ☐ er noch viel lernen will.

3 Grammatik auf einen Blick: Der Genitiv › G: 2.2

a **Lesen Sie die Fortbildungsangebote in 1a noch einmal und markieren Sie die Genitiv-Formen.**

b **Schreiben Sie die Genitiv-Formen in die Tabelle. Was fällt auf? Ergänzen Sie die Regeln.** › ÜB: A4

	Maskulinum (M)	Neutrum (N)	Femininum (F)	Plural (M, N, F)
bestimmter Artikel	d____ Platz____	des Passwort (e)s	d____ Oberfläche	d____ Ordner / Fenster / Dateien
unbestimmter Artikel	ein____ Ordner____	ein____ Backup____	ein____ Datei	Ø Ordner / Fenster / Dateien

Ⓖ

1. Artikel im Genitiv: Maskulinum und Neutrum Singular → _des_____ / _____ ;
   Femininum Singular: _____ / _____ ; Plural (M / N / F) → _____ / Ø _____
2. Genitivendungen von Nomen:
   – Maskulinum und Neutrum Singular: „_____" oder „_____", z. B. des Desktops, des Arbeitsplatzes.
     Ausnahme: n-Deklination, z. B. der Kollege – des Kollegen
   – Femininum und Plural: keine Genitivendung, z. B. der Datei, der Ordner / Fenster / Dateien
3. Den Genitiv Plural von Nomen ohne Artikel (Ø) umschreibt man oft mit „von" + Dativ, z. B. von Ordnern

4 Haben Sie schon einen Computerkurs gemacht?

Erzählen Sie. Interessiert Sie einer der Kurse in 1a? Warum? Warum nicht?

Ich möchte … lernen, weil … | Ich möchte mehr über … wissen, weil … | Ich möchte die Schulung …
machen, denn ich weiß nur wenig / nichts über … | Die Schulung … interessiert mich nicht, weil …

B Die EDV-Schulung

1 Unterrichtsmaterial: Ein Computerglossar

Lesen Sie den Auszug aus einem Computerglossar und ordnen Sie die Begriffe zu. › ÜB: B1

die Datei | das Benutzerkonto | der (Datei-)Anhang | der Ordner | die Sperrung des Computers | die Datensicherung | die Verknüpfung

Fachbegriffe EDV

❶ *das Benutzerkonto* = Fachbegriff, engl. „user account": Zugangserlaubnis zu einem Computer mit Benutzername und Passwort.

❷ _____ = Sammlung von Daten, die zusammengehören und unter einem Dateiformat gespeichert sind, z. B. *.docx / *.pdf / *.exe

❸ _____ = Fachbegriff, engl. „attachment", ist eine Anlage an einer E-Mail.

❹ _____ = Fachbegriff, engl. „backup": Sichern von Daten auf einem Speichermedium (z. B. auf Firmenserver, externer Festplatte, Speicherstick, DVD, CD).

❺ _____ = Ein Verzeichnis, in dem man Dateien speichern kann. Ordner können Unterordner haben. Man nennt die Struktur „Ordnerbaum" oder „Ordnerstruktur".

❻ _____ = Computersicherheit: Bei Inaktivität sperrt sich der Computer.

❼ _____ = Verbindung mit einer Datei, einem Ordner oder einem Programm. Man kann sie an dem kleinen Pfeil im Symbol erkennen.

2 In der Schulung

a ▶ 4|23 **Hören Sie Teil 1 der Schulung. Unterrichtet der Dozent gerade in Schulung 1 oder 2?**

b **Hören Sie Teil 1 der Schulung noch einmal. Von welchen Problemen, die Nutzer am Computer haben, spricht der Dozent? Kreuzen Sie an.**

1. Die Nutzer haben Daten nicht sinnvoll organisiert. ☒
2. Die Nutzer haben Daten verloren. ☐
3. Die Nutzer löschen zu viele Ordner. ☐
4. Die Nutzer haben keine logische Ordner- und Dateienstruktur. ☐

3 Aus den Schulungsunterlagen: Die Grundlagen – Betriebssystem „Windows"

a Lesen Sie das Arbeitspapier. Welche Erklärung gehört zu welcher Tastenkombination? Überlegen Sie zu zweit und ordnen Sie zu. › ÜB: B2

Tastenkombinationen für Computerbefehle

1. Den Taskmanager öffnen und alle Programme beenden, wenn der PC nicht mehr reagiert.
2. Eine Datei oder einen Ordner umbenennen.
3. Ein Element löschen und in den Papierkorb verschieben.
4. Eine Datei oder einen Ordner kopieren.
5. Eine Datei oder einen Ordner ausschneiden.
6. Eine Datei oder einen Ordner einfügen.
7. Nach einer Datei oder einem Ordner suchen.
8. Hilfe

A. F1	1.	H
B. F2	2.	⌴
C. F3	3.	⌴
D. Strg + C	4.	⌴
E. Strg + D	5.	⌴
F. Strg + V	6.	⌴
G. Strg + X	7.	⌴
H. Strg + Alt + Entf	8.	⌴

b ▶ 4|24 Hören Sie Teil 2 der Schulung. War Ihre Zuordnung richtig?

4 Grammatik auf einen Blick: Der Demonstrativartikel „dies-" › G: 3.3

a Lesen Sie die Sätze, markieren Sie die Formen von „dies-" und schreiben Sie die Endungen in die Tabelle.

1. In dieser Schulung heute Vormittag wiederholen wir die Tastenkombinationen für Computerbefehle.
2. Mit diesen Tastenkombinationen kann man viel Zeit sparen.
3. Zu diesem Problem kann man viel sagen.
4. Die Lösung dieses Problems: Sie aktivieren die Suchfunktion.
5. Mit diesem Befehl öffnet sich das Suchfeld.

	Maskulinum (M)	Neutrum (N)	Femininum (F)	Plural (M, N, F)
Nom.	dieser Befehl	dieses Problem	diese Schulung	diese Tastenkombinationen
Akk.	diesen Befehl	dieses Problem	diese Schulung	diese Tastenkombinationen
Dat.	mit dies____ Befehl	zu dies____ Problem	in dies*er* Schulung	mit dies____ Tastenkombinationen
Gen.	dieses Befehls	dies____ Problem____	dieser Schulung	dieser Tastenkombinationen

b Was fällt in 4a auf? Ergänzen Sie die Regel. › ÜB: B3

Ⓖ

Der Demonstrativartikel „dies-" hat immer die gleichen Endungen wie der _____ Artikel.

5 Noch mehr Tastenkombinationen

Kennen Sie noch mehr Tastenkombinationen für Computerbefehle? Vervollständigen Sie die Liste und präsentieren Sie sie dann. Notieren Sie die Tastenkombinationen der anderen.

Mit dieser Tastenkombination kann man … speichern / drucken / rückgängig machen / alles markieren / zwischen den Fenstern wechseln / … | Mit diesem Befehl öffnet / schließt / vergrößert / verkleinert man.

C Die Evaluierung

1 Das Feedback. War die Schulung gut?

a ▶ 4|25 Hören Sie das Gespräch. Sind Frau Murr und Herr Wäger mit der Schulung zufrieden?

B ℗ **b** Lesen Sie den Auszug aus dem Evaluierungsbogen. Hören Sie dann das Gespräch zwischen Frau Murr und Herrn Wäger noch einmal und füllen Sie den Bogen für Herrn Wäger aus.

---

2. Bewertung der Schulung

  a. Aus welchen Gründen haben Sie die Schulung besucht? *Computerkenntnisse verbessern*

  b. Hat die Schulung Ihre Erwartungen erfüllt?   ja ☐   nein ☐

  c. Inhalt: Mit welchem Inhalt waren Sie besonders zufrieden? _____

       Mit welchem waren Sie nicht zufrieden? _____

3. Bewertung der Qualifikation des Dozenten/der Dozentin

  a. Ich war mit der Kompetenz des Dozenten/der Dozentin zufrieden.

    trifft voll zu ☐   trifft teilweise zu ☐   trifft nur wenig zu ☐   trifft gar nicht zu ☐

  b. Ich war mit der Qualität der Schulungsunterlagen zufrieden.

    trifft voll zu ☐   trifft teilweise zu ☐   trifft nur wenig zu ☐   trifft gar nicht zu ☐

  c. Was hat Ihnen in der Schulung besonders gut gefallen? _____

  d. Was hat Ihnen in der Schulung gar nicht gefallen? _____

4. In welcher Abteilung sind Sie beschäftigt? _____

5. Können Sie das Gelernte beruflich einsetzen?   ja ☐   nein ☐

6. Zu welchem Thema möchten Sie in Zukunft gerne eine Schulung machen?

  _____

7. Wann passt Ihnen eine Schulung am besten?   vormittags ☐   nachmittags ☐   abends ☐

---

2 Grammatik auf einen Blick: Das Fragewort „welch-" › G: 3.6

Markieren Sie im Evaluierungsbogen „welch-" und schreiben Sie die Endungen in die Tabelle. Ergänzen Sie dann die Regeln. › ÜB: C1

	Maskulinum (M)	Neutrum (N)	Femininum (F)	Plural (M, N, F)
Nominativ	welcher (Inhalt)?	welches (Thema)?	welche (Abteilung)?	welche (Gründe)?
Akkusativ	welchen (Inhalt)?	welches (Thema)?	welche (Abteilung)?	welche (Gründe)?
Dativ	mit welch____ (Inhalt)?	zu welch____ (Thema)?	in welch____ (Abteilung)?	aus welch *en* (Gründen)?

Ⓖ

1. Das Fragewort „welch-" hat immer die gleiche Endung wie der _____ Artikel.
2. Das Fragewort „welch-" kann als Artikelwort vor einem Nomen stehen, z. B. „Mit welchem Inhalt?", oder als Pronomen allein stehen, z. B. „Mit welchem?".

3 Ihre Erfahrungen

Haben Sie schon einmal eine Fortbildung / einen Kurs gemacht? Wie war es? Berichten Sie im Kurs.

4 Zwei Wünsche für die nächste innerbetriebliche Schulung

a **Lesen Sie die Fortbildungswünsche von zwei Teilnehmenden. Welche Überschrift passt besser: a oder b?**

1. a. ☐ Im Team arbeiten   b. ☐ Teamarbeit für Führungskräfte
2. a. ☐ Lokale Netzwerke einrichten und pflegen   b. ☐ Computer vernetzen

> **1**
> Team-Coaching interessiert mich, denn ich muss große Teams führen. Wie kann man die Teamarbeit optimieren? Wie kann man den Teamgeist fördern und die Arbeitsergebnisse verbessern? Ich möchte wissen, wie man in einem Team Rollen und Ziele klärt. Ich möchte auch gerne lernen, wie man als Frau ein Team führt.

> **2**
> Mit einem unvernetzten Computer habe ich keine Probleme. Mich interessieren Netzwerke. Wie baut man ein lokales Computernetzwerk auf, wie konfiguriert und pflegt man es? Das möchte ich lernen. Auch die Sicherheitsaspekte sind wichtig für mich. Ich möchte am Ende ein Zertifikat bekommen.

b **Lesen Sie die zwei Fortbildungswünsche noch einmal und beantworten Sie die Fragen.**

1. Was für Teams führt Person 1?
2. Welche Inhalte sind für Person 1 wichtig?
3. Mit was für einem Computer hat Person 2 keine Probleme?
4. Welche Themen interessieren Person 2?

5 Grammatik auf einen Blick: „Was für …?"   › G: 3.6

a **Markieren Sie in 4b die Formen von „Was für …" und tragen Sie sie in die Tabelle ein.**

	Maskulinum (M)	Neutrum (N)	Femininum (F)	Plural (M, N, F)
Nom.	Was für ein Computer?	Was für ein Team?	Was für eine Schulung?	Was für Teams?
Akk.	Was für einen Computer?	Was für ein Team?	Was für eine Schulung?	Was für ____ Teams?
Dat.	Mit was für ein____ Computer?	In was für einem Team?	In was für einer Schulung?	Mit was für Teams?

b **Vergleichen Sie „Welch-" und „Was für …" in 1b und 4b und kreuzen Sie in den Regeln an.**   › ÜB: C2

Ⓖ

1. „Welch- …?" fragt   a. ☐ nach Eigenschaften.   b. ☐ nach etwas oder jemandem aus einer Auswahl.
2. „Was für …?" fragt   a. ☐ nach Eigenschaften.   b. ☐ nach etwas oder jemandem aus einer Auswahl.

6 Ihr Schulungsvorschlag

a **Erstellen Sie zu zweit einen Schulungsvorschlag und stellen Sie ihn dann im Kurs vor.**

- Thema / Inhalte der Veranstaltung?
- Wo: in der Firma oder …?
- Wann: Wochentag / Tageszeit / Dauer?
- Kosten: wie viel / wer bezahlt?

b **Sie wollen eine Fortbildung machen. Ihr Partner berät Sie. Partner A: Datenblatt A20, Partner B: Datenblatt B20.**

D Mobile Arbeit

1 Die Welt wird zum Arbeitsplatz

a Haben Sie schon einmal so wie eine der Personen auf den Fotos gearbeitet? Erzählen Sie.

B P b Lesen Sie den Zeitungsartikel und die Überschriften A bis H auf der nächsten Seite. Welche Überschriften passen zu den Abschnitten 1 bis 5? Ergänzen Sie die passenden Überschriften. › ÜB: D1

Die Welt wird zum Arbeitsplatz: Mobile Arbeit

Computer werden immer kleiner und leisten immer mehr. Mit einem mobilen Computer und der richtigen Software ist das Arbeiten heute fast überall möglich.

1 *Der flexible Arbeitsplatz*

Professor Dr. Gerhard Kallrich sagt, dass über 50 % der Arbeitnehmer immer wieder mal mobil arbeiten. Und er beschreibt den modernen Arbeitsplatz so: „Der Arbeitnehmer hat keinen festen Schreibtisch mehr. Er wählt den Arbeitsplatz, der tagesaktuell am besten passt: Gibt es eine Teamsitzung? Dann muss der Raum größer sein. Muss er konzentriert arbeiten? Dann setzt er sich an einen Schreibtisch in einem ruhigen Büro und steckt dort sein Notebook ein. Oft ist man aber gar nicht mehr in der Firma, weil man im Home-Office arbeitet oder unterwegs ist und mobil arbeitet: in der Bahn, im Hotel, im Flugzeug, im Internetcafé."

2

Nötig für das mobile Arbeiten ist ein Notebook, ein Laptop oder ein Tablet und die gleiche Software wie in der Firma. Ein mobiler Arbeitnehmer muss auch auf die Firmendaten zugreifen können.

3

Mobile Mitarbeiter sind oft zufriedener, und zufriedene Mitarbeiter arbeiten besser. Junge Eltern können zu Hause arbeiten, wenn das Kind krank ist. Die Mitarbeiter sparen Zeit, denn sie müssen nicht jeden Tag in die Firma fahren. Zu Hause kann man auch nach Feierabend schnell auf E-Mails und Anrufe reagieren.

4

Ein mobiler Arbeitsplatz kann aber auch mehr Stress bedeuten: Im Büro z. B. verliert man den „eigenen" Schreibtisch, auf dem das Foto des Partners oder des Kindes steht und man hat jeden Tag eine andere Kollegin am Nachbartisch. Die Kommunikation mit den Kollegen wird schlechter, es gibt keine gemeinsamen Mittagspausen mehr. Viele Mitarbeiter, die zu Hause oder unterwegs arbeiten, klagen, dass sie 24 Stunden am Tag für das Unternehmen erreichbar sein müssen.

5

Für das Unternehmen gibt es einen klaren Vorteil. Die mobilen Arbeitsorte sparen Arbeitsfläche und das spart Miete. Aber ein Problem ist die Datensicherheit, denn das Risiko des Datendiebstahls ist beim mobilen Arbeiten höher. Das heißt: Datensicherheit in der Firma ist ein wichtiges Thema. Hier müssen Firmen ihre Mitarbeiter fortbilden und mehr Schulungen zum Thema anbieten.

A. Mobiles Arbeiten – viele Vorteile für Unternehmen
B. Mobiles Arbeiten spart Geld, ist aber unsicherer
C. Mobiles Arbeiten hat keine Nachteile
D. Mobiles Arbeiten – Vorteile für die Mitarbeiter

E. Probleme durch mobiles Arbeiten
F. Der flexible Arbeitsplatz
G. In Zukunft nur noch mobile Arbeitsplätze
H. Voraussetzungen für mobiles Arbeiten

c **Lesen Sie den Zeitungsartikel noch einmal. Stehen die Information im Text? Markieren Sie und notieren Sie die Zeilennummer.**

	ja	nein	Zeile
1. Man muss nicht mehr im Büro arbeiten, weil mobile PCs immer besser werden.	X	☐	*1 – 4*
2. Über 50 % der Arbeitnehmer haben keine feste Arbeit.	☐	☐	
3. Wer zufrieden ist, arbeitet besser.	☐	☐	
4. Ohne festen Arbeitsplatz hat man weniger Kontakt zu seinen Kollegen.	☐	☐	
5. Es gibt immer mehr Schulungen zum Thema „Datensicherheit".	☐	☐	

d **Wie ist Ihre Meinung zu mobilen Arbeitsplätzen? Was finden Sie gut, was nicht so gut? Sprechen Sie im Kurs.**

Aussprache

1 Wie spricht man „ä"?

a ▶ 4|26 **Hören Sie die Bildung vom Laut „ä" und sprechen Sie nach.**

e ⟷ ä

Aussprache von „ä":
Sprechen Sie ein langes „e"
und öffnen Sie den Mund:
Das „e" wird zu „ä".

b ▶ 4|27 **Hören Sie die Namen und sprechen Sie sie nach.**

1. a. ☐ Bär   b. ☐ Bahr   c. ☐ Barr
2. a. ☐ Däll   b. ☐ Dahl   c. ☐ Dall
3. a. ☐ Kählrich   b. ☐ Kahlrich   c. ☐ Kallrich
4. a. ☐ Wäger   b. ☐ Wager   c. ☐ Wagger

c ▶ 4|28 **Sie hören jetzt immer nur einen von den drei Namen in 1b. Welchen? Kreuzen Sie in 1b an.**

d ▶ 4|29 **Hören Sie die Wörter und markieren Sie den Akzentvokal: _ = lang oder . = kurz?**

1. Glossar
2. ergänzen
3. Name
4. Taste
5. Gerät
6. Anhang
7. Qualität
8. Daten
9. Fläche
10. Passwort
11. Gespräch
12. Arbeit

e **Hören Sie die Wörter in 1d noch einmal und sprechen Sie sie nach.**

E Schlusspunkt

Situation 1

Person A

Sie sind Herr Neumann. Sie sind Dozent. Sie möchten wissen, wie die PC-Kenntnisse und PC-Gewohnheiten der Teilnehmerinnen und Teilnehmer in Ihrem Computerkurs sind.
Sie interviewen die Teilnehmerin, Frau Hahn:
- Firma: Branche? Abteilung?
- Computernutzung auf Dienstreisen: mobile Geräte auf Dienstreisen? öffentliches WLAN?
- Installation von: Betriebssystem / Software / Apps / Virenscanner / ...?
- Computerkenntnisse: Wie?
- Motivation für die Fortbildung: Lernziele?

Person B

Sie sind Frau Hahn. Sie sitzen im Kurs von Herrn Neumann.
Herr Neumann möchte wissen, wie Ihre PC-Kenntnisse und PC-Gewohnheiten sind. Er stellt Ihnen Fragen.
Antworten Sie auf der Basis Ihrer tatsächlichen beruflichen Tätigkeit und Ihrer Computerkenntnisse.

▶ In welcher Branche / In welcher Abteilung arbeiten Sie?
▶ Ich arbeite in / im ...
▶ Welche mobilen Geräte nutzen Sie auf Dienstreisen? Nutzen Sie öffentliches WLAN?
▶ Auf Dienstreisen nutze ich ...
▶ Welches Betriebssystem / Welche Software / Welche Apps / Welchen Virenscanner / Welch- ... haben Sie installiert?
▶ Ich habe ... installiert.
▶ Wie sind Ihre Computerkenntnisse?
▶ Meine Computerkenntnisse sind ...
▶ Was wollen Sie in der Fortbildung lernen?
▶ Ich möchte ... verbessern / lernen / ...

Situation 2

Person A

Sie sind Herr Johanidis. Sie sitzen im Kurs von Frau Kaufmann.
Frau Kaufmann möchte wissen, wie Ihre PC-Kenntnisse und PC-Gewohnheiten sind. Sie stellt Ihnen Fragen.
Antworten Sie auf der Basis Ihrer tatsächlichen beruflichen Tätigkeit und Computerkenntnisse.

Person B

Sie sind Frau Kaufmann. Sie sind Dozentin. Sie möchten wissen, wie die PC-Kenntnisse und PC-Gewohnheiten der Teilnehmerinnen und Teilnehmer in Ihrem Computerkurs sind.
Sie interviewen den Teilnehmer, Herrn Johanidis:
- Firma: Branche? Abteilung?
- Computernutzung auf Dienstreisen: mobile Geräte auf Dienstreisen? öffentliches WLAN?
- Installation von: Betriebssystem / Software / Apps / Virenscanner / ...?
- Computerkenntnisse: Wie?
- Motivation für die Fortbildung: Lernziele?

▶ In welcher Branche / in welcher Abteilung arbeiten Sie?
▶ Ich arbeite in / im ...
▶ Welche mobilen Geräte nutzen Sie auf Dienstreisen? Nutzen Sie öffentliches WLAN?
▶ Auf Dienstreisen nutze ich ...
▶ Welches Betriebssystem / Welche Software / Welche Apps / Welchen Virenscanner / Welch- ... haben Sie installiert?
▶ Ich habe ... installiert.
▶ Wie sind Ihre Computerkenntnisse?
▶ Meine Computerkenntnisse sind ...
▶ Was wollen Sie in der Fortbildung lernen?
▶ Ich möchte ... verbessern / lernen / ...

Lektionswortschatz

Die Dateiverwaltung:
der Server, -
die Datei, -en
das Dateiformat, -e
erstellen
löschen
umbenennen
ablegen
ziehen
ausschneiden
verlieren
wiederfinden
speichern
gespeichert sein unter + *D*
das Speichermedium,
    -medien
der Anhang, ⸗e
    Dateianhang
die Dateiverwaltung, -en
die Ordnung *(hier nur Sg.)*
der Ordner, -
    Unterordner
die Ordnerstruktur, -en
der Ordnerbaum, ⸗e
das Verzeichnis, -se
die Festplatte, -n
das Netzwerk, -e
    Computernetzwerk
vernetzen
die Daten *(nur Pl.)*
die Sicherung, -en
    Datensicherung
die Sicherheit *(hier nur Sg.)*
    Datensicherheit
sichern
sicher
das Backup, -s
der Datendiebstahl, ⸗e

Die PC-Bedienung:
der Arbeitsplatz, ⸗e
die Zugangserlaubnis
    (nur Sg.)
das Benutzerkonto,
    -konten
der Benutzername, -n
das Passwort, ⸗er
der Desktop, -s
die Oberfläche, -n
    Benutzeroberfläche
die Sperrung, -en
sperren
aktivieren ≠ deaktivieren
die Inaktivität *(nur Sg.)*
die Taste, -n
die Tastenkombination, -en
der Klick, -s
der Befehl, -e
    Computerbefehl
    Tastaturbefehl
befehlen
die Verknüpfung, -en
die Suchfunktion, -en
das Suchfeld, -er
konfigurieren
rückgängig machen
der Papierkorb, ⸗e
der Taskmanager, -
der Virenscanner, -

Die Fortbildung:
fortbilden
der Dozent, -en /
    die Dozentin, -nen
die Schulung, -en
    Mitarbeiterschulung
der Teilnehmer, - /
    die Teilnehmerin, -nen
der / die Teilnehmende, -n
intern
innerbetrieblich
anmelden
die Anmeldung, -en
der Anmeldebogen, ⸗
der Inhalt, -e
die Schulungsunterlagen
    (nur Pl.)
die Nutzung, -en
    Internet-Nutzung
    Computernutzung
die Grundkenntnis, -se
das Basiswissen *(nur Sg.)*
das Coaching, -s
der Teamgeist *(nur Sg.)*
die Motivation, -en
das Glossar, -e
der Fachbegriff, -e
das Arbeitsergebnis, -se
das Zertifikat, -e
profitieren
optimieren
verbessern

Die Evaluierung:
der Evaluierungsbogen, ⸗
das Feedback, -s
die Erwartung, -en
das Gelernte *(nur Sg.)*
die Qualifikation, -en
die Kompetenz, -en
zutreffen
voll
teilweise
gar nicht

Verben:
anfangen
aufräumen
durchführen
konzentrieren (sich) auf + *A*
mitkommen
sorgen für + *A*
sparen
strukturieren
vergrößern ≠ verkleinern
wählen
wechseln zwischen + *D*
zugreifen auf + *A*

Nomen:
der Arbeitsort, -e
die Branche, -n
der Briefwechsel, -
der Feierabend *(nur Sg.)*
die Führungskraft, ⸗e
das Internetcafé, -s
die Kommunikation
    (nur Sg.)
der Laptop, -s
der Nachbar, -n
der Professor, -en /
    die Professorin, -nen
die Rolle, -n
die Sitzung, -en
    Teamsitzung
der Verweis, -e
die Wahl *(hier nur Sg.)*

Adjektive:
automatisch
beschäftigt
eigen
fest
gemeinsam
jung ≠ alt
logisch
nötig ≠ unnötig
öffentlich ≠ privat
pünktlich
wichtig ≠ unwichtig

Redemittel:
zu Hause sein

K+S Gruppe

1 Faszination Salz

a 🎬 Film | 6 **Sehen Sie den Anfang vom Film (bis 00:17) und ordnen Sie die Fotos den Aussagen zu.**

A

B

C

D

1. Willkommen in der Welt, in der wir uns bewegen. ⌐
2. Das sind unsere Firmenwagen. ⌐

3. Das ist unser Keller. ⌐
4. So fahren wir zur Arbeit. ⌐

b **Lesen Sie den Text. Sehen Sie dann den Anfang vom Film noch einmal an und notieren Sie die Zahlen, die fehlen.**

> Die wichtigsten Produkte des Unternehmens K+S sind Salze und Kaliprodukte. K+S baut sie seit über
> 125 Jahren in Deutschland ab. Heute gewinnt K+S diese Rohstoffe auch in vielen anderen Ländern.
> Im Tagebau transportiert man das Salz mit LKWs, die bis zu [1] _____ Tonnen schwer sind.
> Im Bergwerk ist der Arbeitsplatz der Bergarbeiter in [2] _____ Metern Tiefe. Wenn sie
> mit dem Förderkorb unter Tage fahren, ist es auch eine kleine Reise in die Erdgeschichte, weil die Salzstöcke
> [3] _____ Millionen Jahre alt sind. Die Salze enthalten viele Mineralien, die für den Menschen
> lebensnotwendig sind.

c 🎬 Film | 6 **Sehen Sie nun den 2. Teil des Films. In welchen Bereichen braucht man Salz bzw. Kali? Kreuzen Sie an.**

1. Autoproduktion ☐
2. Baustellen ☐
3. Computerprogrammierung ☐

4. Finanzgeschäfte ☐
5. Landwirtschaft ☐
6. Lebensmittel ☐

7. Massage ☐
8. Wasseraufbereitung ☐
9. Winterdienst ☐

d **Wie kann man Salze gewinnen? Ordnen Sie zu.**

[Saline | Bergwerk | Meersalzgewinnung | Tagebau

1

2

3
Saline

4

2 Die K+S Gruppe – ein internationales Rohstoffunternehmen

a Lesen Sie den Informationstext zu K+S. In welchen Geschäftsbereichen ist K+S tätig?

k+s

Wachstum erleben.

Hauptsitz:	Kassel (Deutschland)
Mitarbeiterzahl:	mehr als 14.000 weltweit (2014)
Jahresumsatz:	ca. 3,9 Mrd. Euro (2014)
Branche:	Düngemittel und Salze
Bergwerke und Anlagen:	in Europa, Nord- und Südamerika
Tätigkeit:	weltweit

Die K+S Gruppe ist der weltweit größte Anbieter von Salzprodukten, sie produziert pro Jahr ca. 32 Mio. Tonnen Salz. Der Geschäftsbereich Salz bietet seinen Kunden Speise-, Gewerbe-, Industrie- und Auftausalze. K+S ist außerdem der fünftgrößte Kaliproduzent der Welt und hatte im Jahr 2014 einen Anteil von rund 9 % am Weltkaliabsatz. Das Unternehmen bietet seinen Kunden Düngemittel und Produkte für industrielle Anwendungen. Viele dieser Kunden kommen aus der Landwirtschaft und chemischen Industrie. K+S stellt aber auch sehr reine Kalium- und Magnesiumsalze für die Pharma-, Kosmetik- und Lebensmittelindustrie her. Der Geschäftsbereich „Entsorgung und Recycling" lagert in passenden Räumen unter Tage Abfälle ein, die man so für den Menschen unschädlich beseitigen kann.
Die K+S Transport GmbH in Hamburg ist das Logistikunternehmen von K+S. Der Kali-Kai von K+S in Hamburg ist eine der größten Anlagen zum Ab- und Umladen für Schüttgutexporte* in Europa. Er hat für den Geschäftsbereich „Kaliprodukte" eine sehr große Bedeutung.

*Schüttgut: Ware, die man schütten kann, z. B. Salz, Düngemittel, Kohle.

b Lesen Sie den Informationstext noch einmal. Was ist richtig (r), was ist falsch (f)? Kreuzen Sie an.

	r	f
1. Die K+S Gruppe ist ein internationales Unternehmen mit Hauptsitz in Deutschland.	☐	☐
2. K+S ist der größte Salzproduzent der Welt.	☐	☐
3. K+S produziert nur Speisesalz.	☐	☐
4. 20 % vom Kaliabsatz weltweit fördert K+S.	☐	☐
5. Kali braucht man auch in der Industrie.	☐	☐
6. K+S beliefert auch die Pharmaindustrie.	☐	☐
7. In den Räumen unter Tage beseitigt man auch Abfälle.	☐	☐
8. Zu K+S gehört auch ein Logistikunternehmen.	☐	☐
9. Der Kai für Kali in Hamburg ist für K+S nicht sehr wichtig.	☐	☐

c Schauen Sie auf die Webseite (www.k-plus-s.com/de/darum-kpluss/) von K+S und notieren Sie drei Beispiele für Leistungen, die K+S seinen Mitarbeitern und Mitarbeiterinnen bietet.

internationale Teams an ca. 80 Standorten weltweit, ...

d Was finden Sie besonders interessant? Sprechen Sie im Kurs.

A Zeit für ein Meeting?

	Montag	Dienstag	Mittwoch	Donnerstag	Freitag	Samstag
08:00						
09:00	Besprechung mit Klages, Rössner	Skype-Konferenz: Auslandstöchter	Sitzung: Planung von Fortbildungs-programm für Mitarbeiter	Bewerber-interviews	Bewerber-interviews	
10:00						
11:00	Tagung „Gesund im Betrieb"					
12:00						
13:00						
14:00						
15:00						
16:00						
17:00						
18:00						

Vera Kliem ☐ Tim Lohse ☐

1 Ich möchte Ihnen berichten

a ▶ 4|30 **Hören Sie das Gespräch zwischen dem Personalreferenten Tim Lohse und der Personalleiterin Vera Kliem. Was ist richtig (r), was falsch (f)? Kreuzen Sie an.** › ÜB: A1

	r	f
1. Herr Lohse ist auf einer Tagung gewesen.	☒	☐
2. Er möchte Frau Kliem am Montag treffen.	☐	☐
3. Frau Kliem hat eine kurzfristige Terminanfrage erhalten.	☐	☐
4. Herr Lohse hat am Mittwoch Zeit.	☐	☐
5. Die Bewerberinterviews finden nur am Donnerstag statt.	☐	☐

b Schauen Sie sich den Kalender an. Welcher Termin fehlt? Hören Sie das Gespräch noch einmal und notieren Sie ihn im Kalender.

2 Ein neues Sportangebot

BT **P** **Lesen Sie die E-Mail von Tim Lohse und die Antwort von Vera Kliem. Was ist richtig: a, b oder c?** › ÜB: A2

→ ☒ Vera.Kliem@carl-beils.com _ □ ×

Betreff: AW: Sportangebot für unsere Mitarbeiter

Lieber Herr Lohse,
Ihr Vorschlag für ein neues Konzept gefällt mir gut. Damit die Planung schnell beginnen kann, lade ich für den 19.2. alle
wichtigen Abteilungen zu einer ersten Projektbesprechung ein. Wie finden Sie den Titel „Mittagspause – aktiv"? Ich schlage
vor, unsere beiden Assistenten Marie Klages und Max Rössner organisieren die Besprechung.
Herzliche Grüße
Vera Kliem

Tim Lohse<Tim.Lohse@ carl-beils.com> schrieb:
Liebe Frau Kliem,
wie eben kurz berichtet, habe ich auf der Tagung „Gesund im Betrieb" viele interessante Informationen bekommen. Man hat
uns u. a. Alternativen zum üblichen Betriebssport wie Ballsport oder Tischtennis vorgestellt. In einigen Unternehmen gibt es
z. B. Fitnessräume, damit die Mitarbeiter auch in der Pause sportlich aktiv sein können. Da das Interesse der Angestellten an
unserem bisherigen Sportprogramm abgenommen hat, brauchen wir vielleicht ein neues Konzept. Wir könnten ein individuelles
Kursprogramm anbieten, damit die Mitarbeiter es besser in ihren Arbeitstag integrieren können. Was halten Sie von der Idee?
Viele Grüße
Tim Lohse

1. Tim Lohse hat auf der Tagung	2. Die Personalleiterin
a. ☐ Lust auf sportliche Aktivität bekommen.	a. ☐ hat einen anderen Vorschlag.
b. ☐ neue Sportangebote kennengelernt.	b. ☐ will die Besprechung organisieren.
c. ☐ Informationen zur Gesundheit erhalten.	c. ☐ möchte viele an der Planung beteiligen.

3 Grammatik auf einen Blick: Zweck oder Ziel nennen – Nebensätze mit „damit" › G: 4.2

Markieren Sie in den E-Mails in 2 „damit". Beantworten Sie die Fragen und ergänzen Sie die Regel. › ÜB: A3–4

1. Zu einer Projektbesprechung einladen?

Zweck: _..., damit die Planung schnell beginnen kann._

2. Fitnessräume?

Zweck: _____

3. Ein individuelles Kursprogramm anbieten?

Zweck: _____

G

Mit einem Nebensatz mit „damit" nennt man ein Ziel oder einen _____.

4 Sportliche Aktivitäten

Was könnten die Mitarbeiter in der „Mittagspause – aktiv" machen? Sammeln Sie Ideen.

Die Mitarbeiter könnten … | Vielleicht könnte man … | Eine Idee wäre, dass … |
…, damit sie sich entspannen. | …, damit sie ihren Körper / ihren Rücken trainieren. |
…, damit sie Energie bekommen. | …

Die Mitarbeiter könnten
Salsa tanzen, damit sie sich
entspannen können.

B Organisation ist alles

1 Ich lade Sie herzlich ein

Frau Kliem hat die Einladung für die Besprechung geschrieben. Lesen Sie die Sätze und bringen Sie sie in die richtige Reihenfolge. › ÜB: B1

A. Aus diesem Grund möchte ich Sie herzlich zu einer Besprechung einladen. ⸺

B. Ich würde mich freuen, wenn Sie in unserem Projektteam mitarbeiten würden. ⸺

C. Guten Morgen Frau Renner, *1*

D. Viele Grüße, Vera Kliem ⸺

E. wir planen die Einführung eines neuen Sportangebots für unsere Mitarbeiter. ⸺

F. Die genaue Tagesordnung finden Sie im Anhang. ⸺

G. Ort: Besprechungsraum 204, Hauptgebäude, 2. Etage. ⸺

H. Das Treffen findet am 19.2. statt, Beginn: 11:00 Uhr. Ende spätestens 16:00 Uhr. ⸺

2 Alle haben geantwortet – die Organisation kann beginnen

a ▶ 4|31 **Marie Klages und Max Rössner bereiten die Besprechung vor. Hören Sie das Gespräch und ergänzen Sie das Formular mit den Informationen.**

Organisation der Teamsitzung

am: *19.2.* Ort / Raum: *204* von / bis: _____

Hilfsmittel / Unterlagen	Vorhanden?		Wie viel besorgen?
Beamer	☐ ja	☐ nein	
Notebook	☐ ja	☐ nein	
Flipchart	☐ ja	☐ nein	
Flipchartpapier	☐ ja	☐ nein	
Pinnwand	☐ ja	☐ nein	
Koffer mit Material	☐ ja	☐ nein	
Notizblöcke	☐ ja	☐ nein	
Stifte	☐ ja	☐ nein	
Unterlagen	☐ ja	☐ nein	

Bewirtung für _____ Personen

- Imbiss: *belegte Brötchen,* _____
  _____

- warme Speisen: _____
  _____

- Getränke
  - ☐ Kaffee
  - ☐ Tee
  - ☐ Mineralwasser
  - ☐ Säfte

b **Arbeiten Sie zu zweit. Übernehmen Sie die Aufgaben von Marie Klages und Max Rössner. Marie Klages spricht mit der Raumorganisation, Max Rössner mit der Kantine. Partner A: Datenblatt A21, Partner B: Datenblatt B21.**

3 Jetzt brauchen wir eine schnelle Lösung

a Eine Stunde vor der Besprechung tauschen Marie und
Max noch Kurznachrichten aus. Welche Gegenstände
fehlen? Notieren Sie sie unter den Fotos, ergänzen Sie
auch den Artikel und den Plural.

1 _____

2 _____

Vera Kliem

3 _____

> Hallo Max, mein Notebook
> streikt. Kannst du deins
> mitbringen?   9:05

> OK. Bringe meins mit! Blöd:
> Der Beamer ist kaputt. Kannst
> du einen besorgen?   9:10

> Ja, der Vertrieb hat einen –
> kümmere mich!   9:12

> Hilfe! Namensschilder fehlen
> noch!!! Hast du welche
> gemacht?   9:25

> Keine Panik. Ich drucke welche
> aus.   9:27

> Danke! Bis gleich. ☺   9:29

b Lesen Sie die Kurznachrichten noch einmal und notieren Sie, wer was mitbringt.

1. Marie: _____   2. Max: _____

4 Grammatik auf einen Blick: Die Pronomen „ein-", „kein-", „mein-/dein-/..." › G: 3.2, 3.4

a Markieren Sie in den Kurznachrichten die Pronomen zu den markierten Nomen und schreiben Sie sie in die Tabelle.

	unbestimmtes und Negativ-Pronomen			Possessivpronomen		
	Maskulinum	**Neutrum**	**Femininum**	**Maskulinum**	**Neutrum**	**Femininum**
Nominativ	(k)einer	(k)eins	(k)eine	meiner	meins	meine
Akkusativ		(k)eins	(k)eine	meinen		meine
Plural (Nom. + Akk.)		/ keine			meine	

b Schauen Sie die Tabelle in 4a und die Aufgabe 3a an und ergänzen Sie die Regeln. › ÜB: B2–3

Ⓖ

1. Das unbestimmte Pronomen, das negative Pronomen und das Possessivpronomen haben im Singular die
gleiche Endung wie der _____ Artikel, z. B. der → einer, keiner, meiner / seiner / ihrer / ...
Bei dem Plural von „kein-" und „mein-"/„dein-" ist das auch so: die → keine, meine / seine / ihre / ...

2. Der _____ des Pronomens „ein-" heißt „welch-".

5 Kurznachrichten

a Arbeiten Sie zu zweit. Nehmen Sie ein großes Blatt
Papier und schreiben Sie eigene Kurznachrichten-
Dialoge wie oben. Die Vorschläge rechts helfen.

> zu wenige Gläser | nur ein Flipchart | Pinnwand
> kaputt | Namensschild fehlt | ein Besprechungs-
> tisch zu wenig | USB-Stick verloren | ...

b Hängen Sie Ihre Kurznachrichten-Dialoge im Kurs-
raum auf und lesen Sie die Nachrichten der anderen.

> aus der Küche holen | im Nachbarraum suchen |
> von Marketingabteilung leihen | schnell ausdrucken |
> aus dem Besprechungsraum 2 holen | zu Hause
> vergessen – bei Assistenz leihen | ...

1 Das wollen wir besprechen

a Lesen Sie die Tagesordnung zur Besprechung des Projekts „Mittagspause – aktiv" und die Beschreibungen A bis F. Welcher Tagesordnungspunkt (TOP) ist beschrieben? Notieren Sie die Nummer. › ÜB: C1

A. Alle Teilnehmenden stimmen für oder gegen das Projekt. 55 % stimmen für das Projekt. Es ist nun beschlossen.
TOP 3

B. Die Besprechung beginnt. Die Leitung begrüßt alle Teilnehmer. Diese stellen sich vor.
TOP ____

C. Die Teilnehmer einigen sich auf einen Zeitplan und finden einen Termin für ein neues Treffen.
TOP ____

D. Die Leitung präsentiert das Projekt und beschreibt, wie es aussehen kann. Die anderen sagen ihre Meinung zu dem Vorschlag.
TOP ____

E. Die Teilnehmer organisieren sich in Projektteams. Jedes Team beschäftigt sich mit einem Thema.
TOP ____

F. Jetzt geht es um die Einzelheiten: Welche Trainings wollen sie anbieten? Wann und wo sollen diese stattfinden? Braucht man zusätzliches Personal?
TOP ____

Tagesordnung

TOP 1	Begrüßung und Vorstellung
TOP 2	Präsentation und Diskussion der Projektidee „Mittagspause – aktiv"
TOP 3	Beschluss zur Durchführung
TOP 4	Besprechung :
	I. Sportangebot
	II. Organisation von Fitnesspausen
	III. Personal- und Raumbedarf
TOP 5	Bildung von Projektteams
TOP 6	Zeitplan und Termin neues Treffen

b Machen Sie zu zweit einen Zeitplan für die Besprechung in 1a. Wie viel Zeit planen Sie für die Punkte ein? Gibt es eine Kaffee- oder Mittagspause? Wenn ja, wann ist die Pause und wie lange dauert sie?

> Für TOP … würde ich … einplanen. | Ich glaube, für TOP … brauchen sie nicht so lange. | Bestimmt brauchen wir die Zeit, weil … | Ich denke, … ist / sind für die Kaffee- / Mittagspause genug. | TOP … / Die Kaffee- / Mittagspause dauert höchstens / mindestens … | Wie soll das gehen? | Die Besprechung endet … | Ich finde, das geht.

Tagesordnung

TOP 1	Begrüßung und Vorstellung	10 Min.
TOP 2	Präsentation und Diskussion der Projektidee „Mittagspause – aktiv"	… Min.
TOP 3	…	

c Vergleichen Sie Ihren Plan mit dem von anderen.

2 Das zweite Treffen

Frau Kliem hat schon das nächste Treffen geplant. Schreiben Sie aus den Vorgaben eine Tagesordnung wie in 1a. › ÜB: C2

> über Projektstand informieren | „To-Do"-Liste erstellen | neue Projektmitglieder vorstellen | Verschiedenes | Projektteams berichten

Tagesordnung

| TOP 1 | Vorstellung von neuen Projektmitgliedern |
| TOP 2 | … |

3 Die Besprechung beginnt

a ▶ 4|32 **Hören Sie den Anfang der Besprechung und vergleichen Sie ihn mit der Tagesordnung in 1a. Was ist anders? Notieren Sie die Änderung in der Tagesordnung.**

b ▶ 4|33–34 **Hören Sie die Diskussion zu TOP 2. Was sind die Themen? Kreuzen Sie an.**

1. Interesse an Sportangebot ☐
2. Mitarbeiterschulung ☐
3. Fitness-Menü ☐
4. Gesamtkosten ☐
5. Typen von Fitnessgeräten ☐
6. Raumsuche ☐

c **Hören Sie die Diskussion noch einmal. Welche Redemittel hören Sie? Kreuzen Sie an.** › ÜB: C3

1. Ich eröffne nun die Diskussion. ☒
2. Das würde ich so nicht sagen. ☐
3. Ich gebe Ihnen recht, dass … ☐
4. Da stimme ich Ihnen zu, Frau … / Herr … ☐
5. Entschuldigen Sie die Unterbrechung. ☐
6. Ich schlage vor, dass … ☐
7. Ich hätte einen Vorschlag: … ☐
8. Das finde ich gut. Einverstanden. ☐
9. Da fällt mir gerade etwas ein: … ☐
10. Das ist eine sehr gute Idee. ☐
11. Gibt es weitere Wortmeldungen? ☐
12. Gut, dass Sie das erwähnen, Frau / Herr … ☐
13. Im Prinzip finde ich … nicht schlecht, aber … ☐
14. Darf ich direkt etwas dazu sagen? ☐

4 Kommen wir zu Punkt 5 …

a **Frau Renner, Frau Wenzel und Herr Derchow besprechen in ihrem Projektteam die möglichen Sportangebote. Ordnen Sie die Wörter den Fotos zu.**

Fitnesstraining anbieten | Yoga-Unterricht geben | Aerobic-Kurse durchführen | Tischtennis anbieten | Rückentraining unterrichten | Laufprogramm organisieren

1

Yoga-Unterricht geben

4

2

5

3

6

b **Spielen Sie nun das Gespräch in Gruppen zu dritt nach. Machen Sie Vorschläge und begründen Sie sie. Einigen Sie sich am Ende auf drei Angebote. Die Redemittel aus 3c helfen Ihnen.**

D Das halten wir fest

1 Das nehmen wir ins Protokoll auf

Lesen Sie den Ausschnitt aus dem Ergebnisprotokoll und ergänzen Sie ihn mit den Wörtern aus dem Schüttelkasten. › ÜB: D1

› ÜB: D1

> Angebote | Ergebnis | Kostenplan | interne Umfrage | in Verbindung

TIPP

In Protokollen: oft nur kurze Formulierungen, z. B. keine Artikel.

Protokoll des Projektmeetings „Mittagspause – aktiv"

Termin:	19.02.2016
Ort:	Jena, Carl Beils AG, Hauptgebäude
Leiterin:	Vera Kliem, Personalabteilung
Protokoll:	Max Rössner
Teilnehmer/innen:	Frank Derchow, Marie Klages, Vera Kliem, Tim Lohse, Kristina Ludwig, Ute Reimann, Sylvia Renner, Max Rössner, Ralf Tauber, Bert de Vries, Jutta Wenzel, Michael Wolf

TOP 1   Änderung der Tagesordnung angenommen

TOP 2   Vortrag von Tim Lohse zum Thema „Gesundheit im Betrieb"

Ergebnisse der Diskussion:

- Frau Reimann + Herr Wolf schlagen *interne Umfrage* zum Sportangebot vor. → Personalabteilung führt sie durch.
- „Fitness-Menü" → Frau Wenzel setzt sich mit Küchenteam _____.
- Herr Wolf holt weitere _____ für Fitness-Geräte ein.
- Herr Lohse stellt bei nächster Besprechung _____ von Gesprächen mit Trainern vor.
- Frau Klages + Herr Rössner erstellen ungefähren _____.

2 Tagesordnungspunkt 5, I – III

Schreiben Sie nach dem Muster in 1 ein Protokoll zu Tagesordnungspunkt 5. Notieren Sie unter Punkt I das Ergebnis Ihrer Besprechung von Doppelseite 20C, Aufgabe 4b. Verwenden Sie für die Punkte II und III folgende Informationen.

> „Mittagspause – aktiv" zweimal pro Woche | Vertrag mit Fitnessstudio: schickt nach Bedarf Trainer | Fitnessbereich: ca. 50 m² | Dauer: 45 Minuten | Bereich für Kurse: ca. 100 m² | zweimal Fitnesstraining | Umkleideräume für Männer und Frauen | Kurs „…" und „…" im Wechsel

TOP 5   **Arbeitsergebnisse der Projektteams:**

I. Sportangebot:
– …
– …

II. Organisation von Fitnesspausen:
– „Mittagspause aktiv" soll zweimal pro Woche stattfinden.
– …

III. Personal- und Raumbedarf:
– …
– …

3 Und wie finden Sie das Projekt?

a ▶ 4|35–39 **Hören Sie, was die Personen nach der Besprechung sagen. Ordnen Sie jeder Person ein Thema zu. Drei Themen bleiben übrig.** ›ÜB: D2–3

Person 1: _C_

Person 2: ⌐⌐

Person 3: ⌐⌐

Person 4: ⌐⌐

Person 5: ⌐⌐

A. Sport im Team ist sehr schön.
B. Sport soll Spaß machen und kein Teil der Arbeit sein.
C. Die Mittagspause ist zu kurz.
D. Man bekommt Anerkennung für die Arbeit.
E. Die Firma ist attraktiver für Bewerber.
F. Man hat zu viel Stress bei der Arbeit.
G. Sport schafft ein gutes Arbeitsklima.
H. Man hat mehr Energie für die Arbeit.

b **Was halten Sie von Fitnessangeboten in der Firma? Sprechen Sie im Kurs.**

Aussprache

1 Der Schwa-Laut

a ▶ 4|40 **Hören Sie die Wörter und sprechen Sie sie nach.**

Kollege – Frage – Kosten – Treffen

b ▶ 4|41 **Hören und lesen Sie die Wörter und markieren Sie das „Schwa".**

1. der nette Kollege
2. die zentrale Frage
3. die hohen Kosten
4. das nächste Treffen

c **Hören Sie die Wörter in 1b noch einmal und sprechen Sie sie nach.**

> **TIPP**
>
> Das „e" am Wortende und in der Endung „-en" hört man nur ganz schwach. Man nennt den Laut „Schwa". Das phonetische Zeichen ist [ə].

2 Das „Schwa" in der Endung „-en" nach Konsonanten

a **Ordnen Sie die Wörter zu.**

denken | finden | fragen | geben | hören | kosten | lesen | sprechen | treffen | wählen

Stamm endet auf „p, b, (c)k, g, t, d" (Plosive) bzw. auf „f, s, z, ch, sch" (Frikative):

denken,

Stamm endet auf „l" und „r":

b ▶ 4|42 **Hören Sie die Wörter aus 2a. Was passt: a oder b? Kreuzen Sie an. Sprechen Sie dann die Wörter in 2a.**

Ⓐ

1. Nach „p, b, (c)k, g, t, d" bzw. „f, s, z, ch, sch" hört man den Schwa-Laut „e" in der Endung
   a. ☐ kaum noch. b. ☐ etwas mehr.
2. Nach „l" und „r" hört man den Schwa-Laut „e" in der Endung
   a. ☐ kaum noch. b. ☐ etwas mehr.

E Schlusspunkt

Situation 1

Drei Wochen nach dem ersten Treffen gibt es eine zweite Besprechung. Übernehmen Sie eine Rolle und berichten Sie. Person A beginnt.

Person A

Sie sind Vera Kliem, die Personalleiterin der Carl Beils AG.
Ihr Bericht:
- Sie haben die interne Umfrage zur „Mittagspause – aktiv" gemacht.
- Von den Angestellten haben 85 % für die aktive Mittagspause gestimmt.
- Es gab diese Wünsche zum Sportangebot:
  70 %: Fitnesstraining, 55 %: …, … %: …, …

▶ Ich möchte gern mit meinem Bericht beginnen:
Unsere Abteilung hat …
85 % haben …
70 % wünschen sich …,
55 % …, …
Das war mein Bericht. Ich gebe das Wort weiter an …

Person B

Sie sind Tim Lohse, Personalreferent bei der Carl Beils AG.
Ihr Bericht:
- Die Umfrage zeigt, dass die meisten Mitarbeiterinnen und Mitarbeiter ein Fitnesstraining wünschen.
- 55 % wünschen …, … % wünschen …, …
- Sie hatten mit mehreren Trainern Verhandlungen und haben zwei Trainer ausgewählt:
  - einen Trainer zweimal pro Woche für Fitnesstraining
  - einen Trainer einmal pro Woche für … und einmal für …, …

▶ Vielen Dank.
Das Ergebnis der internen Umfrage ist, dass die meisten Mitarbeiter … wünschen.
… % wünschen, … % möchten … und …
Wir hatten mit … und haben …
Ein Trainer bietet … und der andere Trainer …
Vielen Dank, nun hat … das Wort.

Person C

Sie sind Jutta Wenzel, Betriebsleiterin bei der Carl Beils AG.
Ihr Bericht:
- Sie haben für das Fitnessstudio eine alte Fertigungshalle gefunden. Sie ist 250 m² groß.
- Notwendig sind:
  - Aufteilung der Halle in Raum für Fitnessgeräte, Raum für Sportkurse und Umkleideräume.
  - Neuer Fußboden.

▶ Danke.
Für unser Sportangebot haben wir …
Aber wir müssen noch einige Arbeiten durchführen:
Wir müssen … aufteilen.
Außerdem brauchen wir …
Zum Schluss gebe ich das Wort an … weiter.

Person D

Sie sind Michael Wolf, Einkaufsleiter bei der Carl Beils AG.
Ihr Bericht:
- Sie haben Angebote für Fitnessgeräte eingeholt.
- Die Sportgeräte von „Haller Sport" sind am günstigsten.
- Vor der Bestellung muss man klären:
  - Geräte für Cardio- oder Krafttraining?
  - Anzahl der Geräte?

▶ Besten Dank.
Wir haben …
Ein Vergleich der Angebote hat gezeigt, dass …
Vor der Bestellung müssen wir klären, ob …
Die zweite Frage ist: …

Situation 2

Stellen Sie sich gegenseitig ein bis zwei einfache Fragen zu den Berichten in Situation 1.

Lektionswortschatz

Der Unternehmensaufbau:
die Auslandstocher, ⸚
der Betriebsleiter, - /
  die Betriebsleiterin, -nen
der Personalreferent, -en /
  die Personalreferentin,
  -nen
der Assistent, -en /
  die Assistentin, -nen
die Assistenz, -en
der Bewerber, - /
  die Bewerberin, -nen
das Bewerberinterview, -s

Die Vorbereitung:
vorbereiten
die Organisation, -en
organisieren
einen Termin verlegen
das Formular, -e
der Beamer, -
das Notebook, -s
das Flipchart, -s
das Flipchartpapier
  (hier nur Sg.)
die Pinnwand, ⸚e
der Materialkoffer, -
das Namensschild, -er
die Unterlage, -n
die Bewirtung (nur Sg.)
der Imbiss, -e
der Zwiebelkuchen, -
der Gemüsestrudel, -
die Gulaschsuppe, -n

Projekte:
das Projekt, -e
  ein Projekt durchführen
der Projektstand (nur Sg.)
das Team, -s
  Projektteam
  ein Team bilden
das Mitglied, -er
die Arbeitsgruppe, -n
die Projektidee, -n
das Konzept, -e
der Plan, ⸚e
  Kostenplan
  Zeitplan
  einen Kosten- / Zeitplan
  erstellen
die Umfrage, -n
  eine Umfrage machen

Die Besprechung:
die Konferenz, -en
  Skype-Konferenz
das Meeting, -s
die Sitzung, -en
die Tagung, -en
besprechen
der Besprechungsraum, ⸚e
die Planung, -en
die Einzelheit, -en
das Plenum, Plenen
  (Pl. selten)
die Diskussion, -en
  die Diskussion eröffnen
die Wortmeldung, -en
das Wort haben
das Wort weitergeben
  an + A
etw. (schriftlich) festhalten
das Arbeitsergebnis, -se
die Tagesordnung (nur Sg.)
der Tagesordnungspunkt, -e
  (der TOP, -s)
behandeln
  den Tagesordnungspunkt
  2 behandeln
Kommen wir zu TOP 2.
die Änderung, -en
  die Änderung annehmen
das Protokoll, -e
  Ergebnisprotokoll
abstimmen
stimmen für + A ≠
  gegen + A
zustimmen + D
der Beschluss, ⸚e
beschließen
einigen, sich auf + A
beschäftigen, sich mit + D
die To-Do-Liste, -n
in Verbindung setzen,
  sich mit + D

Sport im Betrieb:
das Angebot, -e
  Sportangebot
  ein Angebot einholen
sportlich
die Energie (hier nur Sg.)
die Gesundheit (nur Sg.)
das Gesundheitsangebot, -e
gesund
der Fitnessraum, ⸚e
das Fitnessstudio, -s
das Fitnessgerät, -e
der Fitnesstrainer, - /
  die Fitnesstrainerin, -nen
entspannen (sich)
trainieren
das Training, -s
  Cardio-Training
  Fitnesstraining
  Krafttraining
  Rückentraining
unterrichten
der Unterricht, -e (Pl. selten)
  Yoga-Unterricht
der Aerobic-Kurs, -e
die / der Salsa, -s (Pl. selten)
der Ballsport (nur Sg.)
das Tischtennis (nur Sg.)
der Lauf, ⸚e
das Interesse, -n
  Interesse haben an + D
die Umkleidekabine, -n
sich umziehen
duschen

Verben:
aufteilen
auswählen
belegen (ein Brötchen /
  einen Raum)
besorgen
beteiligen (sich), an + D
erwähnen
halten etw. / nichts von + D
integrieren
Lust haben / bekommen
  auf + A
schaffen
stattfinden

Nomen:
die Anerkennung (nur Sg.)
der Arbeitsplatz, ⸚e
die Aufteilung, -en
die Bauarbeiten (nur Pl.)
der Bedarf, -e
  Personalbedarf
  Raumbedarf
  nach Bedarf
die Fertigungshalle, -n
die Kurznachricht, -en
der Wechsel, -
  im Wechsel
der Zweck, -e

Adjektive:
aktiv
attraktiv
bisherig
individuell
müde
notwendig
üblich
ungefähr
vorhanden

Adverbien:
höchstens ≠ mindestens

Pronomen:
mehrere

Redemittel:
Was halten Sie von der
  Idee?
Einverstanden!
Ich gebe Ihnen recht, dass
  …
Im Prinzip finde ich … nicht
  schlecht, aber …
Entschuldigen Sie die Un-
  terbrechung.
Da fällt mir gerade etwas
  ein: …
Darf ich direkt dazu etwas
  sagen?
Ich wünsche Ihnen was.
  (ugs.)
Der Raum ist belegt.

A Feier mit Kollegen

1 Was kann man tun?

Welche Nomen passen zu dem Verb? Kreuzen Sie an. > KB: A1c

1. einladen	a. ☒ Gäste	b. ☒ Kunden	c. ☐ Aufgaben
2. verlassen	a. ☐ eine Einladung	b. ☐ eine Party	c. ☐ eine Firma
3. feiern	a. ☐ den Spaß	b. ☐ den Ausstand	c. ☐ das Jubiläum
4. absagen	a. ☐ ein Fest	b. ☐ ein Meeting	c. ☐ einen Tag
5. organisieren	a. ☐ ein Treffen	b. ☐ eine Zusage	c. ☐ eine Feier

2 Einladen – Zusagen – Absagen

a **Wie heißen die Redemittel? Ordnen Sie zu.** > KB: A3b

1. Ich lade euch	A. bei der Party.	1. _D_
2. Ich feiere	B. für deine Einladung.	2. __
3. Ich komme gern	C. gern zu.	3. __
4. Leider kann ich	D. herzlich zum Essen ein.	4. __
5. Viel Spaß	E. meinen Ausstand.	5. __
6. Vielen Dank	F. nicht kommen.	6. __
7. Ich sage	G. zu deiner Feier.	7. __

b **Wie heißen die Verben zu den Nomen? Notieren Sie.** > KB: A3b

1. die Feier: *feiern*
2. die Arbeit: _____
3. die Zusage: _____
4. die Teilnahme: _____

5. die Zusammenarbeit: _____
6. die Fahrt: _____
7. der Besuch: _____
8. der Plan: _____

B **P** **c** **Die Firma Sulkar GmbH feiert ihr Jubiläum. Frau Schneider hat eine Einladung bekommen und sagt zu. In der E-Mail gibt es sieben weitere Fehler. Finden und korrigieren Sie die Fehler.** > KB: A3c

Sehr geehrte Herr Winter,	*geehrter*	1
vielen Dank für Ihren Einladung zur Jubiläumsfeier von der Sulkar GmbH.	_____	2
Ich zusage sehr gern. Die Jubiläumsfeier beginnt um 17:00 Uhr, aber	_____	3
kann ich leider erst um 18:00 Uhr kommen. Ich habe bis 17:30 Uhr	_____	4
einen Termin. Der ist sehr wichtig und ich kann er nicht verschieben.	_____	5
Ich hoffe, das ist in Ordnung.	✓	6
Die Feier war an Ihrem Standort Hannover-Mittelfeld. Dort war	_____	7
ich leider noch nie. Könnt Sie mir bitte eine Wegbeschreibung	_____	8
schicken? Viele Dank.	_____	9
Mit freundlichen Grüßen	_____	10
Sabine Schneider		

B Was schenken wir?

1 Was kann man den Personen schenken? › KB: B1a

Schreiben Sie die Antworten in das Rätsel und lesen Sie das Lösungswort.

1. Ihr Bruder möchte bald ein Auto kaufen.
2. Ihre Mutter braucht Erholung.
3. Ihre Kollegin liest viel und kauft oft Bücher.
4. Ihr Kollege möchte kochen lernen.
5. Ihre Eltern sehen gern Familienfotos an.
6. Ihre Schwester vergisst alle Termine.
7. Ihre Kollegin ist neu. Heute ist ihr erster Tag.
8. Ihr Praktikant geht gern in Konzerte.

Rätsel:
1. G E L D
2. M _ S
3. G _ _ C
4. K _ _ K
5. F _ _ B
6. K _ _ N
7. B _ U _ ß
8. K _ _ R

2 Personalpronomen im Dativ › KB: B2 › G: 3.1

a Ein Tag in der Firma. Ergänzen Sie die Personalpronomen im Dativ.

1. Herr Nowak, können Sie *mir* bitte Druckerpapier holen?
2. Unsere Kunden brauchen die Preisliste. Schreiben Sie _____ eine E-Mail?
3. Petra feiert morgen Jubiläum. Was schenken wir _____?
4. Wo ist Herr Sommer? – Ich habe gerade mit _____ telefoniert. Er ist heute krank.
5. Hört mal, Tim und Inka! Der Praktikant geht ins Lager. Kann er _____ etwas mitbringen?
6. Peter, ich möchte mit _____ die Werbematerialien besprechen. Wann hast du Zeit?
7. Thomas, gleich ist Mittagspause. Kann _____ der Praktikant etwas aus der Kantine holen?
8. Frau Michaeli, willkommen in der Firma. Wie gefällt _____ Ihr Büro?
9. Wir haben Probleme mit dem Internet. Können Sie _____ helfen?

b Wie geht es den Personen? „Ihnen ist ..." Schreiben Sie die Sätze mit dem richtigen Adjektiv.

heiß | kalt | langweilig | schlecht

1. Die Bauarbeiter arbeiten auf der Baustelle. Es sind 35 °C.
   Ihnen ist heiß.
2. Frau Steiner wartet vor der Firma. Es sind minus 10 °C.
   _____
3. Die Praktikantin hat keine Aufgaben.
   _____
4. Der Trainee hat auf der Feier zu viele Bratwürste gegessen.
   _____

Z 3 Sprache in Chats › KB: B3a

TIPP

In Chats schreiben viele Deutsche alle Wörter klein und kürzen Wörter ab.

Lesen Sie den Chat und achten Sie auf die Markierungen. Schreiben Sie die Wörter in der Standardsprache.

Julius:	Hallo Inka, kommste morgen zu Manuelas feier?
Inka:	Klar, hab sogar schon n geschenk.
Julius:	Echt, was isses denn?
Inka:	Hab ihr nen büchergutschein gekauft. Sie liest ja gern.
Julius:	Ach, das isne gute idee.
Inka:	Muss jetzt los. Bis morgen!

1. _kommste = kommst du_
2. _____
3. _____
4. _____
5. _____
6. _____

4 Nomen im Dativ › KB: B4b › G: 2.1

a Wer schenkt wem was? Lesen Sie die Sätze und markieren Sie die Dativergänzung.

1. Schenkt ihr dem Chef etwas?
2. Herr Müller schenkt einer Mitarbeiterin ein Buch.
3. Die Kollegen schenken ihrem Trainee einen Kalender.
4. Wir schenken unseren Kunden Kugelschreiber.
5. Ich schenke einer Kollegin eine DVD.
6. Frau Henschel schenkt ihrem Team Süßigkeiten.
7. Was schenkst du deinen Geschäftspartnern?

TIPP

Dativ Plural immer „n" außer bei Nomen mit Plural auf „-s". Sie behalten „-s":
die Freunde → den Freunde**n**
die Partner → den Partner**n**
die Kunden → den Kunden
die Teams → den Teams

b Ergänzen Sie die Dativendungen in der Tabelle. Ihre Markierungen in 4a können Ihnen helfen.

	Maskulinum (M)	Neutrum (N)	Femininum (F)	Plural (M, N, F)
bestimmter Artikel	mit dem Chef	mit dem Team	mit der Kollegin	mit den Mitarbeiter**n**
unbestimmter Artikel / Negativartikel	mit ein_em_ / kein_em_ Chef	mit ein____ / kein____ Team	mit ein____ / kein____ Kollegin	mit Ø / kein_en_ Kollege**n**
Possessivartikel	mit mein_em_ Chef	mit mein____ Team	mit mein____ Kollegin	mit mein____ Freunde**n**

c Was passiert auf der Messe? Bilden Sie Sätze mit Dativ- und Akkusativergänzung und markieren Sie sie wie im Beispiel.

1. Frau Meier – das Produkt – präsentieren – unsere Kunden

   Frau Meier präsentiert unseren Kunden das Produkt.

2. Herr Schubert – die Vertriebspartner – das Computerprogramm – empfehlen

   Herr Schubert _____

3. Der Praktikant – holen – ein Kaffee – unser Vertriebsmanager

   _____

4. Wir – die Leute – unsere Prospekte – mitgeben

   _____

5. Der Vertriebsmanager – zeigen – unsere Werbeartikel – seine Partner

   _____

TIPP

Ø = Nullartikel, z.B. ein Mann → Plural: Ø Männer

C Alles gut geplant?

TIPP

Bilden Sie Oberbegriffe. So kann man viele Wörter zu einem Thema gut lernen, z. B. Beilage: Nudeln, Reis, Kartoffeln

1 Das Buffet – Oberbegriffe finden › KB: C1b

Finden Sie Oberbegriffe zu den Lebensmitteln. Notieren Sie sie.

Brot | Fisch | Fleisch | Gemüse | Getränke | Milchprodukte | Obst | Süßes

1. _Brot_____ : Baguette, Brötchen

2. _____ : Bratwurst, Steak

3. _____ : Eis, Kuchen, Schokolade

4. _____ : Forelle, Matjes

5. _____ : Apfel, Banane, Orange

6. _____ : Joghurt, Käse, Sahne

7. _____ : Erbse, Gurke, Kartoffel, Kohl, Möhre, Paprika, Tomate

8. _____ : Bier, Espresso, Kaffee, Milch, Mineralwasser, Saft, Sekt, Wein

2 Ein Sommerfest planen – Redemittel › KB: C2b

a Herr Winter und Frau Mähren planen das Sommerfest von der Sulkar GmbH. Was sagen sie? Ergänzen Sie den Dialog.

Denn das dauert sehr lang und ist langweilig. | Denn das macht allen Spaß. | Die Idee gefällt mir. |
Ich bin dagegen, | Sie haben recht. | Und was machen wir danach? | Wie lange dauert das denn?

▶ Also, zuerst hält unser Chef seine Rede.

▶ Natürlich. [1] _Wie lange dauert das denn?_____

▶ Wahrscheinlich eine halbe Stunde. [2] _____

▶ Wir können eine PowerPoint-Präsentation von der Firmengeschichte zeigen.

▶ Nein, keine Präsentation. [3] _____

▶ Wir können auch Fotos aus der Firmengeschichte auf Postern präsentieren. Das kann jeder alleine lesen.

▶ [4] _____ Wollen wir am Ende ein Quiz über die Firmen-

  geschichte machen?

▶ Ja, der Vorschlag ist gut. [5] _____ Soll ich die Fragen notieren?

▶ Ja, gut. Dann bereite ich die Poster mit den Fotos vor.

▶ Und was ist mit Musik? Ich kann Jazzmusiker organisieren.

▶ Jazzmusik? [6] _____ denn die Mitarbeiter wollen doch tanzen.

▶ [7] _____ Dann suchen wir einen DJ.

▶ Gute Idee.

b ▶ 4|43 Ist alles richtig? Hören Sie das Gespräch in 2a und kontrollieren Sie Ihre Antworten.

3 Verben mit Dativ- und Akkusativergänzung › G: 2.2

a Ergänzen Sie die Verben mit Dativ- und Akkusativergänzung in der richtigen Form. › KB: C3c

anbieten | ausleihen | empfehlen | erklären | ~~geben~~ | liefern | zeigen | zurückbringen

1. Frau Mähren, wo sind unsere Prospekte? – Ich habe Frau Mähren die Prospekte gestern *gegeben* .

2. Wir brauchen Tische und Bänke für unser Sommerfest. Kennst du einen Partyverleih? – Ja. Ich

   _____ dir den Partyverleih Lorenz.

3. Wo waren Sie, Herr Winter? – Ich habe unserem Trainee den Kopierraum _____.

4. Ich verstehe die Statistik nicht. Können Sie sie mir bitte _____?

5. Wo ist denn unsere Flipchart? – Ich habe sie meiner Assistentin _____.

6. Sie _____ sie uns morgen _____.

7. Wer kann das Büromaterial bestellen? – Die Praktikantin hat mir ihre Hilfe _____.

8. Haben Sie schon das Büromaterial bestellt? – Ja. Die Firma _____ es uns morgen.

b Markieren Sie in den Sätzen in 3a die Dativ- und Akkusativergänzungen in zwei Farben und ordnen Sie sie den Regeln zu. › KB: C4

Ⓖ

1. Nomen + Nomen:	zuerst Dativ, dann Akkusativ	Satz:	*1,* ____
2. Personalpronomen + Personalpronomen:	zuerst Akkusativ, dann Dativ	Sätze:	____
3. Personalpronomen + Nomen:	zuerst Personalpronomen, dann Nomen	Sätze:	____

c Ersetzen Sie das Akkusativnomen durch ein Personalpronomen im Akkusativ. › KB: C4

1. Der Partyverleih hat der Firma Tische und Bänke geliefert.

   Der Partyverleih hat sie der Firma geliefert. _____

2. Der Vertriebsmanager erklärt den Kunden das Produkt.

   _____

3. Können Sie der Praktikantin die Bestellformulare zeigen?

   _____

4. Die Assistentin schickt dem Geschäftspartner die E-Mail.

   _____

5. Herr Winter will dem Geschäftspartner den Firmenkalender schenken.

   _____

d Die Assistentin hat schon alles gemacht. Schreiben Sie ihre Antwort mit dem Akkusativ- und Dativpronomen. › KB: C4

1. ▶ Sie müssen der Firma die Rechnung schicken.   ▶ *Ich habe sie ihr schon geschickt.*

2. ▶ Bringen Sie der Kundin den Kaffee?   ▶ _____

3. ▶ Zeigen Sie dem Trainee bitte unser Lager!   ▶ _____

4. ▶ Können Sie unserer Partnerfirma die Präsentation schicken?   ▶ _____

5. ▶ Sie müssen dem Lieferanten den Weg erklären.   ▶ _____

4 Verben mit Dativergänzung › KB: C4 › G: 2.2

a Was sagen die Gäste auf der Party? Ergänzen Sie die Verben mit Dativergänzung in der richtigen Form.

danken | gefallen | gehören | gratulieren | helfen | passen | schmecken

1. Hallo Markus, willkommen auf meiner Party. – Hallo Manuela, ich *danke* _____ dir für die Einladung.

2. Manuela, wo ist denn Frank? – Er holt das Bier. – Oh, ich gehe schnell und _____ ihm.

3. Wie findet ihr den Garten? Frank hat ihn neu gemacht. – Er _____ uns sehr gut.

4. Hier steht noch ein Glas Wein. Antonia ist hier gewesen. Ich glaube, es _____ ihr.

5. _____ euch die Bratwürste? – Ja, sie sind sehr gut. Wo hast du sie gekauft?

6. Seit März bin ich Abteilungsleiter. – Toll, ich _____ dir zu deiner Beförderung.

7. Wollen wir nächsten Samstag ins Kino gehen? – Tut mir leid, das _____ mir nicht.

b Bilden Sie Sätze und schreiben Sie sie in die Tabelle.

	Wer? / Was? (Nominativ)		Wem? (Dativergänzung)
1. gefallen: die Party, die Kollegen	*Die Party*	*gefällt*	*den Kollegen.*
2. gehören: das Auto, ich	*Das Auto*		
3. gratulieren: wir, sie (Sg.)			
4. helfen: wir, der Gast			
5. passen: der Termin, ich			
6. schmecken: der Kuchen, das Team			
7. danken: Manuela, die Gäste			

c Schreiben Sie die Sätze aus 4b neu und beginnen Sie mit der Dativergänzung.

1. *Den Kollegen gefällt die Party.*
2. _____
3. _____
4. _____
5. _____
6. _____
7. _____

5 Verben mit Akkusativ, Dativ oder Akkusativ und Dativ › KB: C4 › G: 2.2

Welche Verben haben eine Akkusativ-, Dativ- oder eine Akkusativ- und Dativergänzung? Notieren Sie. Arbeiten Sie, wenn nötig, mit dem Wörterbuch.

anbieten | ausleihen | bekommen | bestellen | brauchen | bringen | danken | einladen | empfehlen | erklären | geben | gefallen | gehören | gratulieren | helfen | liefern | mieten | mögen | passen | planen | schmecken | zeigen

1. Akkusativergänzung: _____

2. Dativergänzung: _____

3. Akkusativ- und Dativergänzung: *anbieten, ...* _____

D Alles Gute für die Zukunft!

1 Gratulationen und Wünsche › KB: D1b

a Wann sagt man was? Notieren Sie für die Wünsche die passende Situation auf den Fotos.

1. Herzlichen Glückwunsch
   a. zu Ihrer Hochzeit!   Foto: _B_
   b. zur Beförderung!   Foto: _A_
   c. zum Nachwuchs!   Foto: _E_

2. Viel Erfolg
   a. in der neuen Abteilung!   Foto: ⌐⌐
   b. in der neuen Firma!   Foto: ⌐⌐

3. Ich möchte Ihnen herzlich
   a. zu Ihrer Hochzeit gratulieren.   Foto: ⌐⌐
   b. zur Beförderung gratulieren.   Foto: ⌐⌐

4. Ich wünsche Ihnen
   a. frohe Weihnachten!   Foto: ⌐⌐
   b. schöne Feiertage!   Foto: ⌐⌐

5. Alles Gute
   a. für den neuen Job!   Foto: ⌐⌐
   b. für die Zukunft!   Foto: ⌐⌐

6. Guten Rutsch!   Foto: ⌐⌐
7. Frohes neues Jahr!   Foto: ⌐⌐
8. Ein frohes Fest!   Foto: ⌐⌐

b Was sagen Sie zu Ihren Kollegen? Manchmal gibt es zwei Lösungen. Schreiben Sie.

1. Heute ist der 31. Dezember. *Guten Rutsch!* _____

2. Ihr Kollege arbeitet ab morgen im Marketing. _____

3. Ihre Kollegin hat gestern geheiratet. _____

4. Ihre Kollegin wird Gruppenleiterin. _____

5. Ein Kollege hat ein Kind bekommen. _____

Rechtschreibung

1 Wörter mit „ch", „ck" und „g"

▶ 4|44 Hören und schreiben Sie die Wörter. Korrigieren Sie mit dem Lösungsschlüssel.

1. schi _ck_ en
2. die Re____nung
3. weni____

4. no____
5. die Süßi____keit
6. ri____ti____

7. die ____e____liste
8. brau____en
9. langweili____

10. wi____ti____
11. te____nisch
12. das Glü____

Grammatik im Überblick

1 Personalpronomen im Nominativ, Akkusativ und Dativ › G: 3.1

Nominativ	ich	du	er	sie	es	wir	ihr	sie	Sie
Akkusativ	mich	dich	ihn	sie	es	uns	euch	sie	Sie
Dativ	mir	dir	ihm	ihr	ihm	uns	euch	ihnen	Ihnen

2 Nomen im Dativ › G: 2.1

	Maskulinum (M)	Neutrum (N)	Femininum (F)	Plural (M, N, F)
bestimmter Artikel	mit dem Chef	mit dem Team	mit der Kollegin	mit den Mitarbeitern
unbestimmter Artikel / Negativartikel	mit einem / keinem Chef	mit einem / keinem Team	mit einer / keiner Kollegin	mit Ø / keinen Kollegen
Possessivartikel	mit meinem Chef	mit meinem Team	mit meiner Kollegin	mit meinen Freunden

3 Akkusativ und Dativ im Satz › G: 2.2

Nomen + Nomen:	zuerst Dativ, dann Akkusativ	Der Fahrer gibt dem Kunden die Rechnung.
Personalpronomen + Personalpronomen:	zuerst Akkusativ, dann Dativ	Der Fahrer gibt sie ihm.
Personalpronomen + Nomen:	zuerst Pronomen, dann Nomen	Der Fahrer gibt sie dem Kunden. Der Fahrer gibt ihm die Rechnung.

4 Verben mit Dativ › G: 2.2

Folgende Verben brauchen eine Dativergänzung. Diese Dativergänzung ist oft eine Person.
z. B. Uns gehört der Garten. → Der Garten gehört uns.

	Wer? / Was? (Nominativ)		Wem? (Dativergänzung)	
danken	Manuela	dankt	ihren Kollegen.	
gefallen	Die Party	gefällt	den Gästen.	
gehören	Die Bierbänke	gehören	der Firma Lorenz.	
gratulieren	Ihre Kollegen	haben	ihr	gratuliert.
helfen	Frank	möchte	seiner Frau	helfen.
passen	Das Sommerkleid	passt	Manuela.	
schmecken	Der Kartoffelsalat	schmeckt	den Gästen.	

A Die neue Wohnung

1 Wie heißen die Räume A bis G in einer Wohnung? › KB: A1a

Schreiben Sie das richtige Wort im Singular und Plural.

⌈ das Bad | der Balkon | das Gäste-WC | der Flur |
⌊ die Küche | das Schlafzimmer | das Wohnzimmer

A. *das Schlafzimmer, –*

B. _____

C. _____

D. _____

E. _____

F. _____

G. _____

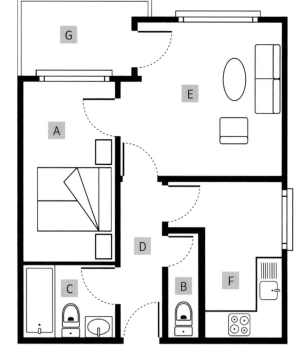

2 Abkürzungen › KB: A1b

a Schreiben Sie die Wörter wie im Beispiel.

1. Bj.   *das Baujahr*
2. EBK   _____
3. EG   _____
4. KM   _____
5. kWh/(m²·a)   _____
6. m²   _____
7. NK   _____
8. OG   _____

9. renov.   _____
10. sep.   _____
11. WC   _____
12. Wfl.   _____
13. Whg.   _____
14. ZH   _____
15. Zi.   _____
16. zzgl.   _____

b Lesen Sie die Wohnungsanzeige und beantworten Sie die Fragen.

1. Wie groß ist die Wohnung? *96 m².* _____
2. Wie viele Zimmer hat die Wohnung? *Vier.* _____
3. Wo ist die Wohnung? _____
4. Welches Baujahr hat die Wohnung? _____
5. Welche Heizung gibt es in der Wohnung? _____
6. Welche Ausstattung hat sie? _____
7. Wie hoch ist die Miete ohne Nebenkosten? _____

> **4 Zi.-Whg. in Freiburg-Herdern:**
>
> 2. OG, 96 m² Wfl., ZH; 2 Balkone
> Bj. 1974. EBK, sep. Gäste-WC
> KM 1040 € zzgl. NK
> ImmobilienHeizer@immobili.de

3 Adjektive in Anzeigen: Adjektivdeklination vor Nomen ohne Artikel › KB: A2b › G: 5.1

a Schreiben Sie die Nomen mit den Adjektiven im Nominativ ohne Artikel.

1. die Warmmiete (teuer): *teure Warmmiete* _____

2. die Einbauküche (neu): _____

3. das Bad (klein): _____

4. die Wohnungen (renoviert): _____

5. der Aufzug (modern): _____

6. die Nebenkosten (hoch): _____

7. der Altbau (schön): _____

8. das Zimmer (groß): _____

TIPP

teuer → teure,
hoch → hohe,
besonders → besondere

b Suche ... Schreiben Sie die Nomen mit den Adjektiven im Akkusativ.

1. Junge Familie sucht *schönes* _____ Haus (schön).

2. Rentner sucht _____ Wohnung (preiswert).

3. Studentin sucht _____ Zimmer (möbliert) ohne _____ Ausstattung (besonders).

4. Suche _____ Altbauwohnungen (schön) ohne _____ Nebenkosten (hoch)!

5. Suche _____ (groß) Stellplatz für mein Auto!

c Biete ... Schreiben Sie die Adjektivendungen im Dativ.

1. Sonnige Wohnung im 4. Stock mit neu*em*_____ Aufzug zu vermieten.

2. Wohnen in modern_____ Energieeffizienzhaus.

3. Biete eine Wohnung mit 4 groß_____ Zimmern, aber klein_____ Küche.

4. Mieter gesucht: Altbau mit modern_____ Ausstattung, aber leider nicht mit sonnig_____ Balkon.

5. Einzimmerappartement mit separat_____ Stellplatz ab heute frei.

d Ergänzen Sie die Adjektivendungen im Nominativ, Akkusativ und Dativ.

1. Modern*e*_____ Häuser mit energieeffizient_____ Heizung sind nicht billig.

2. Gedämmt_____ Fenster und Türen findet man in alt_____ Wohnungen oft nicht.

3. Immobilien Boll vermietet eine Vierzimmer-Wohnung mit renoviert_____ Bad, separat_____ WC,

   offen_____ Küche, groß_____ Wohnzimmer und schön_____ Balkon an nett_____ Dame.

Ⓩ e Lesen Sie die Wohnungsanzeige und schreiben Sie sie ohne Abkürzungen.

> **Coswiger Straße, renov. Altbau, BJ 1950.**
>
> Renov. 2-Zi.-Whg. in ruhig. Lage m. gut. Verkehrsanbindung. Mod. Ausstattung: mit mod. Bad, sep. Gäste-WC und sonnig. Balkon. 512 Euro zzgl. NK
>
> **Noch mehr preisw. Wohnungen bei www.stadtlandfluss.de**

Coswiger Straße, renovierter Altbau, _____

_____

_____

_____

_____

_____

B Wohin stellst du ...?

1 Möbel und Einrichtungsgegenstände › KB: B1

Schreiben Sie die Bezeichnungen mit Artikel im Singular und Plural.

1 das Bett, -en

2

3

4

5

6

7

8

9

10

11

12

13

14

15

16

2 Die lokalen Präpositionen „in, an, auf ..." › G: 6.2

a **Christian hat einen Einrichtungsplan gemacht. Wohin stellt er was? Notieren Sie die Präposition.** › KB: B2a

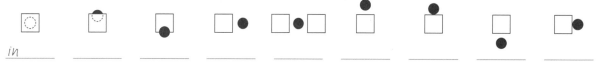

in

b **Wohin stellen, legen, hängen? Markieren Sie die richtige Präposition.** › KB: B3

1.	Das Bett und den Schrank stellt er	☒ in	☐ neben	das Schlafzimmer.
2.	Den Fernseher stellt er	☐ über	☐ auf	die Kommode.
3.	Die Lampe hängt er	☐ an	☐ über	den Esstisch.
4.	Die Bilder hängt er	☐ an	☐ auf	die Wand.
5.	Den Küchenschrank stellt er	☐ neben	☐ in	den Kühlschrank.
6.	Den Teppich legt er	☐ auf	☐ unter	den Tisch.

C Wo steht …?

1 Christian hat Besuch › KB: C2c

Wo oder wohin? Markieren Sie das richtige Fragewort.

		Wo?	Wohin?
1.	Anne hängt ihren Mantel an die Garderobe.	☐	☒
2.	Das Geschenk für Christian steckt in ihrer Manteltasche.	☐	☐
3.	Christian hat sein Handy auf den Schreibtisch gelegt.	☐	☐
4.	Er hat die Papiere in den Ordner gesteckt.	☐	☐
5.	Aber im Flur liegen noch Bücher und DVDs.	☐	☐
6.	Kaffee und Kuchen stehen auf dem Tisch.	☐	☐
7.	Jetzt sitzt Christian auf dem Sofa.	☐	☐
8.	Anne setzt ihre Tochter auf den Stuhl.	☐	☐
9.	Neue Bilder hängen an der Wand.	☐	☐
10.	Christian stellt die Gläser in den Geschirrspüler.	☐	☐

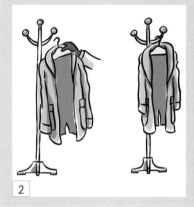

2 Wohin und Wo? › KB: C2c › G: 6.2

**Wohin stelle, lege, hänge, setze, stecke ich, …? Wo steht, liegt, hängt, sitzt, steckt …?
Schreiben Sie die Sätze zu den Bildern rechts.**

Wohin?	Wo?
1. Ich stecke das Handy in die Tasche.	Das Handy steckt in der Tasche.
2. _____	_____
3. _____	_____
4. _____	_____
5. _____	_____

3 Die Kurzformen „ans", „ins", „aufs", „am", „im", … › KB: C2c › G: 6.2

a Lesen Sie die Ortsangaben und bilden Sie Kurzformen.

Wohin?	Wo ?
Präposition + das → ~~das~~, z. B.:	Präposition + dem → ~~dem~~, z. B.:
1. an + das Fenster → *ans Fenster*	7. an + dem Fenster → *am Fenster*
2. in + das Haus → _____	8. in + dem Haus → _____
3. auf + das Regal → _____	9. auf + dem Regal → _____
4. unter + das Bild → _____	10. unter + dem Sessel → _____
5. über + das Sofa → _____	11. über + dem Stuhl → _____
6. vor + das Bett → _____	12. vor + dem Kleiderschrank → _____

b In der neuen Wohnung. Überlegen Sie: „Wohin?" + Akkusativ oder „Wo?" + Dativ? Ergänzen Sie die Kurzformen aus 3a.

1. Christian legt die Zeitung _aufs_ Sofa. (auf)
2. Die Kartons stehen _____ Tisch. (unter)
3. Er stellt die Bücherkisten _____ Fenster. (vor)
4. Annas Tochter sitzt _____ Bett. (in)

5. _____ Sofa liegt die Hose. (auf)
6. Er hängt den Kalender _____ Sofa. (über)
7. Die Waschmaschine stellt Anna _____ Bad. (in)
8. Die Blumen stehen _____ Fenster. (an)

c Formulieren Sie Fragen zu den Sätzen aus 3b und schreiben Sie sie in die Tabelle.

Wohin? + Akkusativ	Wo? + Dativ
1. Wohin legt Christian die Zeitung?	2. Wo stehen die Kartons?

4 Das Perfekt von „stellen / stehen, legen / liegen, …" › KB: C2c › G: 6.2

a Ergänzen Sie die Perfektformen.

gesetzt | gesteckt | gestellt | gesteckt | gehängt | gelegt | gehangen | gelegen | gestanden | gesessen

Bewegung in eine Richtung

1. setzen – _hat gesetzt_
2. legen – _____
3. stellen – _____
4. hängen – _____
5. stecken – _____

Position an einem bestimmten Ort

6. sitzen – _hat gesessen_
7. liegen – _____
8. stehen – _____
9. hängen – _____
10. stecken – _____

b Schauen Sie sich die Verben in 4a noch einmal an. Was passt: a oder b? Kreuzen Sie an.

(G)

1. Die Verben „stellen, legen, hängen, setzen" drücken eine Bewegung in eine Richtung aus.
   Ihre Konjugation ist   a. ☐ regelmäßig   b. ☐ unregelmäßig.
2. Die Verben „stehen, liegen, hängen, sitzen" drücken aus, das etwas / jemand an einem bestimmten Ort ist.
   Ihre Konjugation ist   a. ☐ regelmäßig   b. ☐ unregelmäßig.
3. Eine Ausnahme ist das Verb „stecken".
   Seine Konjugation ist immer   a. ☐ regelmäßig   b. ☐ unregelmäßig.

c Wo sind die Sachen jetzt? Schreiben Sie die Antworten wie im Beispiel.

1. Steckt das Notizbuch in deiner Tasche?   Ja, _ich habe es in meine Tasche gesteckt._
2. Liegt die Zeitung auf dem Tisch? (Kommode)   Nein, _ich habe sie auf die Kommode gelegt._
3. Steht das Buch im Regal? (Schrank)   Nein, _____
4. Hängen die Schlüssel neben der Tür?   Ja, _____
5. Liegt die Uhr auf der Kommode? (Tisch)   Nein, _____

Ⓩ 5 Was ist wo in Annes Arbeitszimmer? › KB: C3

a **Das ist Annes Arbeitszimmer. Was ist wo? Notieren Sie den passenden Buchstaben zu den Ortsangaben unten.**

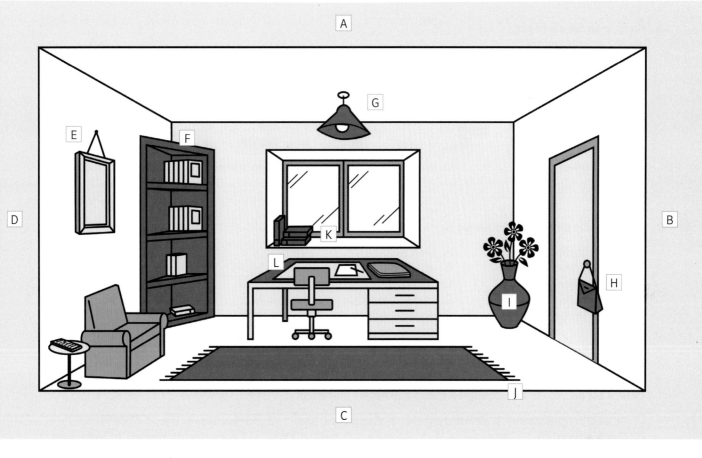

1. am Fenster	_L_	5. auf dem Fußboden	⌣	9. in der Mitte an der Decke	⌣
2. an der Wand	_E_	6. rechts in der Ecke	⌣	10. links in der Ecke	⌣
3. oben	_A_	7. unten	⌣	11. rechts	⌣
4. an der Tür	⌣	8. links	⌣	12. auf der Fensterbank	⌣

b **Anne beschreibt ihr Arbeitszimmer. Schauen Sie das Zimmer oben genau an und ergänzen Sie dann die Ortsangaben aus 5a. Denken Sie auch an die Wechselpräpositionen und Artikel.**

Endlich habe ich ein Arbeitszimmer! Mein Schreibtisch steht [1] _am Fenster_ _____.

Meine Wörterbücher liegen [2] _____. Ich habe auch ein Bücherregal.

Es steht [3] _____. Ich lese gern in meinem Sessel. Er steht

[4] _____ . [5] _____ über dem

Sessel habe ich ein Bild gehängt. [6] _____ liegt ein Teppich. Er ist ein

Geschenk von meiner Familie. Die Lampe hängt natürlich [7] _____ . Sie

ist neu. Ich habe auch Pflanzen: Die Blumen habe ich [8] _____ neben

meinen Schreibtisch gestellt. Meine Tasche habe ich [9] _____ gehängt.

Jetzt finde ich alles und das Arbeiten zu Hause macht wirklich Spaß!

D So wohne ich

1 Wo und wie kann man wohnen? › KB: D1b

a Korrigieren Sie die Fehler.

das ~~Reihenhaus~~
das Einfamilienhaus

das Hochhaus

das Mehrfamilienhaus

das Einfamilienhaus

b Wie heißt das Gegenteil? Ordnen Sie zu.

1. im Eigenheim wohnen	A. weit weg	1. *C*
2. am Stadtrand	B. arbeiten	2. ☐
3. Mehrfamilienhaus	C. zur Miete wohnen	3. ☐
4. in Rente sein	D. in der Innenstadt	4. ☐
5. vor der Haustür	E. Einfamilienhaus	5. ☐

2 Die Infrastruktur › KB: D2b

Ordnen Sie die Wörter zu. Schreiben Sie auch den Artikel und Plural.

Autobahn | Bäckerei | Badmintonhalle | Bahnhof | Bar | Bundesstraße | Bus | Café |
Einkaufszentrum | Ganztagsschule | Hallenbad | Kindergarten | Kinocenter | Kneipe | Restaurant |
S-Bahn | Sportstadion | Sportverein | Stadtmuseum | Busstation | Supermarkt | Theater

1. Einkaufen: _____
2. Gastronomie: _____
3. Verkehr: *die Autobahn, -en* _____
4. Bildung: _____
5. Kultur: _____
6. Sport: _____

Rechtschreibung

TIPP

Es gibt keine Regeln, für die Schreibung von Wörtern mit „f" oder „v". Man muss die Wörter lernen.

1 „v" oder „w" – „v" oder „f"?

a ▷ 4|45 Was fehlt? Hören Sie die Wörter und ergänzen Sie die Buchstaben „v" oder „w".

1. _V_erkehr im No___ember
2. ___iele ___örter
3. eine ___ohnung
4. der Ser___ice
5. die Reno___ierung
6. die ___isitenkarte
7. der Sport___erein
8. das ___erk
9. ___iel ___erbung

b Lesen Sie den Tipp oben rechts und ergänzen Sie „v" oder „f".

1. _F_abrik
2. ___ater
3. ___orwahl
4. ___irma
5. ___ermieter
6. ___achkraft

Grammatik im Überblick

1 Adjektivdeklination vor Nomen ohne Artikel › G: 5.1

	Maskulinum (M)	Neutrum (N)	Femininum (F)	Plural (M, N, F)
Nom.	der → sonniger Balkon	das → helles Zimmer	die → neue Küche	die → alte Fenster
Akk.	den sonnigen Balkon	das → helles Zimmer	die → neue Küche	die → alte Fenster
Dat.	mit dem → mit sonnigem Balkon	in dem → in hellem Zimmer	mit der → mit neuer Küche	mit den → mit alten Fenstern

Adjektive vor Nomen ohne Artikel haben im Nominativ, Akkusativ und Dativ Singular und Plural die Endungen vom bestimmten Artikel.

2 Wechselpräpositionen › G: 6.2

„an", „auf", „in", „hinter", „vor" „über", unter", „neben", „zwischen" sind Wechselpräpositionen.

| an | auf | in | hinter | vor | über | unter | neben | zwischen |

3 Wechselpräpositionen mit Dativ oder Akkusativ › G: 6.2

Wohin? → Präposition + **Akkusativ**	Wo? → Präposition + **Dativ**
an, auf, in, hinter, vor, über, unter, neben, zwischen	an, auf, in, hinter, vor, über, unter, neben, zwischen
an + das → ans, in + das → ins umgangssprachlich auch: - aufs, hinters, übers, vors, unters - aufn, hintern, übern, untern	an + dem → am, in + dem → im umgangssprachlich auch: - aufm, hinterm, überm, vorm, unterm
→ **Bewegung** Wohin stellst du die Gläser? – Ich stelle die Gläser auf den Tisch. Wohin steckt Christian das Handy? – Er steckt es in die Hosentasche.	→ **Position** Wo stehen die Gläser? – Die Gläser stehen auf dem Tisch. Wo steckt das Handy? – Das Handy steckt in der Hosentasche.

4 Das Perfekt von „stellen / stehen, legen / liegen, …" › G: 6.2

Bewegung: regelmäßig		Position: unregelmäßig	
stellen	– hat gestellt	stehen	– hat gestanden
legen	– hat gelegt	liegen	– hat gelegen
hängen	– hat gehängt	hängen	– hat gehangen
setzen	– hat gesetzt	sitzen	– hat gesessen
stecken	– hat gesteckt	Ausnahme: stecken – hat gesteckt (regelmäßig)	

- Die Verben **stellen, legen, setzen, hängen und stecken** → Ortsveränderung, Bewegung in eine **Richtung**.
  Die Frage ist „Wohin?". Die Präposition steht im Akkusativ.
- Die Verben **stehen, liegen, setzen, hängen und stecken** → etwas / jemand ist an einem bestimmten **Ort**.
  Die Frage ist „Wo?". Die Präposition steht im Dativ.

A Eine Ausbildung zu …

1 Das duale Berufsausbildungssystem › KB: A1a

a Lesen Sie die Erklärungen. Welche Wörter aus dem Schüttelkasten sind das?

> die Ausbildung | der Betrieb | die duale Ausbildung | die Berufsschule | der Ausbildungsvertrag |
> die Blockform

1. Das duale Berufsausbildungssystem heißt auch: *die duale Ausbildung*

2. Dort arbeitet man und lernt praktisch: _____

3. Dort lernt man die Theorie: _____

4. Man lernt die Theorie in der Form: 2 oder 3 Monate lang: _____

5. Die Voraussetzung für eine Ausbildung ist: _____

6. Ein anderes Wort für „Lehre": _____

b Lesen Sie den Informationstext und ergänzen Sie die Wörter aus 1a. Ein Wort kommt zweimal vor.

Als [1] *duale* _____ Ausbildung bezeichnet man die parallele Ausbildung in [2] _____ und

[3] _____ in Deutschland, Österreich und der Schweiz. Der praktische Teil findet im [4] _____

statt, und die [5] _____ lernt man in der Berufsschule (1–2 Tage pro Woche). Manchmal findet die

theoretische Ausbildung in [6] _____ , z. B. 3 Monate, statt. Die Voraussetzung ist ein [7] _____

mit einer Firma.

2 Die Einführungswoche › KB: A2b

a Lesen Sie die Steckbriefe im Kursbuch 13A, 2a, noch einmal und schreiben Sie zusammengesetzte Nomen mit „Ausbildung" in Ihr Heft.

der Ausbildungsberuf, … _____

_____

b Welche Berufe lernen die Auszubildenden? Verbinden Sie die Nomen und / oder Wortteile.

> Design | Elektronik | -er | -er | Fach | Frau | für | -in | -in |
> Industrie | Kauf | Kraft | Lager | Logistik | Mann | Produkt

1. *Elektroniker / -in* _____   3. _____

2. _____   4. _____

c Was macht man in diesem Beruf? Lesen Sie den Steckbrief A, im Kursbuch 13A, 2a, noch einmal und schreiben Sie Sätze wie im Beispiel in Ihr Heft.

Industriekaufmann / -frau

Man steuert betriebswirtschaftliche Prozesse im Unternehmen. Man vergleicht …

_____

_____

d Elektroniker – Tätigkeiten: Notieren Sie zu den Nomen die Verben aus dem Steckbrief B.

1. die Beschreibung: *beschreiben*
2. die Installation: _____
3. die Kontrolle: _____
4. die Organisation: _____
5. die Programmierung: _____
6. die Prüfung: _____
7. die Reparatur: _____
8. die Wartung: _____

e Was macht der Elektroniker? Welche Verben aus 2d fehlen in den Sätzen? Notieren Sie.

1. Der Elektroniker *wartet, installiert* _____ und _____ elektronische Bauteile.
2. Er _____ und _____ elektronische Systeme.
3. Er _____ und _____ die Montage von Anlagen.
4. Er zeigt und _____ den Kunden die Anlagen.

f Ergänzen Sie die Tabelle und notieren Sie weitere Beispiele aus den Steckbriefen.

Englisch	Deutsch	Ihre Sprache
1. to install	*installieren*	…
2. production		
…		

3 Grammatik auf einen Blick: Die n-Deklination › KB: A3 › G: 2.1

a Markieren Sie die Endungen im Nominativ Singular und ergänzen Sie den Plural, dann Akkusativ und Dativ Singular.

Nominativ	Akkusativ	Dativ	Plural (N, A, D)
1. der Franzose	den Franzosen	dem Franzosen	die / den Franzosen
2. der Psychologe	den Psycholog___	dem Psycholog___	die / den Psycholog___
3. der Assistent	den Assistent___	dem Assistent___	die / den Assistent___
4. der Praktikant	den Praktikant___	dem Praktikant___	die / den Praktikant___
5. der Tourist	den Tourist___	dem Tourist___	die / den Tourist___
6. der Dokorand	den Doktorand___	dem Doktorand___	die / den Doktorand___
7. der Automat	den Automat___	dem Automat___	die / den Automat___

TIPP

Deklination von „Herr":
der Herr, die Herren
den Herrn, dem Herrn

b Lesen Sie die Wörter in 3a noch einmal. Was fällt auf? Ergänzen Sie die Regel.

G

Zur n-Deklination gehören maskuline Nomen mit den Endungen: *-e,* _____ .

c Ergänzen Sie die Endungen. Manchmal ist keine Endung nötig.

1. Rufen Sie bitte den Kunde *n* ___, Herr___ Sand, an.   –   Der Kunde___ ist nicht da.
2. Ich muss mit dem Lieferant___ sprechen.   –   Der Lieferant___ ruft morgen an.
3. Bitte schicken Sie Herr___ May eine E-Mail.   –   Ich glaube, Herr___ May ist in Urlaub.

B Eine Erfolgsgeschichte

1 Die Firma „Wirtgen" › KB: B1b

a Lesen Sie den Informationstext im Kursbuch 13B, 1a, noch einmal. Welches Wort aus dem Informationstext ist das? Notieren Sie auch den Artikel.

1. denüngr   *gründen*
2. unnehtermenFuhr   *das Fuhrunternehmen*
3. baufirßenmaStra
4. träAufge
5. fräHeißse
6. lassNieungder

7. leiDienstster
8. bauMaernenschi
9. ortStand
10. fühMarktrer
11. baueTag
12. freundumlichwelt

b Welche Verben passen zu den Nomen? Kreuzen Sie an.

1. Aufträge   a. ☒ erledigen   b. ☐ machen   c. ☒ bekommen
2. als Subunternehmer   a. ☐ konzentrieren   b. ☐ arbeiten   c. ☐ tätig sein
3. eine Firma   a. ☐ gründen   b. ☐ bauen   c. ☐ leiten
4. eine Maschine   a. ☐ bauen   b. ☐ entwickeln   c. ☐ erledigen
5. eine Niederlassung   a. ☐ zusammenführen   b. ☐ eröffnen   c. ☐ ausbauen
6. den Maschinenpark   a. ☐ ausbauen   b. ☐ erweitern   c. ☐ machen

2 Regelmäßige Verben im Präteritum › KB: B2b › G: 1.4

TIPP

Präteritum von „lernen"
ich zeichnete, aber ich lernte
→ nach „rn" kein -e- vor „t"

a Lesen Sie den Tipp und ergänzen Sie die Tabelle mit den Verbformen im Präteritum. Welche Formen haben die gleiche Endung? Markieren Sie.

	erledigen	entwickeln	leiten	beenden	zeichnen	lernen
ich	erledigte					lernte
du		entwickeltest				
er / sie / es	erledigte			beendete		
wir					zeichneten	
ihr						
sie			leiteten			
Sie (Sg. + Pl.)						lernten

b Notieren Sie die Präteritumformen wie im Beispiel.

1. er, ausbauen: *er baute aus*
2. sie (Pl.), arbeiten: _____
3. du, berichten: _____
4. ich, steuern: _____
5. wir, gründen: _____
6. Sie, bezeichnen: _____

7. wir, erweitern: _____
8. er, verhandeln: _____
9. sie (Sg.), prüfen: _____
10. du, installieren: _____
11. ihr, vorstellen: _____
12. man, reagieren: _____

13. du, montieren: _____
14. ihr, warten: _____
15. es, zeigen: _____
16. wir, lagern: _____
17. man, planen: _____
18. er, wechseln: _____

P 3 Die Firma „Wirtgen" und ihre Geschichte › KB: B3

Welches Wort passt in die Lücke: a, b, c oder d? Kreuzen Sie an.

Im November 1961 [1] *gründete* Reinhard Wirtgen in Windhagen

ein Fuhrunternehmen. Er machte seine Arbeit mit nur [2] _____

Lastkraftwagen. 1965 [3] _____ er einen Betonzertrümmerer

und arbeitete [4] _____ Subunternehmer für Straßenbaufirmen.

Zusammen mit [5] _____ 10 Mitarbeitern erledigte er viele

[6] _____. 1979 [7] _____ die Firma eine Kaltfräse.

Die Firma hatte schon 150 Mitarbeiter, erweiterte den Maschinenpark auf über 100 Maschinen und [8] _____

nun auch Niederlassungen im Ausland. 1980 – 1996: Reinhard Wirtgen konzentrierte die Aktivitäten auf den Neubau

von Straßen und den Tagebau. Die Firma war nun kein Dienstleister mehr, [9] _____ Maschinenbauer.

[10] _____ 1997 leiteten seine Söhne Jürgen und Stefan Wirtgen das Unternehmen. Sie [11] _____

den Standort Windhagen _____. Sie führten fünf Firmen zusammen zur „Wirtgen Group". Die Gruppe

[12] _____ weltweit _____.

1. a. ☐ machte   b. ☐ arbeitete   c. ☐ baute   d. ☒ gründete
2. a. ☐ dem   b. ☐ einen   c. ☐ einem   d. ☐ einer
3. a. ☐ prüfte   b. ☐ baute   c. ☐ reparierte   d. ☐ gebaut
4. a. ☐ als   b. ☐ bei   c. ☐ mit   d. ☐ wie
5. a. ☐ ihren   b. ☐ seine   c. ☐ seinem   d. ☐ seinen
6. a. ☐ Verträge   b. ☐ Aufträge   c. ☐ Aufträgen   d. ☐ Auftrag
7. a. ☐ entwickelte   b. ☐ Entwicklung   c. ☐ entwickelten   d. ☐ entwickeln
8. a. ☐ öffnete   b. ☐ machte   c. ☐ eröffnete   d. ☐ bekam
9. a. ☐ aber   b. ☐ und   c. ☐ oder   d. ☐ sondern
10. a. ☐ An   b. ☐ In   c. ☐ Seit   d. ☐ Von
11. a. ☐ ausbauen   b. ☐ bauten … aus   c. ☐ ausgebaut   d. ☐ baut … aus
12. a. ☐ ist … tätig   b. ☐ sind … tätig   c. ☐ war … tätig   d. ☐ waren … tätig

C Wie kam das?

1 Alinas Opa heißt … – Familienbezeichnungen › KB: C1b

a Wer ist das? Lesen Sie die Beschreibung und ergänzen Sie die richtige Familienbezeichnung.

1. Der Bruder von meinem Vater ist mein *Onkel*; seine Schwester ist meine *Tante*.

2. Die Mutter von meiner Mutter ist meine _____ und ihr Vater ist mein _____.

3. Die Tochter von meinem Onkel ist meine _____ und der Sohn ist mein _____.

4. Die Tochter von meiner Mutter ist meine _____ oder ich.

5. Wer ist der Sohn von meinen Eltern? Mein _____.

TIPP

der Opa, die Oma:
umgangssprachlich für
Großvater und Großmutter

Olga ◯◯ Hugo

Jürgen ◯◯ Christa — Elisa ◯◯ Jonas — Ellen / Tim ◯◯ Ann

Lea — Lukas — Lara — **Alina** — Thomas

b Ergänzen Sie die Familienbezeichnungen. Die Namen im Stammbaum helfen Ihnen.

1. Alinas *Großvater* heißt Hugo und ihre _____ Olga.
2. Christa ist ihre _____ und Jürgen ihr _____ .
3. Alina hat zwei _____ , Lara und Thomas.
4. Lea und Lukas heißen die _____ und der _____ von Alina.
5. Alinas _____ heißt Elisa und ihr _____ Jonas.
6. Jonas hat eine _____ und einen _____ . Ann ist Tims _____ .
7. Olga und Hugo haben zwei _____ , Christa und Elisa.
8. Christas _____ heißt Jürgen. Sie haben eine Tochter und einen _____ : Lea und Lukas.

2 Eine Familiengeschichte › KB: C1c

▶ 3 | 25 **Hören Sie das Gespräch im Kursbuch 13C, 1a, noch einmal. Welche Aussage ist richtig (r), welche falsch (f)?**

	r	f
1. Diego macht bei der Firma „Wirtgen" eine Ausbildung als Elektriker.	☐	☒
2. Diegos Großvater kam aus einer Großfamilie.	☐	☐
3. Er hatte viele Angestellte.	☐	☐
4. Diegos Vater war Elektriker von Beruf.	☐	☐
5. Diegos Mutter führte das Elektrogeschäft.	☐	☐
6. Diego fand alles im Geschäft sehr interessant.	☐	☐

3 „wissen", „kennen" und die Modalverben „können", … › KB: C3c

a Ergänzen Sie die Tabelle. Kreuzen Sie dann in den Regeln an. › G: 1.2

	wissen	können	wollen	dürfen	müssen	mögen
ich	weiß	*kann*		darf		
du	weißt	kannst			musst	
er / sie / es	weiß		will			mag
wir	wissen	können		dürfen		
ihr	wisst		wollt		müsst	
sie / Sie	wissen					mögen

Ⓖ

1. „wissen" im Präsens konjugiert man   a. ☐ so   b. ☐ nicht so   wie Modalverben.
2. Die 1. und 3. Person Singular Präsens haben   a. ☐ eine   b. ☐ keine   Endung.

Ⓩ b Präteritum von „wissen" und Modalverben: Korrigieren Sie und notieren Sie die richtige Verbform. › G: 1.4

1. du ~~wusste~~ → *wusstest*
2. ihr ~~wussten~~ → _____
3. wir ~~konnte~~ → _____
4. Anna ~~mochtest~~ → _____
5. ich ~~konnten~~ → _____
6. Sie ~~mochtet~~ → _____
7. er ~~wusstet~~ → _____
8. es ~~durftet~~ → _____
9. Leo ~~musstest~~ → _____

c Präteritum von „kennen", „rennen", „nennen": Konjugieren Sie die Verben im Präteritum. › G: 1.4

1. kennen: ich *kannte* ; du _____ ; er / sie / es _____ ; ihr _____
2. rennen: ich _____ ; wir _____ ; sie (Pl.) _____ ; du _____
3. nennen: ich _____ ; ihr _____ ; sie (Sg.) _____ ; wir _____

4 Präteritum: Unregelmäßige und gemischte Verben › KB: C3c › G: 1.4

a Ergänzen Sie die Tabelle und markieren Sie den Vokalwechsel. Ein Wörterbuch kann helfen.

Infinitiv (Präsens)	Präteritum	Perfekt
1. schreiben (er schreibt)	er schrieb	*er hat geschrieben*
2. bleiben (er bleibt)		er ist geblieben
3. essen (er isst)	er aß	
4. sehen (er sieht)		er hat gesehen
5. sprechen (er spricht)	er sprach	
6. trinken (er trinkt)	er trank	
7. gehen (er geht)		er ist gegangen
8. kommen (er kommt)	er kam	
9. werden (er wird)		er ist geworden
10. haben (er hat)		er hat gehabt
11. sein (er ist)	er war	
12. fahren (er fährt)		er ist gefahren
13. denken (er denkt)		er hat gedacht
14. kennen (er kennt)	er kannte	
15. beibringen (er bringt ... bei)		er hat beigebracht
16. wissen (er weiß)	wusste	

TIPP

Lesen Sie die unregelmäßigen Verben laut und lernen Sie sie immer mit Rhythmus: schr**ei**ben, schr**ie**b, geschr**ie**ben!

b Ergänzen Sie die Infinitive und die Personalpronomen.

1. *finden* : *wir / sie / Sie* fanden
2. *bekommen* : *du* bekamst
3. _____ : _____ begann
4. _____ : _____ gingt aus
5. _____ : _____ standest
6. _____ : _____ schlossen
7. _____ : _____ ranntet

D Eine Firmenpräsentation

1 Entwicklungen beschreiben

a Redemittel bei Präsentationen: Was gehört zusammen? Ordnen Sie zu. ⟩ KB: D1b

1. Guten Morgen	A. zum / zur ... erzählen.	1. _B_
2. Ich möchte Ihnen heute die	B. alle zusammen!	2. ⌣
3. Zuerst möchte ich Ihnen etwas	C. Fragen stellen.	3. ⌣
4. Dann möchte ich	D. Firma Hamm vorstellen.	4. ⌣
5. Zum Schluss können Sie	E. wie folgt weiter: ...	5. ⌣
6. Danach geht es	F. die Entwicklung von ... zeigen.	6. ⌣

b Schreiben Sie Sätze mit den Elementen und den Zeitformen in Klammern. ⟩ KB: D1c

1. Ab 1928 – Firma – Straßenwalzen – immer weiter entwickeln (Präteritum)

   Ab 1928 entwickelte die Firma die Straßenwalzen immer weiter.

2. Seit 1953 – steigen – Export – ständig (Perfekt)

3. Firma – ausbauen – Standort (Präteritum)

4. In den letzten 10 – 15 Jahren – Firma – können – ständig erhöhen – Umsatz (Präteritum)

5. Mitarbeiterzahl – wachsen auf – bis heute – ca. 1.400 Personen (Perfekt)

6. Für ihre Walze – sie – einen internationalen Designpreis – bekommen (Präteritum)

7. 2003 – ihr 125. Jubiläum – Firma – feiern (Perfekt)

Rechtschreibung

1 Wörter auf „sch", „sp" und „st" hören und schreiben

▶ 4 | 46 Hören und schreiben Sie die Wörter. Korrigieren Sie mit dem Lösungsschlüssel.

1. das Ge _spräch_

2. _____dig

3. die Bau_____

4. der _____ort

5. die Ge_____

6. die _____walze

7. sie _____ten

8. _____nend

9. der _____baum

10. die _____ter

11. der _____leister

12. die Früh_____

Grammatik im Überblick

1 Die n-Deklination   › G: 2.1

	Singular		Plural
Nom.	der ein	Kunde / Lieferant / Produzent	die Kunden / Lieferanten / Produzenten Ø Kunden / Lieferanten / Produzenten
Akk.	den einen	Kunden / Lieferanten / Produzenten	die Kunden / Lieferanten / Produzenten Ø Kunden / Lieferanten / Produzenten
Dat.	dem einem	Kunden / Lieferanten / Produzenten	den Kunden / Lieferanten / Produzenten Ø Kunden / Lieferanten / Produzenten

Zur n-Deklination gehören maskuline Nomen mit diesen Endungen im Nominativ Singular: „-and", „-ant", „-at", „-ent", „-ist", „-oge" und auf „-e". Diese Nomen bilden den Plural auf „-(e)n" und haben auch im Akkusativ und Dativ Singular die Endung „-(e)n".
Ausnahme: Nomen auf „-or", z. B. der Doktor, „-en" → den Doktor; der Herr, die Herren → den Herrn

2 Das Präteritum – regelmäßige Verben   › G: 1.4

	machen	ausbauen	gründen	arbeiten	eröffnen
ich	machte	baute … aus	gründete	arbeitete	eröffnete
du	machtest	bautest … aus	gründetest	arbeitetest	eröffnetest
er / sie / es	machte	baute … aus	gründete	arbeitete	eröffnete
wir	machten	bauten … aus	gründeten	arbeiteten	eröffneten
ihr	machtet	bautet … aus	gründetet	arbeitetet	eröffnetet
sie	machten	bauten … aus	gründeten	arbeiteten	eröffneten
Sie (Sg. + Pl.)	machten	bauten … aus	gründeten	arbeiteten	eröffneten

Das Präteritum von regelmäßigen Verben bildet man so: Stamm + „t" + Endung, z. B. machte, baute … aus; Verben mit Stamm auf „t", „d" und „n" oder „m": „-et" + Endung, z. B. arbeitete, gründete, öffnete, atmete.
Ausnahme: Verben mit Stamm auf „rn", z. B. lernen: „t" + Endung → er lernte

3 Das Präteritum – unregelmäßige und gemischte Verben   › G: 1.4

	unregelmäßige Verben			gemischte Verben		
	kommen	finden	werden	rennen	denken	wissen
ich	kam	fand	wurde	rannte	dachte	wusste
du	kamst	fandest	wurdest	ranntest	dachtest	wusstest
er / sie / es	kam	fand	wurde	rannte	dachte	wusste
wir	kamen	fanden	wurden	rannten	dachten	wussten
ihr	kamt	fandet	wurdet	ranntet	dachtet	wusstet
sie	kamen	fanden	wurden	rannten	dachten	wussten
Sie (Sg. + Pl.)	kamen	fanden	wurden	rannten	dachten	wussten

Unregelmäßige Verben ändern den Stammvokal. Die 1. und 3. Person Singular haben keine Endung.
Ausnahme „werden" → Endungen wie regelmäßige Verben.
Gemischte Verben ändern auch den Stammvokal, aber sie haben die gleichen Endungen wie regelmäßige Verben.

Bedeutung: Man erzählt oder berichtet etwas Vergangenes vor allem in schriftlichen Texten (Märchen, Geschichten, Berichten).
z. B.   Mein Großvater eröffnete ein Elektrogeschäft. Alles ging sehr gut, denn die ganze Familie arbeitete mit.

Erzählt man mündlich oder spricht über ein Ereignis in der Vergangenheit, dann verwendet man auch oft das Perfekt.
z. B.   Gestern habe ich meine Großeltern besucht. …

A Home-Office, aber wie?

1 Wie heißen die Wörter?

a Bilden Sie Wörter aus den Wortteilen und schreiben Sie sie mit Artikel und Plural unter die passenden Bilder. › KB: A1a

An | An | an | bel | bel | dem | dose | Ether | Fern | fon | ka | Ka | lage | mo | net | Netz | ~~Rou~~ | seher | schluss | Soft | Stereo | Tele | teil | tenne | ~~ter~~ | ware | WLAN-

1	2	3	4	5
der Router, –				

6	7	8	9	10

b Wie heißt das richtige Verb: a oder b? Kreuzen Sie an. › KB: A1c

1. ein Angebot — a. ☐ nehmen — b. ☒ buchen
2. mit der Produkt- und Kaufberatung — a. ☐ verbinden — b. ☐ anrufen
3. einen Vertrag mit einer Firma — a. ☐ haben — b. ☐ verbinden
4. im Gespräch mit jemanden — a. ☐ telefonieren — b. ☐ sein
5. ein Problem — a. ☐ auflegen — b. ☐ haben
6. die Produkt- und Kaufberatung — a. ☐ anrufen — b. ☐ telefonieren

2 Warum? – Gründe nennen

a Beantworten Sie die Fragen mit „weil-Sätzen" mit den Angaben in Klammern. Schreiben Sie die Sätze in die Tabelle. › KB: A2 › G: 4.2

TIPP

weshalb? wieso? = warum?
Die drei Fragewörter haben die gleiche Bedeutung.

1. Warum ruft Herr Sinn bei „Kabel Perfekt" an? (er ein Problem haben)
2. Weshalb ist die Sendung nicht komplett? (Ethernet-Kabel und CD-ROM fehlen)
3. Warum kann die Hotline-Mitarbeiterin nichts tun? (Produkt- und Kaufberatung ist zuständig)
4. Wieso kann sie die Produkt- und Kaufberatung nicht erreichen? (alle Mitarbeiter im Gespräch sein)
5. Warum will sie es nicht noch einmal versuchen? (alle Anschlüsse besetzt sein)

Hauptsatz	Nebensatz		
1. Herr Sinn ruft bei „Kabel Perfekt" an,	weil	er ein Problem	hat.
2.			
3.			
4.			
5.			

b Formulieren Sie „weil-Sätze" als Antwort. › KB: A3 › G: 4.2

Antwort mit einem Nebensatz
Wenn jemand nach einem Grund fragt, antwortet man oft nur mit dem Nebensatz mit „weil".

1. Warum schreibt Herr Sinn an „Kabel-Perfekt"? (wieder – geben – Probleme – es)

   Weil es wieder Probleme gibt.

2. Warum kann er nicht fernsehen? (die SmartCard – für den Receiver – können – nicht freischalten – er)

   _____

3. Warum muss der Fernseher funktionieren? (ihn – Herr Sinn – beruflich – brauchen)

   _____

4. Warum möchte Herr Sinn nicht mehr bei der Hotline anrufen? (dauern – das – zu lange)

   _____

5. Warum möchte Herr Sinn mit einem Techniker sprechen? (das Problem – der – lösen können – schnell)

   _____

c Schreiben Sie eine Anleitung für die Freischaltung von der SmartCard. › KB: A3

1. folgende Schritte ausführen: *Führen Sie folgende Schritte aus:* _____

2. SmartCard in Kartenschlitz von Digital-Receiver stecken _____

3. Sendersuchlauf durchführen _____

4. Sender „Kabel-Perfekt-aktuell" wählen _____

5. eine Stunde warten _____

6. es vielleicht noch einmal versuchen _____

B Wählen Sie bitte die …

1 Die Telefonanlage: Ich schalte mal auf laut … › KB: B1b

a Betrachten Sie das Foto und ergänzen Sie die Wörter aus dem Schüttelkasten.

> der Anrufbeantworter | der Anschluss für das Headset | das Display | der Hörer | der Lautsprecher |
> die Lautstärke (laut – leise) | die Tastatur | das Telefonbuch

1. *der Hörer* _____
2. _____
3. _____
4. _____
5. _____
6. _____
7. _____
8. _____

b Welches Verb / welcher Ausdruck gehört zu welchem Wort in 1a? Einmal passen zwei. Notieren Sie.

abnehmen | auflegen | die Nummer suchen | leise / laut stellen | abhören | die Nummer wählen | anschließen | den Namen vom Anrufer sehen | auf laut schalten

1. den Hörer: *abnehmen* und wieder _____

2. auf der Tastatur: _____

3. den Anrufbeantworter: _____

4. der Lautsprecher: _____

5. die Lautstärke: _____

6. auf dem Display: _____

7. das Headset: _____

8. im Telefonbuch: _____

2 Ansagen von der Hotline › KB: B1b

▶ 4|47 **Hören Sie zuerst die Ansage. Ergänzen Sie dann die fehlende Informationen.**

1. Wenn Sie Fragen haben, rufen Sie die *Hotline* an.

2. Wenn man Produktinformationen möchte, wählt man die „_____".

3. Wenn man technische _____ hat, wählt man die „Zwei".

4. Man wählt die „_____", wenn man Informationen über eine Lieferung haben möchte.

5. Man wählt die „Vier", wenn man einen _____ sprechen möchte.

6. Man kann _____, wenn man nicht mehr warten möchte.

Computer _____ **Rhein** –

3 Bedingungssätze mit „wenn" › KB: B2b › G: 4.2

a Schreiben Sie die Sätze aus 2 in die Tabelle wie im Beispiel.

Nebensatz			Hauptsatz	
1. Wenn	Sie Fragen	haben,	rufen	Sie die Hotline an.

Hauptsatz	Nebensatz		
4. Man wählt die „Drei",	wenn	man Informationen über eine Lieferung	haben möchte.

b Lesen Sie den Tipp unten. Was passt: „wenn" oder „weil / da"? Kreuzen Sie an.

1. Herr Sinn ruft bei „Kabel Perfekt" an,   a. ☒ weil / da   b. ☐ wenn   er einen Vertrag mit der Firma hat.
2. Herr Sinn legt nicht auf,   a. ☐ weil / da   b. ☐ wenn   er dringend Hilfe braucht.
3. Oft muss man lange warten,   a. ☐ weil / da   b. ☐ wenn   man eine Hotline anruft.
4. Der Techniker soll schnell kommen,   a. ☐ weil / da   b. ☐ wenn   er Zeit hat.
5. Manchmal kann man ihn persönlich anrufen,   a. ☐ weil / da   b. ☐ wenn   man wieder ein Problem hat.
6. Herr Sinn braucht den Techniker schnell,   a. ☐ weil / da   b. ☐ wenn   der Fernseher nicht funktioniert.
7. Herr Sinn will den Vertrag kündigen,   a. ☐ weil / da   b. ☐ wenn   er bis Freitag keine Antwort hat.

TIPP

Ⓩ **c** Schreiben Sie nun die Sätze aus 3b in Ihr Heft. Beginnen Sie mit „wenn" oder „weil / da".

1. Weil / Da Herr Sinn einen Vertrag mit „Kabel Perfekt" hat, ruft er bei der Firma an.

„weil-Sätze" = „da-Sätze"

Z **d** **Was macht man, wenn . . . ? Beantworten Sie die Fragen mithilfe von den Wörtern aus 1a und b.**

1. Das Telefon klingelt. *Wenn das Telefon klingelt, hebt man den Hörer ab.*

2. Ein Kollege soll ein Telefongespräch mithören. _____

3. Man hat das Gespräch beendet. _____

4. Die LED vom Anrufbeantworter blinkt. _____

5. Man will mit Headset telefonieren. _____

6. Man weiß eine Telefonnummer nicht. _____

4 Nomen und Verben › KB: B4c

a **Wie heißen die Nomen zu den Verben? Notieren Sie sie mit Artikel und Plural.**

1. aktivieren: *die Aktivierung, –en*　　4. beraten: _____　　7. verbinden: _____

2. sprechen: *das Gespräch, –e*　　5. zurückrufen: _____　　8. anrufen: _____

3. versuchen: _____　　6. vergleichen: _____　　9. fernsehen: _____

b **Ergänzen Sie die Nomen aus 4a in den folgenden Sätzen.**

1. *Die Aktivierung* _____ von der SmartCard hat nicht funktioniert.

2. Der dritte _____ hat auch nicht geklappt.

3. Sein _____ funktioniert nicht, weil er die SmartCard für den Receiver nicht aktivieren kann.

4. Herr Sinn wollte eine technische _____.

5. Das _____ mit einem Techniker war nicht möglich.

6. Denn die _____ hat nicht geklappt.

7. Herr Sinn hat um _____ gebeten.

5 So geht ein Telefongespräch › KB: B5a

Welche Redemittel passen zu den Beschreibungen? Notieren Sie.

> Guten Tag, hier spricht … | Ich möchte gern Frau / Herrn … sprechen. | Einen Moment, ich verbinde Sie. |
> Es ist besetzt. Frau / Herr … ist gerade im Gespräch. | Können Sie mir die Durchwahl geben? | Die Durch-
> wahl ist … | Können Sie Frau / Herrn … eine Nachricht hinterlassen? | Richten Sie ihr / ihm bitte aus, … |
> Frau / Herr … ist leider nicht da. Kann ich etwas ausrichten? | Kann Frau / Herr … mich zurückrufen? |
> Ja, natürlich, ich richte es aus. | Vielen Dank. | Auf Wiederhören.

1. Begrüßung: *Guten Tag, hier spricht …* _____

2. Sie wollen mit jemandem sprechen / verbinden: _____

3. Die Person spricht gerade: _____

4. Sie wollen die Telefonnummer von der Person haben / geben: _____

5. Die Person soll eine Nachricht bekommen: _____

6. Die Person ist nicht da. Sie können sie informieren: _____

7. Sie bitten um Rückruf: _____

8. Dank / Verabschiedung: _____

C Installation leicht?

1 Installationsanleitung

a Welches Verb passt: a oder b? Kreuzen Sie an. › KB: C1

1. Das Ethernet-Kabel in das Modem — a. ☒ stecken. — b. ☐ verbinden.
2. Den WLAN-Router mit dem Computer — a. ☐ verbinden. — b. ☐ anschließen.
3. Den Netzstecker in die Steckdose — a. ☐ einlegen. — b. ☐ stecken.
4. Die CD in das Laufwerk — a. ☐ einlegen. — b. ☐ installieren.
5. Die Software — a. ☐ anschließen. — b. ☐ installieren.
6. Ein Update — a. ☐ machen. — b. ☐ updaten.

b ▶ 4|48 Hören Sie das Telefongespräch und ordnen Sie zu. › KB: C2a

1. Netzstecker
2. Ethernet-Kabel grau
3. Ethernet-Kabel blau
4. Software

A. in das Modem und in den Internet-Anschluss vom Router
B. installieren und ein Update machen
C. aus der Steckdose ziehen
D. in den Ethernet-Anschluss vom Computer und in den LAN-4-Anschluss vom WLAN-Router

1. _C_
2. __
3. __
4. __

② 2 Eine Reklamation › KB: C3

Welche Teile hat der Brief? Korrigieren Sie.

Empfänger
1. ~~Absender~~ (Adresse)

Kabel Perfekt
Südstraße 136
96465 Neustadt
per Einschreiben

David Sinn
Grüner Weg 6
96465 Neustadt

5. Empfänger (Adresse)

6. Unterschrift

Reklamation: Umtausch und Installation WLAN-Router vor Ort — 23.05.2016

7. Brieftext

Sehr geehrte Damen und Herren,
ich habe am 11.05. einen WLAN-Router mit Zubehör von Ihnen erhalten. Leider hat es viele Probleme gegeben: Zuerst war das Zubehör nicht komplett, dann konnte ich die SmartCard nicht aktivieren und jetzt funktioniert der Router nicht mehr! Ich habe alles noch einmal installiert, aber er funktioniert immer noch nicht. Sie verstehen sicher, dass das so nicht weitergeht.
Ich schlage vor, dass Sie bis zum 31.05. einen Techniker mit einem Router (neu!) schicken. Der Techniker soll hier alles installieren und prüfen. Ich denke, dass es so am besten ist. Sie wissen, dass ich das Internet dringend brauche, weil ich im Home-Office arbeite.
Wenn der Techniker nicht bis zum 31.05. kommt, kündige ich meinen Vertrag mit Ihnen.

Mit freundlichen Grüßen
David Sinn

2. Grußformel
3. Anrede
4. Betreff

8. Datum

3 Ich glaube, dass ... › KB: C4 › G: 4.2

a Formulieren Sie die Sätze in Klammern als „dass-Sätze". Achten Sie auf die Stellung vom Verb.

1. Herr Sinn denkt, _dass der Router kaputt ist._ _____ (Der Router ist kaputt.)

2. Er schreibt, _____. (Er hat das Zubehör erhalten.)

3. Er reklamiert, _____. (Das Zubehör war zuerst nicht komplett.)

4. Er beschreibt, _____. (Er hat dann alles installiert.)

5. Er glaubt, _____. (Er hat alles richtig gemacht.)

6. Und er betont, _____. (Der Router funktioniert immer noch nicht.)

7. Er hofft stark, _____. (Die Firma löst das Problem.)

b Schreiben Sie die Sätze in die Tabelle und beginnen Sie mit dem Nebensatz.

1. Der Router funktioniert immer noch nicht. (Das ist schlecht.)
2. Ein Techniker kommt. (Das ist nötig.)
3. Herr Sinn braucht das Internet dringend. (Die Firma weiß das genau.)
4. Herr Sinn kündigt den Vertrag. (Das kann man verstehen.)

TIPP

Wenn man die Aussage im „dass-Satz" betonen will, kann man mit dem „dass-Satz" beginnen.

Nebensatz

				Hauptsatz	
1. Dass	der Router immer noch nicht	funktioniert,		ist	schlecht.
2.					
3.					
4.					

c Formulieren Sie „dass-Sätze" und schreiben Sie sie in die Tabelle. Beginnen Sie mit dem Hauptsatz.

1. Herr Sinn hat gehofft, er kann die SmartCard aktivieren.
2. Der Techniker hat gesagt, er muss einen Sendersuchlauf durchführen.
3. Herr Sinn hat alles gemacht und weiß nun, es muss einen Fehler geben.
4. Er meint, es kann so nicht weitergehen.

Hauptsatz

	Nebensatz			
1. Herr Sinn hat gehofft,	dass	er die SmartCard		aktivieren kann.
2.				
3.				
4.				

d Lesen Sie die Sätze in 3c noch einmal und ergänzen Sie die Regel.

Im Nebensatz mit „dass" und einem Modalverb stehen die Verben am _____,
zuerst der Infinitiv vom Vollverb und dann die konjugierte Form vom Modalverb.

4 Briefe schreiben, aber wie? › KB: C5

Ordnen Sie die Redemittel den Struktur-Teilen von einem Brief zu.

Reklamation: Umtausch von Router | Am … habe ich … bei Ihnen gekauft. | Ich schlage vor, dass … | Zuerst habe ich …, dann …, alles ohne Erfolg. | Ich habe … Folgendes gemacht: … | Mit freundlichen Grüßen | Wenn Sie das Problem nicht bis zum … lösen, … | Bitte … Sie bis zum … | Ich möchte, dass … | Sehr geehrte / r Frau / Herr …

Betreff: _Reklamation: Umtausch von Router_

Anrede: _____

Beschreibung von Situation: _____

Anliegen / Vorschlag: _____

Konsequenz, wenn keine Lösung: _____

Grußformel: _____

D Endlich arbeitsfähig

B P 1 Einen Text genau lesen und Fehler finden › KB: D1b

Lesen Sie die Besprechung, finden Sie weitere sieben Fehler und korrigieren Sie sie.

Die Sendung über automatisiertes parken (ohne Fahrer) am Düsseldorfer Flughafen war	*Parken* 1
faszinierend. Die Presentation in 3D zeigte klar die Vorteile von dieser Innovation. Mit „Ray"	_____ 2
können 60 % mehr Autos auf gleicher Fläche parken. Von automatisiertes Parken können viele	_____ 3
profitieren: z. B. Logistik-Unternehmen, PKW-Hersteller oder Parkhäuser. So funktioniert der	✓ 4
Parkroboter „Ray": Er mißt mit Laser die Autos und kennt die Größe von allen Parkplätzen. So	_____ 5
kann er die Autos zu günstigen Parkplätzen bringen. Wenn ein Kunde sein Auto braucht	_____ 6
bestellt er es per Smartphone. „Ray" bringt das Auto dann für den Kunde in	_____ 7
die erste Reihe. Die Startup-Firma „serva transport systems" aus Süddeutschland hat dieses	_____ 8
System entwickelt. 2013 kamm „serva" ins Finale vom Deutschen Gründerpreis für Startups. Im	_____ 9
Internet können Sie interessante Filme über die Firma und den System sehen.	_____ 10

Rechtschreibung

1 Satzzeichen: Komma, Punkt, Doppelpunkt, Ausrufezeichen, Fragezeichen

a **Ergänzen Sie die Satzzeichen (, . : ! . ?) im Werbetext über das Parken mit „Ray".**

1. Wie hole ich mein Auto ab *?*
2. So funktioniert es
3. Wenn ich ein Smartphone habe kann ich eine App herunterladen
4. Ich plane meine Abholzeit weil ich keine Zeit verlieren will und trage sie in die App ein
5. Wenn Sie den Barcode am Terminal eingescannt haben bringt „Ray" Ihr Auto sofort in die erste Reihe
6. So wissen Sie dass Sie nicht warten müssen wenn Sie Ihr Auto abholen
7. Haben Sie noch Fragen
8. „Ray" – DIE Superlösung

b **Vergleichen Sie Ihre Lösungen mit einem Partner / einer Partnerin und ergänzen Sie dann die Regeln.**

1. Am Ende von einem Satz steht ein *Punkt*_____ .   Sätze: 3,_____
2. Nach einer Frage steht ein _____ .   Sätze: _____
3. Nach einem Ausruf steht ein _____ .   Satz: _____
4. Vor einem Nebensatz steht ein _____ .   Sätze: _____
5. Wenn der Nebensatz zwischen zwei Sätzen steht, steht   Sätze: _____

   vor und nach dem Nebensatz ein _____ .

Grammatik im Überblick

1 Nebensätze mit „weil"/„da" › G: 4.2

Nebensätze mit „weil/da" drücken einen Grund aus. Sie antworten auf die Frage „Warum …?".

Hauptsatz		Nebensatz		
Die Mitarbeiterin hilft Herrn Sinn nicht,		weil	sie nicht in der Produktberatung	arbeitet.
Die Mitarbeiterin hilft Herrn Sinn nicht,		da	sie nicht in der Produktberatung	arbeitet.

Nebensatz			Hauptsatz	
Weil	die Mitarbeiterin nicht in der Produktberatung	arbeitet,	hilft	sie ihm nicht.
Da	die Mitarbeiterin nicht in der Produktberatung	arbeitet,	hilft	sie ihm nicht.

Der Nebensatz kann nach oder vor dem Hauptsatz stehen. Das Verb steht im Nebensatz am Satzende.
Auf Fragen nach dem Grund antwortet man häufig nur mit dem Nebensatz.
z. B. Warum hilft die Mitarbeiterin Herrn Sinn nicht? – Weil sie nicht in der Produktberatung arbeitet.

2 Nebensätze mit „wenn" › G: 4.2

Nebensätze mit „wenn" drücken eine Bedingung aus, „wenn … → dann …".

Hauptsatz	Nebensatz		
Wählen Sie die „Drei",	wenn	Sie mit der Produkt- und Kaufberatung	sprechen wollen.

Nebensatz			Hauptsatz	
Wenn	Sie mit der Produkt- und Kaufberatung	sprechen wollen,	(dann) wählen	Sie die „Drei".

Der Nebensatz kann vor oder nach dem Hauptsatz stehen. Das Verb steht im „wenn-Satz" am Satzende. Im Hauptsatz kann ein „dann" stehen oder nicht.

3 Nebensätze mit „dass" › G: 4.2

Nebensätze mit „dass" stehen häufig nach Verben oder Nomen mit folgenden Bedeutungen:
- denken, meinen, glauben, hoffen, sagen, verstehen
  z. B. Herr Sinn denkt / meint / glaubt, sagt, dass der Techniker kommen muss.
- wissen, wollen
  z. B. Er weiß, dass es ein Problem gibt.
       Er will / möchte, dass der Techniker kommt.
- hören, fühlen, sehen
  z. B. Er hört, dass die Leitung besetzt ist.
       Er sieht, dass die Leuchte blinkt.

Hauptsatz		Nebensatz		
Sie verstehen sicher,		dass	es so nicht	weitergeht.
Sie wissen,		dass	es so nicht	weitergehen kann.

Nebensatz			Hauptsatz	
Dass	es so nicht	weitergeht,	verstehen	Sie sicher.
Dass	es so nicht	weitergehen kann,	wissen	Sie.

Der „dass-Satz" steht meist nach dem Hauptsatz. Er kann auch vor dem Hauptsatz stehen, wenn man ihn besonders betonen will.

In der gesprochenen Sprache verwendet man oft keinen Nebensatz mit „dass", sondern einen zweiten Hauptsatz,
z. B. Herr Sinn glaubt, er hat alles richtig gemacht.

A Dienstleistungen

1 Unser Angebot für Ihr Gebäude > KB: A1b

Welches Verb passt? Notieren Sie es.

1. Wir _warten_ den Aufzug.

   a. ☐ schützen b. ☒ warten c. ☐ pflegen

2. Wir _____ den Rasen.

   a. ☐ mähen b. ☐ prüfen c. ☐ reinigen

3. Wir _____ die Flure.

   a. ☐ schneiden b. ☐ wischen c. ☐ warten

4. Wir _____ die Monitore.

   a. ☐ schützen b. ☐ managen c. ☐ überwachen

2 Berufstätige stellen sich vor > KB: A2a

▶ 3|37–40 **Welchen Beruf haben die Personen? Setzen Sie die Nomen wieder richtig zusammen und notieren Sie die Berufe wie im Beispiel. Hören Sie zur Kontrolle die Radiosendung über die Berufe noch einmal.**

~~Anlagen~~reiniger | Betriebstechniker | Fassadenkraft | Haus~~mechaniker~~ | Sicherheitsgärtner

Anlagenmechaniker/-in, _____

3 Verben in reflexiver Form > KB: A3b > G: 3.5

a **Lesen Sie die Sätze und kreuzen Sie an: Ist das Verb reflexiv (r) oder nicht (n)?**

	r	n
1. Bitte entschuldigen Sie die Verspätung.	☐	☒
2. Ich möchte mich entschuldigen. Ich bin etwas zu spät.	☐	☐
3. Können Sie sich bitte kurz vorstellen?	☐	☐
4. Habe ich dir schon meine Kollegin von der Gebäudetechnik vorgestellt?	☐	☐
5. Wir haben den Fehler auf der Webseite korrigiert.	☐	☐
6. Ich muss mich korrigieren. Die Adresse ist Karlplatz 8.	☐	☐
7. Ich wünsche Ihnen viel Erfolg in unserem Unternehmen.	☐	☐
8. Sie hat sich schon immer eine Arbeit in der Natur gewünscht.	☐	☐

b **Lesen Sie die Sätze mit den reflexiven Verben in 3a noch einmal. Auf welches Nomen oder Pronomen beziehen sich die Reflexivpronomen? Markieren Sie.**

c **Wie heißen die Reflexivpronomen? Notieren Sie.**

1. Darf ich _mich_ vorstellen? Ich bin Gebäudereiniger.

2. Sie kümmern _____ also um die Fassadenreinigung.

3. Ihr interessiert _____ für meine Arbeit?

4. An der Hochhausfassade fühlt er _____ frei.

5. Aber über das Gehalt ärgern wir _____.

6. Die Kollegen wünschen _____ mehr Lohn.

7. Du wünschst _____ mehr Freizeit.

8. Meine Familie erinnert _____ nicht mehr an mich.

d **Mir oder mich? Dir oder dich? Vitali Kusmins Frau ruft in der Arbeit an. Lesen Sie den Tipp und kreuzen Sie an.**

Das reflexive Verb hat
– eine Akkusativergänzung
  → Reflexivpronomen im Dativ
– keine Ergänzung
  → Reflexivpronomen im Akkusativ

1. ▶ Kannst du ☐ dich ☒ dir vom 18. bis zum 20. Juni Urlaub nehmen?
   Ich sage ☐ dich ☐ dir gleich den Grund.

2. ▶ Hm, da ist immer viel zu tun … So, ich habe ☐ mich ☐ mir mal die Daten notiert.

3. ▶ Vitali, stell ☐ dich ☐ dir vor, da ist die Hochzeit von Pit und Anne in München.

4. ▶ Ja, super. Ich kümmere ☐ mich ☐ mir dann um ein Hotelzimmer.

5. ▶ Druck ☐ dich ☐ dir bitte die Hotelreservierung aus. Letztes Mal hatten wir ja ein Problem mit der Online-Reservierung …

6. ▶ Ja, ich weiß. Ich erinnere ☐ mich ☐ mir.

7. ▶ Oh, ich freue ☐ mich. ☐ mir so.

4 Eine neue Arbeit? › KB: A3b

Bilden Sie Sätze.

1. Heute – ich – sich nehmen – eine Stunde – frei
   Heute nehme ich mir eine Stunde frei.

2. Ihr – sich fragen, – warum – ich – das – machen – ?

3. Sie (Pl.) – sich vorstellen – morgen – bei – Baufirma

4. Jetzt – sich interessieren – er – sicher – für – Arbeitsangebot

5. Wollen – Sie – sich notieren – Adresse – ?

6. Sie (Sg.) – sich aufschreiben – müssen – Telefonnummer von der Firma

B Unser Auftrag für Sie!

1 Das bieten wir Ihnen! › KB: B1

Ordnen Sie die Ausdrücke aus den Anzeigen im Kursbuch 15B, 1, den Erklärungen zu.

1. Leistungen rund um die Immobilie
2. „Rundum-Sorglos-Paket"
3. Service mit System
4. Die Leistung ist aus einer Hand.
5. Die Reinigung erfolgt zu einer festen Zeit.
6. Sprechen Sie uns an!

A. Kontaktieren Sie uns.
B. Alle Dienstleistungen von einer Firma
C. Jede Art von Service für das Gebäude
D. Arbeit immer zum gleichen Termin
E. Die Firma kümmert sich um alles.
F. Klare Strukturen für den Service

1. _C_
2. ___
3. ___
4. ___
5. ___
6. ___

2 Adjektive nach unbestimmtem Artikel, Negativ- und Possessivartikel › KB: B2c › G: 5.1

a Ergänzen Sie die Adjektivendungen in der Tabelle.

	Maskulinum (M)		Neutrum (N)		Femininum (F)		Plural (M, N, F)	
Nom.	ein kein mein	gut*er* Partner	ein kein mein	nett____ Team	eine keine meine	groß*e* Firma	Ø neu____ keine neu____ meine neu____	Aufträge
Akk.	einen keinen meinen	gut*en* Partner	ein kein mein	nett____ Team	eine keine meine	groß____ Firma	Ø neu____ keine neu____ meine neu____	Aufträge
Dat.	mit einem mit keinem mit meinem	gut____ Partner	mit einem mit keinem mit meinem	nett____ Team	bei einer bei keiner bei meiner	groß____ Firma	mit Ø neu____ mit keinen neu____ mit meinen neu__	Aufträge**n**

b Lesen Sie die Regeln im Kursbuch 15B, 2c und markieren Sie die Endungen in der Tabelle in 2a in verschiedenen Farben.

c Lesen Sie die Sätze aus der Anzeige und ergänzen Sie die Adjektivendungen. Die Tabelle in 2a kann Ihnen helfen.

1. Für ein gut *es* Arbeitsklima sind sauber____ Büros und Gebäude wichtig.

2. Das Ergebnis: zufrieden____ Mitarbeiter und Erfolg bei den Kunden.

3. Ihre Wünsche sind uns wichtig: Sie brauchen einen regelmäßig____ Tagesdienst.

4. Oder muss die Reinigung zu einer fest____ Zeit erfolgen?

5. Unser freundlich____ Team reinigt zielorientiert und nach Plan.

6. Auch mit dringend____ Aufträgen sind Sie bei uns richtig.

7. Pieper Gebäudereinigung ist immer ein zuverlässig____ Partner!

8. Bei einer groß____ Reparatur kontaktieren wir eine Fachfirma.

d Vergleichen Sie die Firmen und schreiben Sie positive (+) und negative (−) Aussagen.

Firma Gebhard	Firma Pieper
1a. (+) (mobil) Hausmeisterdienst	1b. (−) (mobil) Dienste
2a. (−) (kaufmännisch) Personal	2b. (+) (qualifiziert) Fachkräfte
3a. (+) (klein) Reparaturen	3b. (−) (technisch) Notdienst
4a. (−) (eigen) Reinigungskräfte	4b. (+) (einmalig) Grundreinigung

1a. Firma Gebhard bietet *einen mobilen Hausmeisterdienst* .

1b. Firma Pieper hat *keine mobilen Dienste* .

2a. Firma Gebhard stellt _____ bereit.

2b. Bei Firma Pieper arbeiten _____ .

3a. Die Hausmeister von Firma Gebhard machen _____ selbst.

3b. Pieper hat _____ .

4a. Gebhard kooperiert mit einer Reinigungsfirma. Sie haben _____ .

4b. Bei Pieper gehört _____ zum Service-Paket.

3 Wir haben einen Auftrag für Sie › KB: B3

a Schreiben Sie die Redemittel für ein Auftragsgespräch in die Tabelle.

> Können Sie diesen Auftrag übernehmen? | Wir sollen ..., ist das richtig? | Das machen wir natürlich gern. |
> Alles klar. Nein, halt – eine Frage noch: ... | Wir können ..., passt das? | Da ist noch etwas: ...

1. neuen Auftrag bekommen: _____

2. einen Auftrag annehmen: _____

3. Aufgabe klären: *Wir sollen ..., ist das richtig?* _____

4. Details besprechen: *Wir können ..., passt das?* _____

b ▶ 3|41 Hören Sie das Telefongespräch von Aufgabe 3 im Kursbuch 15B, noch einmal. Wie läuft das Gespräch ab? Kreuzen Sie an.

So lauft das Telefongespräch ab:
a. ☐ neuen Auftrag bekommen – Details besprechen – Aufgabe klären
b. ☐ Aufgabe klären – neuen Auftrag bekommen – Details besprechen
c. ☐ Details besprechen – Aufgabe klären – neuen Auftrag bekommen

4 Hier kommt das Angebot › KB: B3

Gebäudereinigungsfirma Pieper schickt der Hausverwaltung eine E-Mail mit dem Angebot mit Preisen im Anhang. Schreiben Sie die E-Mail in Ihr Heft.

> Guten Morgen, Frau ... | Wir danken ... für ... | Wie telefonisch besprochen, senden wir ... im Anhang zu. |
> Wir freuen uns auf Ihren ... | Mit ... Grüßen

☒

Guten Morgen Frau Michels,
wir danken Ihnen für Ihre Anfrage. ...

C Bitte trennen Sie ...

1 Post von der Hausverwaltung › KB: C3b › G: 5.1

Lesen Sie den Brief und ergänzen Sie die Adjektivendungen nach bestimmtem Artikel.

Sehr geehrte Mieterin, sehr geehrter Mieter,

Sie bekommen mit diesem Schreiben den [1] aktuell *en* Abfallkalender. Dort stehen auch die Abholtermine

für die [2] braun_____ Tonne. Den [3] neu_____ Glascontainer finden Sie in der Friedrich-Wolf-Straße. Und

noch eine Bitte: Stellen Sie die [4] leer_____ Weinflaschen nicht neben den Container.

Ganz wichtig: Aus den [5] offen_____ Konservendosen können Essensreste in die [6] gelb_____ Tonne

kommen. Bitte die Dosen immer spülen! Über das [7] richtig_____ Trennen von Ihrem Müll informiert Sie

das [8] farbig_____ Plakat im Hausflur. Es hängt auf der [9] link_____ Seite.

Mit den [10] best_____ Grüßen – Ihre Hausverwaltung

Lesen Sie den Text und ergänzen Sie die Adjektivendungen nach dem bestimmten, unbestimmten Artikel, Nullartikel, Negativ- und Possessivartikel.

Das kennen Sie sicher auch: Sie gehen durch einen [1] schön _en_ Stadtteil und plötzlich stehen Sie auf einem

Platz vor einer [2] lang_____ Reihe von Glascontainern! Kein [3] schön_____ Ort, oder? Und gerade sind die

[4] alt_____ weg, dann stellt die Stadtverwaltung gleich wieder [5] neu_____ auf. Denn die [6] umweltfreundlich_____

Stadtplaner erfinden immer [7] neu_____ Container: Es gibt [8] breit_____ und [9] schmal_____. Leider sind die

Glascontainer oft voll. Dann kommen die Leute und stellen ihre [10] leer_____ Flaschen in [11] groß_____ Taschen

direkt neben die [12] voll_____ Container. Aber für die [13] viel_____ Probleme gibt es eine [14] einfach_____

Lösung: Sie trinken [15] kein_____ Wein, sondern Sie kochen sich täglich Ihren [16] frisch_____ Tee.

3 Wie trenne ich meinen Müll richtig? › KB: C4a

Was kommt in den Mülleimer? Kreuzen Sie an.

1. 2. 3. 4. 5.

1. a. ☒ Folie	b. ☐ Kartoffelschalen	c. ☒ Konserven	d. ☒ Zigarettenverpackung
2. a. ☐ Honigglas	b. ☐ Joghurtglas	c. ☐ Teetasse	d. ☐ Weinflasche
3. a. ☐ Briefe	b. ☐ Flyer	c. ☐ Notizblock	d. ☐ Kreditkarte
4. a. ☐ Eierkarton	b. ☐ Eierschalen	c. ☐ Gartenabfall	d. ☐ Gemüsereste
5. a. ☐ Büroklammern	b. ☐ Kosmetik	c. ☐ leere Stifte	d. ☐ Kunststoffbox

T P 4 Auf eine E-Mail antworten › KB: C4b

Sie sind Mieter und der Hausmeisterdienst schickt Ihnen die E-Mail unten. Schreiben Sie etwas zu den drei Punkten rechts.

– Termin nicht möglich: Dienstreise
– Vorschlag für neuen Termin
– wann Heizkostenrechnung?

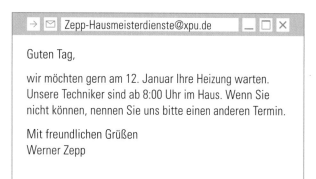

→ ✉ Zepp-Hausmeisterdienste@xpu.de _ ☐ ✕

Guten Tag,

wir möchten gern am 12. Januar Ihre Heizung warten.
Unsere Techniker sind ab 8:00 Uhr im Haus. Wenn Sie
nicht können, nennen Sie uns bitte einen anderen Termin.

Mit freundlichen Grüßen
Werner Zepp

→ ✉ _ ☐ ✕

Sehr geehrte Damen und Herren,

…

D Ihr Gebäude – wir managen es!

1 Störungsmeldungen › KB: D1a

a Ordnen Sie den Bildern die Wörter im Schüttelkasten zu. Notieren Sie sie mit dem Artikel.

[Fenster | Garagentor | Kaffeeautomat | Klimaanlage | Leuchte

  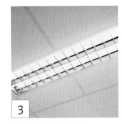  

1   2   3   4   5

das Garagentor   _____   _____   _____   _____

b Lesen Sie die Sätze und ergänzen Sie die Wörter aus 1a.

1. Gib mal dem Hausmeister Bescheid: *Der Kaffeeautomat* _____ ist schon seit gestern defekt.

2. Im Erdgeschoss ist _____ geöffnet.

3. Es ist sehr kalt in den Büros, weil _____ eine Störung hat.

4. Der Firmeneingang blieb dunkel, weil _____ beschädigt war.

5. Die Mitarbeiter wollten in die Garage fahren, aber sie konnten _____ nicht öffnen, denn es war defekt.

2 Kurzprotokoll schreiben › KB: D1c

Am Ende schreibt der Hausmeister ein kurzes Protokoll. Lesen Sie die Punkte und ergänzen Sie das Partizip Perfekt.

1. defekter Kaffeeautomat → habe neuen Automaten *bestellt* _____ (bestellen)

2. geöffnetes Fenster → habe Fenster _____ (schließen)

3. gestörte Klimaanlage → habe Störung in Klimaanlage _____ (beheben)

4. beschädigte Leuchte → habe Leuchte _____ (auswechseln)

5. defektes Garagentor → habe Garagentor nicht _____ (reparieren)

3 Der Haustechniker hat den ganzen Tag viel zu tun › KB: D2a › G: 6.1

a Ergänzen Sie die Zeitangaben aus dem Schüttelkasten.

[als Erstes | danach | diese Woche | gestern | heute Abend | zum Schluss

1. zuerst, dann, *danach* _____, schließlich

2. _____, heute, morgen, übermorgen

3. zu Beginn, _____

4. heute Morgen, heute Mittag, _____

5. letzte Woche, _____, nächste Woche

6. _____, als Nächstes, als Letztes

b Formulieren Sie die Aufgaben zu 1b und verwenden Sie die Wörter in dem Schüttelkasten. Es gibt manchmal mehrere Lösungen.

[zuerst | danach | als Nächstes | dann | schließlich

1. (bestellen) *Zuerst kommt der Kaffeeautomat. Er muss ihn bestellen.* _____
2. (schließen) *Dann ...* _____
3. (Störung beheben) _____
4. (auswechseln) _____
5. (reparieren) _____

Ⓩ 4 Zeitangaben im Akkusativ › KB: D2a

Notieren Sie die Endungen im Akkusativ.

1. Das Handy hat den ganz *en* ____ Morgen geklingelt.
2. Die Tür stand die ganz_____ Nacht offen.
3. Ich habe den halb_____ Tag gewartet.
4. Ich schicke den Bericht nächst_____ Montag ab.
5. Ich habe die ganz_____ Woche viel zu tun.
6. Das Garagentor habe ich letzt_____ Monat repariert.

Rechtschreibung

1 Diphthonge und Umlaute

a **Wörter-Quiz. Kennen Sie das Wort?**

1. (sauber) Wie heißt das Verb? *säubern* _____
2. (Haus) Wie heißt der Plural? _____
3. (gebaut) Wie heißt das Nomen? _____
4. (Baum) Wie heißt der Plural? _____

b „eu" oder „äu"? Ergänzen Sie.

1. L*äu*fer
2. Kaufl____te
3. N____bau
4. Abstellr____me
5. technische Abl____fe
6. aufr____en
7. Betr____ung
8. Bel____chtung
9. Hochh____ser
10. Kr____zung
11. Fr____nd
12. K____fer

c Ergänzen Sie die Vokale „a", „o", „u" und notieren Sie das Adjektiv auf „-lich". Achten Sie auf den Umlaut.

1. der T*a*g — *täglich* _____
2. die W____che — _____
3. das J____hr — _____
4. die St____nde — _____
5. die Min____te — _____
6. der P____nkt — _____
7. der Gr____nd — _____
8. der ____rt — _____
9. der M____nn — _____
10. die Nat____r — _____

Grammatik im Überblick

1 Verben in reflexiver Form › G: 3.5

Reflexivpronomen Akkusativ				Reflexivpronomen Dativ			
Ich	ärgere	mich		Ich	wünsche	mir	
Du	ärgerst	dich		Du	wünschst	dir	
Er / Sie / Es	ärgert	sich		Er / Sie / Es	wünscht	sich	
Wir	ärgern	uns	oft.	Wir	wünschen	uns	eine andere Arbeit.
Ihr	ärgert	euch		Ihr	wünscht	euch	
Sie	ärgern	sich		Sie	wünschen	sich	
Sie (Sg. + Pl.)	ärgern	sich	.	Sie (Sg. + Pl.)	wünschen	sich	

- Die reflexive Form von einem Verb zeigt, dass der Sprecher sich selbst meint. Dann hat das Verb ein Reflexivpronomen.
- Das Reflexivpronomen und das Personalpronomen sind in Akkusativ und Dativ gleich. Ausnahmen sind die dritte Person Singular und Plural und die Höflichkeitsform „Sie". Dort heißt das Pronomen „sich".

2 Adjektive nach unbestimmtem Artikel, Negativ- und Possessivartikel › G: 5.1

1. „ein" (unbestimmter Artikel), „kein" (Negativartikel) und „mein"/„dein"/… (Possessivartikel) haben
   keine Endung → Signalbuchstabe am Adjektiv, z. B. der Partner → ein guter Partner
   Diese Regel gilt auch für den Nullartikel im Plural, z. B. die Büros → (Ø) saubere Büros
2. „ein-" (unbestimmter Artikel), „kein-" (Negativartikel) und „mein-"/„dein-"/… (Possessivartikel) haben
   eine Endung → Adjektiv hat Endung „-en", z. B. mit einem guten Partner
   Ausnahme: Feminine Nomen Singular: im Nominativ und Akkusativ → **Adjektiv hat Endung „-e".**
   z. B. eine große Reparatur

	Maskulinum (M)		Neutrum (N)		Femininum (F)		Plural (M, N, F)	
Nom.	ein kein mein	guter Partner	ein kein mein	nettes Team	eine keine meine	große Firma	Ø neue keine neuen meine neuen	Aufträge
Akk.	einen keinen meinen	guten Partner	ein kein mein	nettes Team	eine keine meine	große Firma	Ø neue keine neuen meine neuen	Aufträge
Dat.	mit einem mit keinem mit meinem	guten Partner	mit einem mit keinem mit meinem	netten Team	bei einer bei keiner bei meiner	großen Firma	mit Ø neuen mit keinen neuen mit meinen neuen	Aufträgen

3 Adjektive nach bestimmtem Artikel › G: 5.1

	Maskulinum (M)	Neutrum (N)	Femininum (F)	Plural (M, N, F)
Nom.	der alte Glascontainer	das farbige Symbol	die blaue Tonne	die grauen Tonnen
Akk.	den alten Glascontainer	das farbige Symbol	in die blaue Tonne	die grauen Tonnen
Dat.	in dem alten Glascontainer	mit dem farbigen Symbol	zu der blauen Tonne	zu den grauen Tonnen

4 Zeitangaben › G: 6.1

Zeitpunkt	Reihenfolge
heute Morgen, heute Mittag, heute Abend	als Erstes, als Zweites, als Drittes
um 11:00 Uhr, um 14:00 Uhr	als Erstes, als Nächstes, als Letztes
vorgestern, gestern, morgen, übermorgen	zu Beginn, zum Schluss
letzte Woche, diese Woche, nächste Woche	zuerst, dann, danach

A Auf Geschäftsreise

1 Im Hotel › KB: A1b

a Finden Sie noch zehn Wörter im Buchstabenrätsel und notieren Sie sie mit dem Artikel.

A	W	E	L	O	B	B	Y	E	T	E	L	P	X
Z	A	B	N	A	O	S	P	I	B	A	O	Ä	O
I	N	E	N	T	S	P	A	N	N	U	N	G	I
M	A	L	L	M	D	O	P	Z	P	S	W	D	H
M	J	K	P	O	Z	B	E	E	W	S	B	R	E
A	M	R	A	S	J	K	E	L	L	T	R	E	M
P	A	R	K	P	L	A	T	Z	F	A	O	Z	O
A	B	H	E	H	S	E	K	I	O	T	T	P	E
Ü	B	R	A	Ä	N	A	C	M	T	T	U	T	G
A	B	H	B	R	I	K	L	M	U	U	P	I	N
S	A	N	R	E	I	S	E	E	R	N	G	O	Ö
H	O	T	E	L	B	A	R	R	A	G	E	N	H
A	B	H	I	A	W	E	X	L	N	N	H	A	W
L	P	X	S	C	H	W	I	M	M	B	A	D	L
S	E	K	E	A	D	E	G	H	S	A	U	N	A

1. *die Atmosphäre*
2. *die Entspannung*
3. _____
4. _____
5. _____
6. _____
7. _____
8. _____
9. _____
10. _____
11. _____
12. _____

b Lesen Sie die Aufgabe 1b im Kursbuch 16A noch einmal. Wie heißen die sechs Komposita?

> die Ausstattung | der Bereich | das Buffet | das Frühstück |
> das Hotel | das Hotel | der Nichtraucher | das Restaurant |
> der Service | die Wäscherei | die Wellness | das Zimmer

TIPP

Manche Komposita haben ein Fugen-s, z. B. Frühstückstisch

1. *das Hotel + die Ausstattung = die Hotelausstattung*
2. _____
3. _____
4. _____
5. _____
6. _____

2 Zimmerreservierung › KB: A2b

Welche Verben passen zu den Nomen? Ordnen Sie zu.

1. ein Hotelzimmer	A. nennen	1. _E_
2. ein Einzelzimmer	B. angeben	2. ⌴
3. den Namen	C. erhalten	3. ⌴
4. das Reisedatum	D. bestätigen	4. ⌴
5. eine Buchung	E. buchen	5. ⌴
6. eine Buchungsbestätigung	F. reservieren	6. ⌴

Z 3 Eine Buchungsbestätigung schreiben › KB: A3b

Sie arbeiten an der Rezeption in einem Hotel. Sie bekommen eine Zimmerreservierung von Frau Regina Kroll. Schreiben Sie ihr die Buchungsbestätigung. Vergessen Sie nicht Anrede und Gruß.

- Anreise: 03.12…
- Abreise: 06.12…

- Doppelzimmer (Nichtraucher)
- mit Frühstück

- WLAN im Zimmer
- Parkplätze in Tiefgarage (5 Euro pro Tag)

×

Sehr geehrte Frau Kroll,
vielen Dank für Ihre Reservierung. Hiermit bestätigen wir folgende Buchung …

B Auf dem Weg nach Hamburg

1 Wie ist das Wetter in Norddeutschland? › KB: B1b

a Lesen Sie den Wetterbericht und ergänzen Sie ihn.

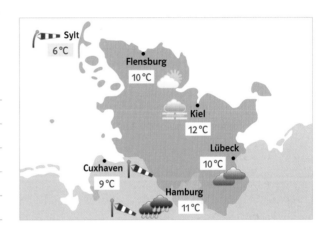

bedeckt | neblig | regnerisch |
heiter | ~~stürmisch~~ | windig

1. Sylt: *Es sind 6 °C und es ist stürmisch.*
2. Flensburg: _____
3. Kiel: _____
4. Lübeck: _____
5. Hamburg: _____
6. Cuxhaven: _____

b Notieren Sie die Nomen zu den Wetter-Adjektiven in 1a. Zu zwei Adjektiven in 1a gibt es keine passenden Nomen.

1. *der Sturm, ⸚e* _____ 3. _____
2. _____ 4. _____

2 Durchsagen am Flughafen und im Flugzeug › KB: B1b

Was passt zusammen? Ordnen Sie zu.

1. Wir bitten Fluggast Manuel Möller,
2. Ich fliege Sie heute zusammen mit
3. Wir heißen Sie herzlich
4. Unsere Flugzeit beträgt
5. Wir befinden uns gerade über
6. Wir hoffen,
7. Das Wetter in Rom ist sehr gut:
8. Die Wettervorhersage sagt,
9. Wir landen

A. 1 Stunde und 35 Minuten.
B. Die Sonne scheint, die Temperatur beträgt 25 °C.
C. Sie haben einen angenehmen Flug.
D. München.
E. dass es in den nächsten Tagen so schön bleibt.
F. meinem Co-Piloten, Jo Nau, nach Rom.
G. pünktlich in Rom.
H. bei uns an Bord willkommen.
I. gebucht auf den Flug C576 nach Rom, umgehend zum Flugsteig B19.

1. I
2. ⌴
3. ⌴
4. ⌴
5. ⌴
6. ⌴
7. ⌴
8. ⌴
9. ⌴

3 Über den Wolken – das Wortfeld „Flughafen" › KB: B2

**Lesen Sie den Tipp und notieren Sie den Wortschatz zum Thema „Flughafen" auf der Doppelseite 16B
im Kursbuch.**

1. Ort: *der Flughafen, ...*

2. Person /   *der Fluggast, ...*
   Organisation:

3. Aktivität: *die Durchsage, fliegen, ...*

TIPP

Sie können den Wortschatz
zu einem Thema in Wort-
feldern lernen. Notieren Sie
so viele Wörter wie nötig
zu einem Wortfeld.

4 Die praktische Taxi-App – Temporale Nebensätze mit „wenn" (Gegenwart) › KB: B3 › G: 4.2

a Lesen Sie die Sätze und verbinden Sie sie mit „wenn".

1. Installieren Sie die Taxi-App auf Ihrem Smartphone. Sie kommen am Flughafen an.

   Installieren Sie die Taxi-App auf Ihrem Smartphone, wenn Sie am Flughafen ankommen.

2. Bestellen Sie ein Taxi über die App. Sie haben wenig Zeit.

3. Gehen Sie sofort zum Taxistand. Sie kommen aus dem Flughafengebäude.

4. Ihr Taxi steht schon da. Sie kommen zum Taxistand.

5. Grüßen Sie den Fahrer. Sie gehen zum Taxi.

6. Zeigen Sie Ihre App und nennen Sie Ihr Fahrziel. Sie steigen ins Taxi ein.

b Schreiben Sie die Sätze aus 4a in die Tabelle und beginnen Sie nun mit dem „wenn-Satz".

Nebensatz			Hauptsatz	
1. Wenn	Sie am Flughafen	ankommen,	installieren	Sie die Taxi-App auf Ihrem Smartphone.
2.				
3.				
4.				
5.				
6.				

5 So viele Apps – Was passiert, wenn Sie die App öffnen? › KB: B3 › G: 4.2

Wählen Sie eine App, und schreiben Sie Erklärungen mit „wenn".

1. Sie – diese App öffnen / Sie – Ihr Essen – auswählen und bestellen können

   Wenn Sie diese App öffnen, können Sie Ihr Essen auswählen und bestellen. /
   Sie können Ihr Essen auswählen und bestellen, ...

2. Du – Bahn-App öffnen müssen / du – aktuellen Zugfahrplan – sehen wollen

   Wenn du den aktuellen ...

3. Diese App – viele gute Rezepte bieten / Sie – Festessen – kochen müssen

   CHEFKOCH.DE

4. Ich – Taschenlampen-App – benutzen / ich – brauchen – unterwegs – Licht

6 Herr Reinhardt hat viele Termine – Zeitangaben in Gegenwart und Zukunft › KB: B3

a Herr Reinhardt denkt an seine Termine. Lesen Sie seine Gedanken und ergänzen Sie die Zeitangaben. › G: 6.1

bald | Morgen Vormittag | ~~halben Stunde~~ | nächste Woche | morgen Abend | heute Nachmittag | nächsten Jahr | übermorgen

In einer [1] *halben Stunde* holt mich Frau Elvert von der Firma Holstein ab. Weil es dort viel Arbeit gibt, habe ich schon [2] _____ um 14:00 Uhr eine lange Besprechung. [3] _____ gibt es einen Rundgang durch die Firma und [4] _____ treffe ich mich mit Geschäftspartnern zum Abendessen. Aber [5] _____ habe ich nach der Arbeit Zeit für einen Einkaufsbummel. Donnerstag habe ich noch eine Besprechung. Wenn ich am Freitag wieder in Wien gelandet bin, muss ich noch schnell ins Büro, denn am Montag [6] _____ fliege ich schon wieder nach Budapest. Dort installiere ich eine Anlage. Nächsten Monat fliege ich noch einmal nach Ungarn und dann erst wieder [7] im _____ . Aber [8] _____ ist zum Glück endlich Urlaub!

b Herr Reinhardt hat Stress. Formulieren Sie Nebensätze mit „wenn". › G: 4.2

1. *Wenn er morgen Zeit hat,* _____ ,

   sieht er sich die Stadt an. (er – morgen – Zeit haben)

2. _____ ,

   geht er in eine Bar. (er – morgen Abend – frei haben)

3. _____ ,

   trifft er ungarische Kollegen. (er – in einem Monat – in Budapest sein)

4. _____ ,

   übernachtet er wieder im Hotel. (er – nächste Woche – Messe besuchen)

7 An der Hotelrezeption – indirekte Fragen › KB: B5 › G: 4.2

a Welche sind direkte (d) Fragen, welche sind indirekte (i) Fragen? Kreuzen Sie an.

		d	i
1.	Wie funktioniert die Schließkarte vom Zimmer?	☒	☐
2.	Können Sie mir sagen, wann das Hotelrestaurant geöffnet hat?	☐	☐
3.	Wird das Wetter in den nächsten Tagen besser?	☐	☐
4.	Wo kann ich einen Stadtplan bekommen?	☐	☐
5.	Wissen Sie, ob man vom Hotel zu Fuß ins Stadtzentrum gehen kann?	☐	☐
6.	Gibt es im Stadtzentrum schöne Cafés?	☐	☐
7.	Ich möchte gern wissen, wie viele Menschen in Hamburg leben.	☐	☐
8.	Kannst du im Internet nachsehen, ob es heute Abend ein interessantes Konzert gibt?	☐	☐

b Formulieren Sie die indirekten Fragen aus 7a in direkte Fragen um.

2. Wann hat das Hotelrestaurant geöffnet?

c Formulieren Sie die direkten Fragen aus 7a in indirekte Fragen um. Die Satzanfänge im Schüttelkasten helfen. Es gibt mehrere Lösungen.

> Können Sie mir sagen, … | Wissen Sie, … | Ich möchte gerne wissen, … | ~~Können Sie mir erklären, …~~

1. Können Sie mir erklären, wie die Schließkarte vom Zimmer funktioniert?

C Unterwegs in der Stadt

1 Wortfamilien › KB: C1a

a Lesen Sie den Tipp. Welche Wörter gehören nicht in die Wortfamilie „Reisen"? Streichen Sie sie.

> ~~Berge~~ | Abreise | anreisen | Zug | besichtigen | Flugzeug | Gast | buchen | Reisebüro | Dienstreise | Ferien | Flughafen | Geschäftsreise | Reiseführer | Hotel | Koffer | Meer | reisen | Natur | Reisebericht | Flugreise | Reisekosten | reiselustig | Urlaub | Rezeption | Reiseziel | Rundfahrt | Sehenswürdigkeiten | verreisen

TIPP

Wortfamilie: alles, was man aus einem Wortstamm + Endungen, Vorsilben und Zusammensetzungen etc. neu bilden kann, z. B. die Wortfamilie von „Sonne": sonnig, sich sonnen, der Sonntag, die Mittagssonne

b Arbeiten Sie mit dem Wörterbuch und notieren Sie eine Wortfamilie mit acht Wörtern.

Freund: *die Freundin, …*

Z 2 Rauf auf den Turm und schnell wieder runter › KB: C1b › G: 6.2

a „rauf", „runter", „rein" und „raus". Lesen Sie die Sätze: Welche sagen das gleiche? Ordnen Sie zu.

1. Ich gehe rauf.
2. Ich gehe raus.
3. Ich gehe runter.
4. Ich gehe rein.

A. Ich gehe hinunter.
B. Ich gehe hinauf.
C. Ich gehe hinein.
D. Ich gehe hinaus.

1. _B_
2. ⌐
3. ⌐
4. ⌐

TIPP
Umgangssprachlich:
rauf – runter, rein – raus
Standardsprachlich:
hinauf – hinunter,
hinein – hinaus

b Ordnen Sie die Sätze aus 2a den Bildern zu.

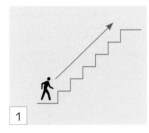 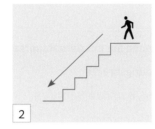 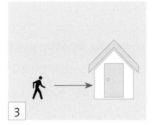 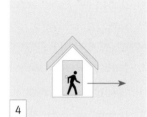

1   2   3   4

Ich gehe hinauf. /
Ich gehe rauf.

3 Hamburg im Regen – Temporale Nebensätze mit „als" und „wenn" › KB: C2b › G: 4.2

a Lesen Sie Herrn Reinhardts Aussagen in seinem Blog. Wann und wie oft ist das Ereignis passiert: einmal in der Vergangenheit (1), jedes Mal in der Vergangenheit (2), einmal oder jedes Mal in der Gegenwart oder Zukunft (3)? Tragen Sie die passende Nummer ein.

1. Immer wenn ich auf Geschäftsreisen bin, habe ich viele Termine. _3_
2. Aber als ich in Hamburg war, hatte ich Zeit für Sehenswürdigkeiten. ⌐
3. Jedes Mal, wenn ich ein Foto machen wollte, liefen mir Leute ins Bild. ⌐
4. Immer wenn ich auf einen Turm möchte, regnet es und die Aussicht ist schlecht! ⌐
5. Jedes Mal, wenn ich bei Regen Besichtigungen gemacht habe, bin ich total nass geworden. ⌐
6. Als der Regen nicht aufhörte, kaufte ich mir einen Friesennerz. ⌐

b Im Gewürzmuseum. Lesen Sie Herrn Reinhardts Bericht. Ergänzen Sie „wenn" oder „als".

Immer [1] _wenn_ ich im Reiseführer vom Gewürzmuseum gelesen habe, wollte ich es in der Speicherstadt besuchen. Aber jedes Mal, [2] _____ ich in Hamburg war, hatte ich keine Zeit. Dieses Mal hat es geklappt. Ich bekam kein Ticket, [3] _____ ich den Eintritt bezahlte, sondern ein Tütchen mit Pfeffer. Jedes Mal [4] _____ man in das kleine Museum geht, kann man neue Ausstellungsstücke aus 5 Jahrhunderten sehen. [5] _____ man die Waren noch in der Speicherstadt gelagert hat, konnte man dort Gewürze kaufen. Ich durfte viele Gewürze riechen, schmecken und fühlen, [6] _____ ich die Ausstellung besuchte. Das war interessant. Denn jedes Mal [7] _____ wir zu alten Verarbeitungsmaschinen kamen, hat die Museumsführerin den Weg der Gewürze vom Anbau bis zum Fertigprodukt erklärt. [8] _____ man die Webseite des Museums öffnet, kann man neue Rezepte mit interessanten Gewürzen entdecken. Und [9] _____ ich im Museum war, fand dort ein Kochkurs mit exotischen Gewürzen statt. Das Gewürzmuseum ist also ein echtes Erlebnismuseum!

c Eine Geschäftsreise mit Problemen. Verbinden Sie die Sätze mit „als" oder „wenn".

1. (als) Ich wollte ein Hotelzimmer buchen. Das Hotel hatte ein Server-Problem.

   Als ich ein Hotelzimmer buchen wollte, hatte das Hotel ein Server-Problem.

2. (immer wenn) Ich habe im Hotel angerufen. Die Leitung war besetzt.

   _____

3. (als) Ich bin in Hamburg angekommen. Es hat stark geregnet.

   _____

4. (jedes Mal wenn) Ich rief ein Taxi. Ich musste lange warten.

   _____

TIPP

Nebensatz „immer / jedes Mal": Wenn der Satz mit „wenn" hinten steht, dann stehen die Angaben „immer" / „jedes Mal" vorne im Hauptsatz:
Immer wenn ich Zeit habe, fahre ich nach Hamburg. → Ich fahre immer nach Hamburg, wenn ich Zeit habe.

d Lesen Sie den Tipp oben. Formulieren Sie die Sätze und beginnen Sie mit dem Hauptsatz.

1. Jedes Mal wenn ich in Hamburg bin, besuche ich die Landungsbrücken.

   Ich besuche jedes Mal die Landungsbrücken, wenn ich in Hamburg bin.

2. Immer wenn ich die Landungsbrücken besuche, esse ich Fischbrötchen.

   _____

3. Jedes Mal wenn ich durch die Stadt gehe, regnet es.

   _____

D An der Hotelrezeption

Z **1 Auschecken** › KB: D1a

Bilden Sie Sätze und ändern Sie die Wortstellung wie im Beispiel. Markieren Sie das Subjekt.

1. das Hotel: Gast gefallen *Das Hotel gefällt dem Gast. / Dem Gast gefällt das Hotel.*

2. der Hotelchef: Beschwerden lesen _____

3. Herr Reinhardt: Frühstück zahlen _____

Rechtschreibung

1 Wie kann man den „s"-Laut schreiben?

▶ 4 | 49 **Ein besonderes Kleidungsstück. Hören Sie die Geschichte und ergänzen Sie „s", „ss" oder „ß".**

Herr Reinhardt hat aus Hamburg ein besonderes [1] _S_ouvenir mitgebracht. Er fand, [2] da___ es in

[3] ___ einen Kleiderschrank [4] pa___t: Ein echter [5] Frie___ennerz. Er ist [6] wa___erdicht und funktional.

Leider war er zu [7] gro___ für seinen Koffer. So [8] mu___te er ihn mit der Post schicken. Als der gelbe

Regenmantel [9] schlie___lich bei ihm war, überlegte er, wo er ihn aufhängen [10] ___ollte. Der Mantel kam

direkt ins [11] Erdgescho___ neben die [12] Hau___tür. Jetzt fehlen nur noch [13] Gummi___tiefel gegen

[14] na___e [15] Fü___e! Dann kann der [16] Herb___t auch in Wien kommen!

Grammatik im Überblick

1 Temporale Nebensätze mit „wenn" – Gegenwart oder Zukunft › G: 4.2

Temporale Nebensätze mit „wenn" benennen ein Ereignis, das einmal oder jedes Mal in der Gegenwart oder Zukunft passiert.
z. B. Wenn ich heute Mittag gelandet bin, fahre ich mit dem Taxi direkt zum Hotel.
    (Immer / Jedes Mal) Wenn ich aus dem Terminal komme, wähle ich das Taxi mit meiner Nummer.

Satzstellung bei „immer wenn" / „jedes Mal wenn": Wenn der „wenn-Satz" hinten steht, dann steht „immer" /
„jedes Mal" vorne im Hauptsatz.
z. B. Ich wähle (immer / jedes Mal) das Taxi mit meiner Nummer, wenn ich aus dem Terminal komme.

2 Temporale Nebensätze mit „als" – Vergangenheit › G: 4.2

Temporale Nebensätze mit „als" benennen ein Ereignis, das einmal in der Vergangenheit passiert ist.
z. B. Als ich oben auf dem Turm war, war die Sicht total schlecht.
    Ich war nass und der Schirm kaputt, als ich an den Landungsbrücken ankam.

3 Temporale Nebensätze mit „wenn" – Vergangenheit › G: 4.2

Temporale Nebensätze mit „wenn" benennen ein Ereignis, das immer in der Vergangenheit passiert ist.
z. B. (Immer / Jedes Mal) wenn ich früher in Hamburg war, hatte ich keine Zeit für Besichtigungen.
    Ich hatte (immer / jedes Mal) keine Zeit für Besichtigungen, wenn ich früher in Hamburg war.

4 Indirekte Fragesätze › G: 4.2

Indirekte Fragen sind Nebensätze. Das Verb steht am Ende des Nebensatzes. Wenn man höflich sein will, stellt man oft keine direkten Fragen, sondern indirekte. In dem Fall beginnt man die Frage mit Ausdrücken wie „Ich möchte wissen, …" oder „Können Sie mir sagen,…?"

Wenn die direkte Frage eine **Ja- / Nein-Frage** ist, beginnt die indirekte Frage mit **„ob"**,
z. B. Habe ich im Zimmer WLAN? → Ich möchte gern wissen, ob ich WLAN im Zimmer habe.
    Gibt es eine Minibar im Zimmer? → Können Sie mir sagen, ob es eine Minibar im Zimmer gibt?

Wenn die direkte Frage mit einem **Fragewort** beginnt, beginnt die indirekte Frage mit dem gleichen Fragewort,
z. B. Wann gibt es Frühstück? → Können Sie mir sagen, wann es Frühstück gibt?
    Wo befindet sich die Innenstadt? → Ich möchte gern wissen, wo sich die Innenstadt befindet.

5 Lokale Angaben: Eine Richtung angeben › G: 6.2

   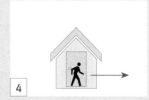

Er geht hinauf / rauf.   Er geht hinunter / runter.   Er geht hinein / rein.   Er geht hinaus / raus.

Lokale Angaben stehen beim Verb und benennen eine Richtung.
z. B. Er kommt den Berg hinunter. Er fährt in die Garage hinein.
- Standardsprache: „hinauf / hinunter"; „hinein / hinaus"
- Umgangssprache: „rauf / runter"; „rein / raus"

A Werbeartikel, aber welche?

1 Was kann man mit den Werbegeschenken machen? › KB: A1a

Setzen Sie die Wortteile zusammen und notieren Sie die Wörter mit dem Artikel.

Anhänger | Bildschirm | Haft | Hülle | Kugel | Notizen | Reiniger | Schlüssel | Schreiber | Smartphone | Stick | USB-

1. an den Haustürschlüssel hängen   *der Schlüsselanhänger*
2. das Handy schützen   _____
3. schreiben   _____
4. das Handy sauber machen   _____
5. Notizen machen   _____
6. digitale Daten speichern   _____

2 Produkte für viele Gelegenheiten › KB: A2a

Welche Wörter passen? Kreuzen Sie an.

1. a. ☒ Farbe   b. ☒ Sonderform   c. ☐ Stückzahl   d. ☒ Größe
2. a. ☐ Kugelschreiber b. ☐ Computer   c. ☐ Lineal   d. ☐ Haftnotizen
3. a. ☐ Werbeabteilung b. ☐ Marketing   c. ☐ Produktion   d. ☐ Messe
4. a. ☐ teuer   b. ☐ preiswert   c. ☐ billig   d. ☐ günstig
5. a. ☐ Give-aways   b. ☐ Gutschein   c. ☐ Werbeartikel   d. ☐ Werbegeschenke

3 Über Produkte sprechen › KB: A2e

Schreiben Sie die passenden Fragen zu den grau markierten Wörtern.

1. *Für wen ist das Produkt interessant?*   Das Produkt ist für junge Kunden interessant.
2. _____   Man braucht es oft im Alltag.
3. _____   Es kostet 2,19 €.
4. _____   Sein Vorteil: Es ist sehr nützlich.
5. _____   Man kann mit ihm das Display reinigen.

B Zusammen entscheiden

1 Aufgaben in der Firma Haffner: Was muss passieren? › KB: B1a

Lesen Sie noch einmal die E-Mail im Kursbuch 17B, Aufgabe 1a. Ordnen Sie dann die Verben den Nomen zu.

1. eine Information   A. treffen   1. _B_
2. eine Firma   B. bekommen   2. __
3. eine Entscheidung   C. haben   3. __
4. einen Termin   D. geben   4. __
5. eine Besprechung   E. präsentieren   5. __
6. Bescheid   F. vorschlagen   6. __

2 Vergleiche › G: 5.2

a Vergleichen Sie die Firmen. Verwenden Sie die Formen „(genau)so … wie" und „nicht so … wie". › KB: B3b

Firma Adler • Strategieberatung

Gründungsjahr: 2006

Mitarbeiterzahl: 200

Mitarbeiter – Alter: meist 25 – 38 Jahre

Umsatz im letzten Jahr: 180 Millionen €

Standorte: 5

in Deutschland bekannt

Firma Bauer
Sicherheitssysteme

Gründungsjahr: 1975

Mitarbeiterzahl: 200

Mitarbeiter – Alter: meist 40 – 55 Jahre

Umsatz im letzten Jahr: 250 Millionen €

Standorte: 5

weltweit bekannt

1. Wie alt sind die Firmen? *Die Firma Adler ist nicht so alt wie die Firma Bauer.*
2. Wie viele Mitarbeiter? Die Firma Bauer hat *genauso viele Mitarbeiter wie die Firma Adler.*
3. Wie alt sind die Mitarbeiter? Die Mitarbeiter von Adler sind _____.
4. Wie hoch ist der Umsatz? Der Umsatz von Adler ist _____.
5. Wie groß ist sie? Die Firma Bauer ist _____.
6. Wie bekannt ist sie? Die Firma Adler ist _____.

b Lesen Sie die Regeln und ergänzen Sie die Tabelle. Markieren Sie dann die Besonderheiten. › KB: B3d

	Grundform	Komparativ: … -er als	Superlativ: am …-(e)sten	Besonderheit
1.	billig klein schön	billiger *kleiner* schöner	*am billigsten* am kleinsten *am schönsten*	regelmäßig
2.	lang jung stark	jünger	am längsten am stärksten	regelmäßig mit Umlaut
3.	teuer dunkel	teurer	 am dunkelsten	Adjektive auf „-er", „-el": verlieren im Komparativ das „e":
4.	beliebt rund preiswert	beliebter preiswerter	 am rundesten	Adjektive auf „-d", „-t": Superlativ auf „-est"
5.	hübsch kurz groß praktisch	hübscher	 am kürzesten am größten am praktischsten	Adjektive auf „-s", „-ß", „-sch", „-z": Superlativ auf „-est" (Ausnahme: groß, Adjektive auf „-isch")
6.	nah hoch gut gern viel	näher lieber	 am höchsten am besten am meisten	Sonderformen

c Ergänzen Sie in dem Interview aus der WirtschaftsZeitung den Komparativ (K) und den Superlativ (S). › KB: B3d

> **WirtschaftsZeitung:** Herr Schulz, Ihr Unternehmen ist seit 5 Jahren international sehr erfolgreich.
>
> **Herr Schulz:** Ja. Die letzten Jahre waren [1] *am erfolgreichsten* (erfolgreich/S). Unser weltweiter
>
> Umsatz war im letzten Jahr [2] _____ (stark/S). Die Zahl unserer Mitarbeiter war im
>
> letzten Jahr auch [3] _____ (hoch/S)
>
> **WZ:** In den letzten Jahren waren auch die Investitionen in die Firma [4] _____ (hoch/K)
>
> als früher, oder?
>
> **Herr Schulz:** Ja, das war wichtig. Wir mussten [5] _____ (modern/K) werden. Der
>
> Vergleich mit anderen Unternehmen zeigt: Unser Maschinenpark ist heute [6] _____
>
> (modern/S), denn unsere Maschinen sind [7] _____ (neu/K), und die Produktion ist
>
> [8] _____ (flexibel/K). Außerdem tun wir für etwas die Umwelt. Unsere Produktion ist viel
>
> [9] _____ (sauber/K) und unsere Produkte sind [10] _____ (umwelt-
>
> freundlich/K) als vor 10 Jahren.
>
> **WZ:** Eine gute Entwicklung! Und was freut Sie [11] _____ (viel/S)?
>
> **Herr Schulz:** Unsere Ideen sind heute [12] _____ (gut/K) als früher und unsere Mitarbeiter
>
> sind [13] _____ (motiviert/K) und [14] _____ (zufrieden/K).
>
> Arbeiten bei uns macht einfach Spaß!

d Was ist richtig: „als" oder „wie"? Kreuzen Sie an. › KB: B3d

		als	wie	
1.	Unsere Werbeartikel sind leider nicht so witzig	☐ als	☒ wie	die von der Firma Adler.
2.	Aber unsere Give-aways sind praktischer	☐ als	☐ wie	die von Adler.
3.	Adler hat auch einen Schlüsselanhänger. Der ist schöner	☐ als	☐ wie	unser Anhänger.
4.	Der ist aber sicher nicht so preiswert	☐ als	☐ wie	der von uns.
5.	Ich finde, das Marketing bei Adler ist genauso gut	☐ als	☐ wie	bei uns.
6.	Aber die Firma Adler ist nicht erfolgreicher	☐ als	☐ wie	wir!

Ⓩ 3 Vergleiche › KB: B3d › G: 5.2

Lesen Sie die Sätze und ergänzen Sie „als", „am" „nicht ... so wie", „genauso ... wie".

1. Ist Ihr PC im Büro schneller *als* Ihr PC zu Hause? – Nein, er ist *genauso* schnell.
2. Mein altes Notebook war sehr groß. Zum Glück ist das neue _____ _____ schwer _____ das alte.
3. Unser Chef kommt _____ _____ früh zur Arbeit _____ wir. Er beginnt immer später _____ wir.
4. Diese Maschine ist sehr laut! – Wirklich? Aber sie ist von allen _____ leisesten!
5. Die gelbe Smartphonehülle ist _____ schön _____ die grüne. Aber die rote ist _____ schönsten.
6. Liegt deine neue Wohnung weit weg von der Firma? – Nein, sie liegt sogar näher _____ die alte.
7. Schade! Das Angebot von Promo-Effekt ist leider _____ _____ preiswert _____ die anderen Angebote.
8. Dieses Softwareprogramm ist von allen unseren Programmen _____ schnellsten!

C Wie ist Ihr Angebot?

1 Eine formelle Anfrage schreiben › KB: C1b

a Welche sechs Wörter aus der Anfrage in 1b im Kursbuch 17C können Sie hier finden? Notieren Sie sie mit dem Artikel.

nanunanlagerdnglapreisangabezbedunkangebotularaanfragelnanschlussettimrauansprechpartnerinar

die Anlage, _____

b Ergänzen Sie die Wörter aus 1a.

1. In der _Anlage_ finden Sie die Preisliste.

2. Wir entscheiden uns für die Firma Emrich, denn sie hat uns ein günstiges _____ gemacht.

3. Im _____ an den Kurs gibt es ein gemeinsames Abendessen.

4. Der Katalog zeigt nicht, wie viel der Artikel kostet, er hat keine _____.

5. Wir schreiben jetzt eine _____, denn wir brauchen genaue Informationen zu dem Produkt.

6. Bei Problemen fragen Sie bitte Frau Gruner, sie ist Ihre _____.

2 Verben im Konjunktiv II für höfliche Fragen oder Bitten › KB: C3b › G: 1.5

a Ergänzen Sie die richtigen Verbformen von „werden" im Konjunktiv II.

1. Ich _würde_ dir eine hohe Stückzahl empfehlen.
2. _Würden_ Sie ein Produktmuster herstellen?
3. _____ du uns ein Muster zeigen?
4. _____ ihr mir bitte ein Angebot machen?
5. Wir _____ gerne 1.000 Stück bestellen.
6. Herr Pilner _____ uns einen Rabatt geben.

b Schreiben Sie die Sätze aus 2a in die Tabellen und ergänzen Sie die Regeln.

Satzklammer

Position 1	Position 2		Satzende
1. Ich	würde	dir eine hohe Stückzahl	empfehlen.

Satzklammer

Position 1	Position 2		Satzende
2. Würden	Sie	ein Produktmuster	herstellen?

G

„würde" + Infinitiv hat die gleiche Wortstellung wie die Modalverben:
1. Im Aussagesatz steht „würde" auf _____. Der Infinitiv steht am _____.
2. In Ja-/Nein-Fragen steht „würde" auf _____. Der Infinitiv steht am _____.

c Markieren Sie die richtigen Konjunktiv-Formen von „können", „dürfen", „haben" und „sein".

1. Wir hättet / hätten / hättest gern eine Sonderform.

2. Wäre / Wärt / Wären Sie und Ihr Kollege heute für uns da?

3. Hätten / Hättet / Hättest ihr einen Vorschlag?

4. Dürftet / Dürfte / Dürftet ich diesen Artikel bitte genauer ansehen?

5. Könntest / Könnten / Könnte du bitte mehr zu diesem Artikel sagen?

6. Wär / Wäre / Wären es ein Problem, wenn wir noch mehr Artikel bestellen?

d Schreiben Sie Fragen mit den Elementen. Wie viele verschiedene Fragen sind möglich?

TIPP

Würden Könnten Dürfte Hätten	Sie ich	einen Moment Zeit mir bitte Bescheid mir bitte ein Angebot bitte die Anfrage um eine Preisliste	machen? bitten? für mich? geben? beantworten?

Bei dem Verb „haben" im Konj. II für höfliche Fragen braucht man keinen Infinitiv, z. B. Hätten Sie vielleicht einen Katalog für mich? Für höfliche Wünsche nimmt man oft „haben" im Konj. II + „gern", z. B. Ich hätte gern einen Katalog.

1. Hätten Sie einen Moment Zeit für mich?; ...

_____

_____

_____

e Formulieren Sie die Sätze noch höflicher. Verwenden Sie den Konjunktiv II.

1. Welches Modell empfehlen Sie uns? Welches Modell würden Sie uns empfehlen?

2. Darf ich Sie um die Preisliste bitten? _____

3. Ist es möglich, dass Sie in 5 Tagen liefern? _____

4. Kannst du mir bitte helfen? _____

5. Haben Sie einen Lösungsvorschlag für das Problem? _____

6. Ich möchte gern einen Termin haben. _____

3 Eine Anfrage mit Lücken   › KB: C3c

T Ⓟ **Welche Wörter passen: a, b oder c? Kreuzen Sie an.**

Sehr geehrte Frau Konzelmann,

im Anschluss an unser Messegespräch haben wir Interesse an [1] Ihrem   Produktangebot.

[2] _____ Sie uns bitte zu den Produkten unten die Preise mitteilen? Besonders [3] _____

sind für uns auch die Lieferzeiten. Wäre es [4] _____ , dass Sie alles schon in einer Woche nach der

Bestellung liefern? Geht das auch bei [5] _____ Stückzahl?

Mit freundlichen Grüßen, Bert Meier

1. a. ☐ unserem b. ☐ eurem c. ☒ Ihrem

2. a. ☐ Möchten b. ☐ Könnten c. ☐ Wollen

3. a. ☐ wichtig b. ☐ gut c. ☐ praktisch

4. a. ☐ günstig b. ☐ möglich c. ☐ nützlich

5. a. ☐ vielen b. ☐ wenigen c. ☐ hoher

D Das Angebot kommt

1 Rund um den Auftrag › KB: D1

Was bedeuten die Wörter? Ordnen Sie zu.

1. der Auftrag	A. An diesem Ort liegen die Waren.	1. _G_
2. die Lieferung	B. Dokument mit den Kosten	2. ⌐
3. der Kunde	C. Diese Firma / Person möchte etwas verkaufen.	3. ⌐
4. das Lager	D. Der Anbieter sagt, dass er den Auftrag bekommen hat.	4. ⌐
5. der Anbieter	E. Die Ware kommt.	5. ⌐
6. die Rechnung	F. Diese Person / Firma kauft etwas.	6. ⌐
7. die Auftragsbestätigung	G. Man bestellt etwas schriftlich.	7. ⌐

2 Wohin muss die Bestellung? – Lokale Präpositionen mit Akkusativ › KB: D1 › G: 6.2

a Kreuzen Sie an: „in" oder „an"?

1. Firma Haffner hat eine Bestellung ☒ an ☐ in die Firma Promo-Effekt geschickt.
2. Könnten Sie bitte ☐ ans ☐ ins Lager gehen und das Dokument abgeben?
3. Bitte liefern Sie die Ware ☐ an ☐ in die Firma Haffner: an diese Adresse.
4. Wir haben alles ☐ an ☐ in die Warenannahme gebracht.

b Ergänzen Sie „in" oder „an" und den bestimmten Artikel. Einmal gibt es zwei Lösungen.

Ein Anbieter bekommt eine Bestellung. Dann schickt er eine Auftragsbestätigung [1] _an den_

Kunden und gibt die Daten für die Bestellung [2] _____ Lager. Was passiert dann? Eine

Spedition liefert die Ware [3] _____ Kunden. Manche Firmen haben eine Abteilung nur

für neue Waren, die „Warenannahme". Der Lieferant bringt die Ware [4] _____ Abteilung.

Zur gleichen Zeit schickt der Anbieter die Rechnung [5] _____ Kunden.

> **TIPP**
>
> „Wohin?" – an / in + Akkusativ
> „schicken" / „liefern"
> „an" + Firma / Person.
> „in" = in ein Gebäude hinein.
> Man verwendet diese Präposition auch bei Ländern mit bestimmtem Artikel und bei Regionen, z. B. Ich fahre in die Schweiz / in den Schwarzwald.

❷ 3 Die Mehrwertsteuer › KB: D2b

a Lesen Sie den Informationstext. Was ist richtig (r), was ist falsch (f)? Kreuzen Sie an.

> Die Mehrwertsteuer (= MwSt.) ist eine Steuer auf den Umsatz. Der Mehrwert ist der Unterschied zwischen den Kosten für die Herstellung von einem Produkt (oder für eine Dienstleistung) und dem Preis, wenn man es verkauft. In der Europäischen Union muss man die Mehrwertsteuer auf die Rechnung schreiben. In Deutschland beträgt die normale Mehrwertsteuer 19 %, in Österreich 20 %, in der Schweiz 8 %. Bei wichtigen Dingen und Dienstleistungen (z. B. Hotel) für das tägliche Leben ist sie nicht so hoch: In Deutschland 7 %, Österreich 10 %, Schweiz 2,5 % („ermäßigter Steuersatz"). Das ist in Deutschland bei vielen Lebensmitteln (nicht im Restaurant), Büchern und Zeitungen so, aber auch bei Kino, Konzerten und Theater.

	r	f
1. Der Mehrwert ist der Preis für ein Produkt.	☐	☒
2. Nicht nur in Deutschland steht die Mehrwertsteuer auf der Rechnung.	☐	☐
3. Die normale Mehrwertsteuer beträgt in Österreich 10 %.	☐	☐
4. Die Steuer auf Lebensmittel und andere wichtige Produkte ist niedriger.	☐	☐

b Haben diese Produkte in Deutschland 7% oder 19% Mehrwertsteuer? Notieren Sie den Produktnamen und die Prozentzahl. Sie können auch im Internet Informationen suchen.

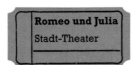

1. _Brot: 7%_   2. _____   3. _____   4. _____

5. _____   6. _____   7. _____   8. _____

9. _____   10. _____   11. _____   12. _____

Rechtschreibung

1 Internationale Wörter mit „ü"-Laut

▶ 4|50 **Bei vielen internationalen Wörtern spricht man ein „ü", aber man schreibt ein „ü" oder „y".**
Ergänzen Sie: „ü" oder „y"? Hören Sie die Wörter zur Kontrolle.

1. anon y __ m
2. S ____ mbol
3. Firmenbrosch ____ re
4. Kost ____ m
5. t ____ pisch
6. Ps ____ chologe
7. B ____ ro
8. Marktanal ____ se
9. Betriebss ____ stem
10. Rh ____ thmus

2 „ü" und „u": kurz oder lang?

▶ 4|51 **Welche Wörter spricht man kurz? Hören und markieren Sie sie.**

„ü": Kühlschrank – Küchenschrank – müde – jünger – dünn – Züge

„u": Blume – Umzug – Muster – Kugelschreiber – Kurs – Kundenservice

Grammatik im Überblick

1 Vergleiche › G: 5.2

Man möchte sagen, dass etwas gleich oder nicht gleich ist: „(genau)so … / nicht so … wie",

z. B.

Das Lineal ist	(genau)so	billig	wie der Kugelschreiber.
Die Haftnotizen sind	nicht so	billig	wie der Kugelschreiber.

Komparativ und Superlativ

Man möchte einen Unterschied zeigen: Komparativ mit Endung „-er", Superlativ mit Endung „-(e)sten".

Grundform	Komparativ: …-er	Superlativ: am …-(e)sten	Besonderheit
billig	billiger	am billigsten	regelmäßig
klein	kleiner	am kleinsten	
lang	länger	am längsten	regelmäßig mit Umlaut
jung	jünger	am jüngsten	
teuer	teurer	am teuersten	Adjektive auf „-er", „-el":
dunkel	dunkler	am dunkelsten	verlieren im Komparativ das „e".
rund	runder	am rundesten	Adjektive auf „-d", „-t":
preiswert	preiswerter	am preiswertesten	Superlativ auf „-est"
hübsch	hübscher	am hübschesten	Adjektive auf „-s", „-ß", „-sch", „-z":
kurz	kürzer	am kürzesten	Superlativ auf „-est"
groß	größer	am größten	(Ausnahme: groß,
praktisch	praktischer	am praktischsten	Adjektive auf „-isch")
nah	näher	am nächsten	
hoch	höher	am höchsten	
gut	besser	am besten	Sonderformen
gern	lieber	am liebsten	
viel	mehr	am meisten	

Vergleiche mit dem Komparativ: Der Kugelschreiber ist **billiger als** die Haftnotizen.
Vergleiche mit dem Superlativ: Die Haftnotizen sind **am teuersten**.

2 Konjunktiv II bei höflichen Wünschen und Fragen › G: 1.5

	können	dürfen	werden	haben	sein
ich	könnte	dürfte	würde	hätte	wäre
du	könntest	dürftest	würdest	hättest	wär(e)st
er / sie / es	könnte	dürfte	würde	hätte	wäre
wir	könnten	dürften	würden	hätten	wären
ihr	könntet	dürftet	würdet	hättet	wär(e)t
sie / Sie	könnten	dürften	würden	hätten	wären

Die Modalverben im Konjunktiv II + Infinitiv und „würde" + Infinitiv haben die gleiche Wortstellung.

Position 1	Position 2	Satzklammer	Satzende
Du	könntest	mir ein Muster	zeigen.
Ich	würde	dir eine hohe Stückzahl	empfehlen.

Position 1	Position 2	Satzklammer	Satzende
Könntet	ihr	mir	helfen?
Würden	Sie	bitte ein Produktmuster	herstellen?

A Berufskleidung

1 Berufe, Berufsgruppen, Berufsbekleidung

a Ordnen Sie die Berufe den Berufsgruppen zu. › KB: A1a

Anwältin | Altenpfleger | Ärztin | Bankkaufmann | Elektriker | Kellner | Mechanikerin |
Busfahrerin | Gärtner | Makler | Elektronikerin | medizinische Fachkraft | Journalist | Köchin |
Krankenschwester

Medizin / Pflege	Handwerk	Kochen / Gastronomie	Dienstleistungen
			Anwältin, ...

b Welche Wörter sind das? Schreiben Sie sie unter die Bilder. › KB: A1b

knodrupfck | stozockll | melär | lussverreißsch | verlettklusssch

  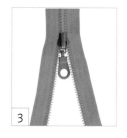  

1	2	3	4	5
der _____	der *Druckknopf*	der _____	der _____	der _____

2 Zusammensetzungen: Berufsbekleidung und ihre Ausstattung › KB: A3a

Verbinden Sie Bestimmungswort und Grundwort zu zusammengesetzten Nomen wie in den Beispielen.
Benutzen Sie, wenn nötig, ein Wörterbuch.

Bestimmungswort:
außen | Bäcker (3x) | Brust | drücken | Gesäß | Handy (2x) | Knie |
kochen (4x) | Latz | reißen | Schutz | Seite | stehen | Stifte (2x)

Grundwort:
Fach (2x) | Hose (3x) | Jacke (2x) | Knopf | Kragen | Mütze (2x) |
Schuhe | Schürze | Tasche (7x) | Verschluss

reißen + der Verschluss = der Reißverschluss, ⸚e; der Schutz + die Schuhe =

die Schutzschuhe, –; ...

B Eine Reklamation

1 Die Lieferung ist angekommen, aber leider ...   › KB: B1c

a Lesen Sie die Erklärungen und achten Sie auf die Unterstreichungen. Welche Ausdrücke aus der E-Mail im Kursbuch 18B, 1b, sind das? Notieren Sie. Lesen Sie die E-Mail, wenn nötig, noch einmal.

1. Ich konnte nicht per Telefon mit Ihnen sprechen. – Ich konnte *Sie telefonisch nicht erreichen.*

2. In der Lieferung sind alle Kleidungsstücke. – Die Lieferung _____ alle Kleidungsstücke.

3. Die Einzelbestellung ist nicht richtig. – Die Einzelbestellung ist nicht _____ .

4. Sie haben die Änderungen nicht gemacht. – Die Änderungen sind _____ .

5. Bitte machen Sie so schnell wie möglich einen Vorschlag. – Bitte machen Sie _____ einen Vorschlag.

6. Wir haben unseren Kunden eine schnelle Lieferung versprochen. – Wir haben unseren Kunden eine schnelle

   Lieferung _____ .

b Die Firma „Job-Profi-Bekleidung" hat auch eine falsche Lieferung erhalten und reklamiert. Ordnen Sie die folgenden E-Mail-Teile den Strukturpunkten von einer Reklamation zu.

A. Anrede   C. Begründung für Dringlichkeit   E. Schlusssatz / Grußformel
B. Problembeschreibung   D. Vorschlag / Forderung

1. Wir hoffen, dass Sie mit unserem Vorschlag einverstanden sind.   1. ⌐⌐
   Mit freundlichen Grüßen
2. Wir schlagen folgende Lösung vor: Sie schicken uns die richtige Ware morgen, wieder per Express,   2. ⌐⌐
   und wir schicken Ihnen, auch morgen, die falsche Ware zurück. Die Kosten für die Sendung zahlen Sie.
3. Sie wissen, dass wir die Ware dringend brauchen, weil wir neue Mitarbeiter eingestellt haben,   3. ⌐⌐
   die übermorgen mit einem neuen Projekt beginnen.
4. die Express-Lieferung Nr. 56378 ist heute angekommen. Vielen Dank. Leider gibt es Probleme: 4. ⌐⌐
   1. Herrenkittel: Sie haben die Kittel ohne Firmenlogo auf der Brusttasche geschickt.
   2. Die Arbeitsjacken sind nicht braun-beige, sondern grau-schwarz. Außerdem schließen sie mit
      Klettverschluss, wir haben sie aber mit Reißverschluss bestellt.
5. Sehr geehrte Frau Simons,   5. *A*

2 Entschuldigen Sie bitte die Umstände   › KB: B1d

Welcher Ausdruck hat die gleiche Bedeutung: a oder b? Kreuzen Sie an.

1. Herr Renz macht gerade Urlaub.

   a. ☒ Er ist im Urlaub.   b. ☐ Er macht Urlaubspläne.

2. Frau Mahler macht in der Zeit seine Arbeit.

   a. ☐ Frau Mahler vertritt ihn.   b. ☐ Sie arbeitet die ganze Zeit.

3. Der Fehler tut uns leid.

   a. ☐ Wir verbessern den Fehler.   b. ☐ Wir bedauern den Fehler.

4. Sie bekommen die Ware so schnell wie möglich.

   a. ☐ Sie erhalten die Ware umgehend.   b. ☐ Sie erhalten die Ware bald.

5. Entschuldigen Sie bitte die Mühe.

   a. ☐ Entschuldigen Sie bitte unseren Fehler.   b. ☐ Entschuldigen Sie bitte die Umstände.

3 Relativsätze: Das ist die Lieferung, die ... › KB: B2d › G: 4.2

a Schauen Sie sich die Regeln 2, 3 und 4 im Kursbuch 18B, 2d, noch einmal an. Welche grafische Darstellung gehört zu welcher Regel?

1. Der Kollege aus dem Vertrieb, der noch in Urlaub ist, kommt nächste Woche wieder. Die Kollegin, die ihn vertritt, heißt Renate Mahler.

   Das Gespräch mit dem Kunden, das nicht leicht war, hat geholfen.

   Die Probleme mit dem Computersystem, die schon eine Woche dauern, sind hoffentlich bald vorbei.

   Regel: _____

2. Der Kunde, mit dem wir telefoniert haben, war sehr unzufrieden.

   Regeln: _____

b Lesen Sie die Sätze und überlegen Sie, ob das markierte Nomen im Nominativ, Akkusativ oder Dativ steht. Notieren Sie N, A oder D.

1. Das ist der Kittel. Der Kittel hat die falsche Farbe.   _N_

   Das ist der Kittel, *der* _____ die falsche Farbe hat.

2. Da liegt die Rechnung. Die Rechnung ist nicht korrekt.   ⌐⌐

   Da liegt die Rechnung, _____ nicht korrekt ist.

3. Das sind die Jacken. Die Jacken sind mangelhaft.   ⌐⌐

   Das sind die Jacken, _____ mangelhaft sind.

4. Der Overall ist nicht da. Wir haben den Overall bestellt.   ⌐⌐

   Der Overall, _____ wir bestellt haben, ist nicht da.

5. Die Kundin wollte das T-Shirt in Weiß. Es gab das T-Shirt nur in Blau.   ⌐⌐

   Das T-Shirt, _____ die Kundin in Weiß wollte, gab es nur in Blau.

6. Wir haben der Kundin die Ware geschickt. Die Kundin hat sie reklamiert.   ⌐⌐

   Die Kundin, _____ wir die Ware geschickt haben, hat sie reklamiert.

7. Die Kundin hat den Mitarbeitern das Problem erklärt. Die Mitarbeiter haben es nicht verstanden.   ⌐⌐

   Die Mitarbeiter, _____ sie das Problem erklärt hat, haben es nicht verstanden.

8. Der Verkäufer war sehr freundlich. Mit dem Verkäufer konnte sie am Ende das Problem lösen.   ⌐⌐

   Der Verkäufer, mit _____ sie am Ende das Problem lösen konnte, war sehr freundlich.

c Ergänzen Sie die Relativpronomen im Schüttelkasten in den Sätzen in 3b.

   [das | ~~der~~ | der | dem | den | denen | die | die

d Verben mit Präpositionen und Relativsätze: Verbinden Sie die Sätze. Streichen Sie im zweiten Satz das Nomen, das auch im ersten Satz steht, und machen Sie aus dem zweiten Satz einen Relativsatz.

1. Die Änderungen sind nicht erfolgt. Wir haben über die ~~Änderungen~~ gesprochen.

   Die Änderungen, über die wir gesprochen haben, sind nicht erfolgt.

2. Die Ware ist endlich angekommen. Wir haben auf die Ware gewartet.

3. Wir bedauern die Umstände. Wir möchten uns für die Umstände entschuldigen.

4. Die Firma Mertens ist eine Großhandelsfirma. Herr Renz arbeitet schon lange für die Firma Mertens.

5. Frau Mahler ist erst seit zwei Jahren bei Mertens. Die Reklamation geht an Frau Mahler.

C Richtig angezogen im Beruf

1 Körperteile und Kleidung › KB: C1c

Zu welchen Kleidungsstücken passen welche Körperteile: a, b oder c? Kreuzen Sie an.

1. die Clogs:	a. ☐ der Bauch	b. ☒ der Fuß	c. ☐ der Oberschenkel
2. der Handschuh:	a. ☐ die Finger	b. ☐ das Knie	c. ☐ der Unterarm
3. die Haube:	a. ☐ die Schulter	b. ☐ der Hals	c. ☐ der Kopf
4. die Hose:	a. ☐ der Fuß	b. ☐ das Bein	c. ☐ die Brust
5. der Mantel:	a. ☐ die Zehe	b. ☐ der Rücken	c. ☐ die Hand
6. das T-Shirt:	a. ☐ der Bauch	b. ☐ die Hand	c. ☐ der Unterschenkel
7. das Paar Socken:	a. ☐ der Arm	b. ☐ der Kopf	c. ☐ die Zehe

2 Empfehlungen und höfliche Fragen › KB: C2 › G: 1.5

a Sollte ich ...? – Ja, Sie sollten ... Ergänzen Sie die Formen von „sollen" in den Sätzen.

1. ▶ *Sollte* _____ die Kundin das T-Shirt anprobieren? ▶ Ja, das _____ sie machen.

2. ▶ _____ ich auch zu „Krüger Berufsbekleidung" gehen? ▶ Ja, da _____ du hingehen.

3. ▶ _____ wir die Ware reklamieren? ▶ Ja, ihr _____ schnell reklamieren.

4. ▶ Sie _____ sich schriftlich beschweren. ▶ Ja, das _____ ich vielleicht tun.

b Lesen Sie die Sätze. Welche sind eine höfliche Bitte / Frage (B), welche eine Empfehlung / Bitte um eine Empfehlung (E)? Kreuzen Sie an.

	B	E
1. Könnte ich den Mantel in Größe 40 anprobieren?	☒	☐
2. Sie sollten das blaue T-Shirt nehmen, das passt besser.	☐	☐
3. Würden Sie mir bitte noch die Hauben zeigen?	☐	☐
4. Dürfte ich mir noch Ihre Blusen ansehen?	☐	☐
5. Das T-Shirt ist etwas eng, sollte ich es nicht größer nehmen?	☐	☐
6. Könnten Sie die Clogs in Hellrot bestellen?	☐	☐

Z **c** Bilden Sie höfliche Fragen mit „können" bzw. Empfehlungen mit „sollen" im Konjunktiv II.

1. Sie – mir – Hose in Größe 38 – geben – ? *Könnten Sie mir die Hose in Größe 38 geben?*

2. ich – die Jacke – lieber – in Grün – nehmen – . _____

3. ich – die Ware – auf Bestellschein – kaufen – ? _____

4. Sie – die Clogs – in Weiß – nehmen – . _____

5. Sie – die Rechnung – an die Praxis – schicken – ? _____

B **P** **3** Eine komplizierte Anprobe › KB: C3

Welches Wort fehlt in den Lücken? Ergänzen Sie.

Könnten Sie [1] *mir* kurz helfen? Ich finde, der Mantel [2] _____ nicht richtig. Er ist zu [3] _____ .

Haben Sie ihn nicht enger – vielleicht in [4] _____ 40? Und die Hose ist zu [5] _____ , das halbe

Bein schaut raus. Ich sollte sie [6] _____ Extralang probieren. Kann ich das T-Shirt waschen oder

[7a] _____ es beim Waschen [7b] _____ ? Wenn das passiert, ist es zu klein. Haben Sie die Clogs auch

[8] _____ Hellrot? Wenn nicht, [9] _____ ich weiße Clogs.

4 „brauchen nicht/kein- … zu …" und „brauchen nur … zu …" › KB: C4 › G: 1.6

a Formulieren Sie Sätze mit „brauchen nicht … zu …" und „brauchen kein- … zu …".

1. Kundin – lange suchen *Die Kundin braucht nicht lange zu suchen.* _____

2. sie – Kleidung bestellen _____

3. Verkäuferin – im Lager nachschauen _____

4. sie – Einzelbestellung eingeben _____

5. Kundin – bezahlen _____

b **Sie brauchen nur zu „Krüger" zu gehen. Formulieren Sie Sätze mit „brauchen nur … zu …".**

1. Wenn man Berufskleidung sucht, muss nur zu „Krüger" gehen.

   Wenn man Berufskleidung sucht, braucht man nur zu „Krüger" zu gehen.

2. Der Kunde muss die Kleidung nur bestellen, denn die Rechnung bezahlt die Firma.

   _____

3. Der Kunde muss die Jacke nur anprobieren, denn die Firma nimmt immer das gleiche Modell.

   _____

4. Das Geschäft hat die Hose in Extralang im Lager. Die Verkäuferin muss die Hose nur holen.

   _____

5. Der Großhandel hat den Mantel auch in Grün. Die Verkäuferin muss den Mantel nur bestellen.

   _____

6. Der Kunde muss nur noch einmal wiederkommen.

   _____

> **TIPP**
>
> „brauchen nur … zu …" –
> **Bedeutung:**
> Etwas ist einfach: Man
> muss nichts anderes als das
> machen, z. B. Sie brauchen
> nur zu fragen, dann helfen
> wir.

5 Auf Lieferschein kaufen – Wie funktioniert das?

a **Was macht der Kassierer (Ka), was der Kunde (Ku)? Kreuzen Sie an. Einmal passen beide.** › KB: C5a

	Ka	Ku			Ka	Ku
A. Original an die Firma schicken	☒	☐	D. Ware zur Kasse bringen		☐	☐
B. Ware eingeben	☐	☐	E. Lieferschein ausdrucken		☐	☐
C. Lieferschein unterschreiben	☐	☐	F. Kopie behalten		☐	☐

b **Ordnen Sie die Schritte in der richtigen Reihenfolge.** › KB: C5a

1. _D_   2. ⌣   3. ⌣   4. ⌣   5. ⌣   6. ⌣

c **Berufsbekleidung: Wer zahlt? Lesen Sie den Informationstext für Arbeitnehmer. Was ist richtig (r), was ist falsch (f)? Kreuzen Sie an.** › KB: C5b

Wer bezahlt die Berufsbekleidung?

Mit dieser Frage gibt es in der Praxis immer wieder Probleme. Hier einige kurze Informationen:

Wichtig: Wenn Sie Schutzkleidung tragen **müssen**, z. B. Schutzschuhe, Schutzbrille, Helm etc., zahlt der Arbeitgeber. Es gibt Gesetze, die das für bestimmte Tätigkeiten regeln. Sie müssen dann diese Kleidung tragen. Wenn Sie das nicht tun, haben Sie keinen Versicherungsschutz oder der Arbeitgeber kann Ihnen kündigen.

Wenn Ihr Arbeitgeber nur den Wunsch hat, dass Sie eine bestimmte Kleidung tragen, z. B. bestimmte Farben, Firmenlogo etc., kann der Arbeitgeber die Kleidung zahlen, aber es kann auch sein, dass Sie die Kosten oder einen Teil von den Kosten tragen müssen. **Achtung:** Das muss aber im Arbeitsvertrag stehen, oder es muss eine schriftliche Vereinbarung geben, die Arbeitgeber und Arbeitnehmer unterschrieben haben. Sehr wichtig: Wenn Sie nur wenig verdienen, z. B. 800 Euro im Monat, müssen Sie die Kleidung nicht bezahlen.

	r	f
1. Viele Leute können die Frage „Wer bezahlt die Berufskleidung?" nicht klar beantworten.	☒	☐
2. Der Arbeitgeber zahlt für die Schutzkleidung, wenn der Arbeitnehmer sie tragen muss.	☐	☐
3. Der Arbeitnehmer kann entscheiden, ob er Schutzkleidung trägt oder nicht.	☐	☐
4. Wenn der Arbeitgeber wünscht, dass man eine bestimmte Kleidung trägt, muss er sie bezahlen.	☐	☐
5. Sie müssen die Arbeitskleidung bezahlen, wenn Sie und der Arbeitgeber das vereinbart haben.	☐	☐
6. Wenn Sie wenig verdienen, brauchen Sie die Kleidung nicht zu bezahlen.	☐	☐

6 Kleidung kaufen › KB: C5c

Wie heißen die Redemittel? Ordnen Sie zu.

1. Guten Tag, ich suche einen	A. in Blau oder in Beige?	1. _C_
2. Ich habe	B. mit EC-Karte.	2. ⌣
3. Haben Sie die Hose auch	C. Kittel und eine Haube.	3. ⌣
4. Wo kann ich	D. Kleidergröße 40.	4. ⌣
5. Die Bluse ist schön. Sie	E. die Sachen anprobieren?	5. ⌣
6. Ich zahle	F. gefällt mir gut.	6. ⌣

D Die Ware ist mangelhaft!

T Ⓟ **1 Eine Reklamation** › KB: D1c

Lesen Sie den Briefauszug. Welches Wort passt: a, b oder c? Kreuzen Sie an.

Ich war gestern [1] _mit_ einer Reklamation bei Ihnen. [2] _____ Ihre Mitarbeiter mir nicht helfen wollten,

wende ich mich direkt an [3] _____. Ich habe keinen Fehler gemacht, sondern die Ware ist mangelhaft. Bitte

überweisen Sie den Betrag von € 150,55 umgehend auf mein Konto Nr. 45678 bei [4] _____ Stadtsparkasse.

Ich hoffe auf eine [5] _____ Lösung von diesem Problem.

1. a. ☐ auf	2. a. ☐ Dass	3. a. ☐ euch	4. a. ☐ der	5. a. ☐ schnell
b. ☐ für	b. ☐ Weil	b. ☐ Ihnen	b. ☐ dem	b. ☐ schnelle
c. ☒ mit	c. ☐ Wenn	c. ☐ Sie	c. ☐ die	c. ☐ schneller

2 Verben, Ausdrücke mit Präpositionen › KB: D2b

a Welche Präposition passt zu welchem Verb? Notieren Sie wie im Beispiel.

[an | an | auf | auf | auf | auf | für | in | zu | zu]

1. sich wenden _an + A_ _____
2. gehören _____
3. sich freuen _____
4. überweisen _____
5. hoffen _____

6. geeignet sein _____
7. sich konzentrieren _____
8. einladen _____
9. liefern _____
10. bestellen (Größe, Farbe) _____

TIPP

Präpositionen – Bedeutung:
auf: bezieht sich oft auf die Zukunft, z. B. Ich warte auf die Bestellung (die später kommt).
über: bezieht sich oft auf etwas in der Gegenwart oder Vergangenheit, z. B. Ich freue mich über deinen Besuch. Ich habe mich über den Besuch gefreut.

b Schreiben Sie mit jedem Verb in 2a einen Satz in Ihr Heft.

Ich wende mich an den Geschäftsführer.

Rechtschreibung

1 Wörter mit „ö", „o" und „e"

a ▶ 4|52 Hören Sie die Wörter und notieren Sie sie.

1. _können_
2. _____
3. _____
4. _____

5. _____
6. _____
7. _____
8. _____

9. _____
10. _____
11. _____
12. _____

b Hören Sie die Wörter in 1a noch einmal und markieren Sie den Akzentvokal: _ = lang, . = kurz.

c Wie ist der Akzentvokal vor zwei Konsonanten? Kreuzen Sie an.

a. ☐ kurz   b. ☐ lang

Grammatik im Überblick

1 Relativpronomen und Relativsätze › G: 4.2

Relativpronomen:

Im Nominativ, Akkusativ und Dativ Singular und im Nominativ und Akkusativ Plural sind die Relativpronomen wie der bestimmte Artikel. Der Dativ Plural heißt „denen".

	Maskulinum (M)	Neutrum (N)	Femininum (F)	Plural (M, N, F)
Nominativ	der	das	die	die
Akkusativ	den	das	die	die
Dativ	dem	dem	der	denen

Relativsätze:

Relativsätze sind Nebensätze. Sie beschreiben ein Nomen im Hauptsatz genauer.

- Das Relativpronomen bezieht sich auf ein Nomen. Das Genus (der, das, die) und der Numerus (Singular, Plural) vom Relativpronomen richten sich immer nach diesem Nomen.
- Der Kasus (Nominativ, Akkusativ, Dativ) richtet sich nach dem Verb im Relativsatz (z. B. „bestellen" + Akkusativ oder „zusagen" + Dativ) oder nach der Präposition (z. B. „Probleme haben mit" + Dativ).
  z. B. Der Kittel, den ich in Grau bestellt habe, ist in Blau gekommen.
     Unsere Kunden, denen wir eine schnelle Lieferung zugesagt haben, warten schon.
     Wir haben ein neues Computersystem, mit dem wir leider gerade viele Probleme haben.

Der Relativsatz steht meist direkt hinter dem Wort oder Ausdruck, zu dem er gehört. Dann kann er den Hauptsatz teilen, z. B. Der Kittel, den ich in Grau bestellt habe, ist in Blau gekommen.

2 Empfehlungen mit „sollen" im Konjunktiv II › G: 1.5

Mit „sollen" im Konjunktiv II kann man eine Empfehlung oder die Bitte um eine Empfehlung ausdrücken.
z. B. Sie sollten den Mantel in 40 probieren. (Das empfiehlt die Verkäuferin.)
   Sollte ich das T-Shirt nicht größer nehmen? (Hier bittet die Kundin die Verkäuferin um eine Empfehlung.)
   Ich sollte die Clogs in Weiß nehmen. (Diese Empfehlung spricht die Käuferin für sich selbst aus.)

Die Formen vom Konjunktiv II und vom Präteritum sind gleich.

ich	du	er / sie / es	wir	ihr	sie	Sie (Sg. + Pl.)
sollte	solltest	sollte	sollten	solltet	sollten	sollten

3 „brauchen nicht/kein- … zu …" / „brauchen nur … zu …" › G: 1.6

Mit **„brauchen nicht / kein- … zu …"** drückt man aus, dass man etwas nicht machen / haben / … muss.
z. B. Die Kundin braucht keine Angst zu haben. = Sie muss keine Angst haben. Das ist nicht nötig.

	Satzklammer		
Position 1	Position 2: „brauchen"		Satzende: „zu" + Verb (Infinitiv)
Die Kundin	braucht	keine Angst	zu haben.
Die Verkäuferin	braucht	nicht im Lager	nachzuschauen.
Sie	braucht	die Clogs nicht in Hellrot	zu bestellen.
Man	braucht	nur zu „Krüger Berufsbekleidung"	zu gehen.

- „brauchen" steht auf Position 2, „zu" mit dem Infinitiv vom Verb am Satzende.
- Bei trennbaren Verben steht „zu" zwischen der Vorsilbe und dem Infinitiv vom Verb, z. B. nachzuschauen.
- Bei Nomen verwendet man „brauchen kein- … zu", z. B. die Kundin braucht keine Angst zu haben.

„brauchen nur … zu …" bedeutet, dass etwas einfach bzw. nicht besonders schwierig ist. Man muss nichts anderes als das tun, z. B. Wenn man Berufskleidung sucht, braucht man nur zu „Krüger" zu gehen.

A Interne Fortbildung EDV

1 Die Hardware: Wie heißt das? › KB: A1b

a Ordnen Sie die Wörter aus dem Schüttelkasten zu. Arbeiten Sie, wenn nötig, mit einem Wörterbuch.
Schreiben Sie die Wörter mit Artikel und Plural.

Drucker | Festplatte | Headset | Laptop | Maus | Monitor | Speicherkarte | Tastatur |
Touchscreen | USB-Stick

1. _der Laptop, -s_   2. _____   3. _____   4. _____   5. _____

6. _____   7. _____   8. _____   9. _____   10. _____

b Wozu braucht man das? Ergänzen Sie die Begriffe aus 1a.

1. Ein Synonym für Notebook ist _Laptop_____ .
2. Mit einer _____ lassen sich z. B. Fotos von einer Digitalkamera sichern.
3. Wenn man Texte auf dem Computer schreiben möchte, braucht man eine _____ .
4. Ein _____ ist ein sehr kleiner Datenspeicher für unterwegs.
5. Die _____ ist der Speicher von dem Computer.
6. Mit einem _____ kann man einen Tabletcomputer oder ein Smartphone mit dem Finger bedienen.

2 Was man in einer EDV-Schulung lernt › KB: A1b

a Lesen Sie die Schulungsprogramme im Kursbuch 19A,1a, noch einmal. Welches Verb passt? Kreuzen Sie an.

1.	ein sicheres Passwort	☒ wählen	☐ öffnen
2.	den Arbeitsplatz automatisch	☐ anordnen	☐ sperren
3.	eine Sperrung	☐ einrichten	☐ schließen
4.	die Firmendaten	☐ durchführen	☐ sichern
5.	ein Backup	☐ anhängen	☐ durchführen
6.	Dateianhänge	☐ öffnen	☐ einrichten
7.	Fenster logisch	☐ ziehen	☐ anordnen
8.	die Benutzeroberfläche	☐ einrichten	☐ befehlen
9.	Dateien auf den Desktop	☐ sparen	☐ ziehen
10.	eine Ordnerstruktur	☐ anlegen	☐ scannen

Ⓩ b Welche Verben passen zu den Nomen? Kreuzen Sie an.

		a.	b.	c.	d.
1.	ein Passwort	☒ wählen	☐ strukturieren	☒ einrichten	☒ erstellen
2.	den PC-Arbeitsplatz	☐ wiederfinden	☐ sperren	☐ organisieren	☐ sichern
3.	eine Sperrung	☐ einrichten	☐ deaktivieren	☐ sperren	☐ aktivieren
4.	die Firmendaten	☐ schützen	☐ sichern	☐ speichern	☐ durchführen
5.	Dateien und Ordner	☐ anlegen	☐ deaktivieren	☐ verschieben	☐ löschen
6.	verlorene Dateien	☐ suchen	☐ wiederfinden	☐ wiederherstellen	☐ sperren

3 Eine Weiterbildung für Frau Bär › KB: A2b

a Was bedeuten die Wörter aus dem Fortbildungsangebot? Ordnen Sie zu.

1. Datensicherheit: A. Nutzer machen eine Kopie ihrer Daten auf einem Speichermedium.   1. _D_

2. interne Fortbildung: B. Basis-Wissen über EDV   2. ⌐

3. EDV: C. Weiterbildung oder Fortbildung in der Firma oder im Betrieb   3. ⌐

4. Suchfunktion: D. Nutzer wollen die Daten vor Viren oder unerlaubtem Zugriff schützen.   4. ⌐

5. Firmendaten: E. elektronische Datenverarbeitung   5. ⌐

6. EDV-Grundkenntnisse: F. auf dem Computer gespeicherte Mails, Bestellungen und Verträge usw. von Kunden und Geschäftspartnern   6. ⌐

7. Datensicherung: G. die Benutzeroberfläche   7. ⌐

8. Desktop: H. Mit einem Computerbefehl können Nutzer ihre verlorenen Dateien auf der Festplatte wiederfinden.   8. ⌐

T Ⓟ b Frau Bär möchte Büroleiterin werden. Sie sucht eine EDV-Weiterbildung. Welche Anzeige passt? Kreuzen Sie an.

Probleme mit dem Büromanagement?

Vermittlung von qualifiziertem Personal im Bereich

• **Office-Management:**
Sekretär/in, Office-Fachkräfte im Bereich Vertrieb, Einkauf und Marketing, Büroleiter/in

• **Finanzen / Buchhaltung**
Buchhalter/in im Rechnungswesen

Personal & Co-Kompetenz
Ruven-Melzer-Allee 101-103
79407 Freiburg
www.percoko.de

1 ☐

EDV ganz leicht gemacht!

– EDV-Grundlagen: Windows, Mac
– EDV für Fortgeschrittene und Profis
– Web-Seiten-Pflege/Web-Design
– Computerkurse für Kinder
– Programmieren für Jugendliche
– Ausbildung zur Office-Assistenz
– Berufliche EDV-Weiterbildung zur Office-Manager/in/Büroleitung

Berufsakademie in Bad Hausen
Sibylle-Lotte-Platz 64
Tel. 27 12 19 64
www.akademie-badhausen.de

2 ☐

Die Computerakademie

Wir suchen **Büroleiter** (m/w) für unsere EDV-Akademie. Wir sind seit 25 Jahren erfolgreich im Bereich der **EDV-Schulung** tätig. Wir bieten Betrieben spezielle EDV-Weiterbildungen, die Sie organisieren sollen.

Wir erwarten:
▪ sicherer Umgang mit data*, data*plan, data+security und Office
▪ Erfahrung im Office-Management

Bewerbungsformular unter:
www.data-edv.de

3 ☐

4 Wessen Weiterbildung? – Der Genitiv › KB: A3b › G: 2.2

a Lesen Sie die Aussagen und schreiben Sie die richtige Form des Genitivs.

1. Der Anschluss d*er*_____ Kamera –_____, d*es*_____ Monitor*s*_____ und d_____ Tablet_____.

2. Der Anschluss d_____ Tastatur_____, d_____ Headset_____ und d_____ Stick_____.

3. Die Anschlüsse d_____ Telefone, d_____ Drucker und d_____ Lampen.

b Wessen …? Schreiben Sie den Genitiv mit unbestimmtem Artikel. Einmal müssen Sie „von" + Dativ verwenden.

1. Schulung / Industriekaufmann: *die Schulung eines Industriekaufmanns / Industriekaufmannes*_____

2. Vortrag / Fachreferenten: _____

3. Unterlagen / EDV-Dozentin: _____

4. Büro / Projektteam: _____

5. Frage / Kollege: _____

6. Kosten / Computerkurs: _____

7. Sicherheit / WLAN-Netz: _____

8. Probleme / Teilnehmer (Pl.): _____

c Lesen Sie den Bericht über eine Computerfortbildung zum Thema „Datensicherheit" und ergänzen Sie den Genitiv.

Die Mitarbeiter erfahren etwas über die Sicherheit [1] e*ines*_ Passwort*(e)s*___ .

Die Dozentin findet die Einrichtung [2] e_____ Sperrung_____ [3] d_____

Arbeitsplatz_____ wichtig. Sie spricht auch über die Sicherung [4] d_____

Firmendaten_____. Auf dem Laptop zeigt sie die Durchführung [5] e_____

Backup_____. Außerdem erklärt sie die Arbeit [6] d_____ Virenscanner_____.

Bei der Nutzung [7] e_____ öffentlich_____ Netz_____ auf einer Dienst-

reise muss jeder Mitarbeiter für die Sicherheit [8] d_____ Firmendaten_____

sorgen. Gerne beantwortet die Dozentin dann auch noch die Fragen [9] e_____

Kollege_____. Er möchte etwas über die Verwendung [10] e_____ Viren-

schutzprogramm_____ wissen. Zum Schluss empfiehlt sie dem Kollegen

den Besuch [11] e_____ Computerkurs_____.

Ⓩ d Wessen Notebook ist das? Lesen Sie den Tipp und schreiben Sie den Genitiv bei Namen.

1. das Notebook von Peter → *Peters Notebook*_____

2. der Computer von Herrn Mair → _____

3. die Notizen von Lars → _____

4. die Schulung von Frau Sanz → _____

5. die Chefin von Katja Ruge → _____

6. die Dienstreise von Max → _____

B Die EDV-Schulung

1 Aus einem Computerglossar – Definitionen › KB: B1

Welche Wörter passen zu den Nomen? Kreuzen Sie an.

1. das Benutzerkonto	a. ☒ die Zugangserlaubnis	b. ☒ das Passwort	c. ☐ der Ordner
2. der Ordner	a. ☐ das Passwort	b. ☐ das Dateiformat	c. ☐ die Dateien
3. der Dateianhang	a. ☐ die E-Mail	b. ☐ das Dateiformat	c. ☐ das Attachement
4. die Datensicherung	a. ☐ das Speichermedium	b. ☐ das Backup	c. ☐ das Benutzerkonto
5. die Verknüpfung	a. ☐ das Programm	b. ☐ die E-Mail	c. ☐ das Pfeilsymbol
6. die Sperrung des PCs	a. ☐ das Speichermedium	b. ☐ die Sicherheit	c. ☐ die Inaktivität

2 Fragen aus einer Ratgeber-Community – Kurzbefehle für Computer › KB: B3a

a Lesen Sie die Fragen aus dem Forum und ergänzen Sie die Tabelle unten.

Frage von Nadine1991
Hallo, wer kann mir helfen? Ich bin von einem Windows-Computer auf einen Mac umgestiegen. Welche Tastaturbefehle sind hier anders?

uploader @Nadine1991
Zu diesem Thema gibt's nicht sehr viel zu sagen: In der Regel brauchst du nur die Strg-Taste unter Windows durch die cmd (= command) oder Apfel-Taste zu ersetzen. Die Buchstaben bleiben die gleichen. Kopieren, Ausschneiden und Einfügen zum Beispiel, bei Windows Strg + C, Strg + X und Strg + V, bei Mac OS X ist es cmd + C, cmd + X und cmd + V.

Professorin @Nadine1991
Hier mal nur das Wichtigste: Dein neuer Mac ist abgestürzt. Du willst alle Anwendungen schließen. Für diese Funktion nimmst du bei Mac OS X cmd + alt + esc. Mit diesem Tastaturbefehl kannst du den Taskmanager öffnen. Wenn du Hilfe brauchst, bei Mac OS X ist das cmd + ⇧ + ? Du hast einen Ordner oder eine Datei verloren, die Lösung dieses Problems ist bei deinem Mac cmd + F. Schau doch mal unter www.pc-professorin.de/tastaturkuerzel. Auf dieser Webseite findest du eine Liste mit noch mehr Befehlen.

flieger @Nadine1991
Super! Diese Befehle sparen echt viel Zeit! Hier noch zwei: Wenn du eine Datei oder einen Ordner umbenennen willst, unter Mac OS X ist das cmd + enter. Löschen ist cmd + backspace.

Tastenkombinationen für Computerbefehle	Windows	Mac OS X
1. Den Taskmanager öffnen und alle Programme beenden, wenn der PC nicht mehr reagiert.	Strg + Alt + Entf	*cmd+alt+esc*
2. Nach einem Ordner oder einer Datei suchen.	F3	
3. Eine Datei oder einen Ordner umbenennen.	F2	
4. Löschen eines Elements und in den Papierkorb verschieben.	Strg + D	
5. Eine Datei oder einen Ordner kopieren.	Strg + C	
6. Einen Ordner oder eine Datei ausschneiden.	Strg + X	
7. Einen Ordner oder eine Datei einfügen.	Strg + V	
8. Hilfe	F1	

② b Was bedeuten die englischen Wörter aus der Computersprache? Ordnen Sie zu.

1. das Keybord	A. das Benutzerkonto	1. _F_
2. der User Account	B. ein Programm, das andere Programme anzeigt und verwaltet	2. ⌐
3. das Attachement	C. die Datensicherung	3. ⌐
4. der Desktop	D. der Anhang in einer E-Mail	4. ⌐
5. der Taskmanager	E. ein Zentralcomputer, der eine Verbindung zu anderen PCs hat	5. ⌐
6. der Server	F. die Computertastatur	6. ⌐
7. das Backup	G. die Benutzeroberfläche	7. ⌐

3 In einem Computergeschäft – Demonstrativartikel und -pronomen › KB: B4b › G: 3.3

a Lesen Sie nur die Fragen der Kundin. Ergänzen Sie die Demonstrativartikel „dies-"

1. **Kundin:** Ich suche ein preiswertes Notebook. Wieviel kostet dies_es_ Notebook?
   Verkäufer: Für dieses hier zahlen Sie 299 Euro.

2. **Kundin:** Ich brauche einen guten Virenscanner. Ist dies____ Virenscanner gut?
   Verkäufer: Ja, dieser hat die besten Testurteile.

3. **Kundin:** Für meine Eltern suche ich ein Handy für Senioren. Können Sie dies____ Handy empfehlen?
   Verkäufer: Auf jeden Fall. Dieses hier hat Tasten, die sehr groß sind, und das Display ist auch größer.

4. **Kundin:** Ich hätte gerne ein Tablet mit externer Tastatur wie bei dies____ Tabletcomputer hier.
   Verkäufer: Bei diesem ist die Tastatur inklusive.

5. **Kundin:** Ich möchte ein Notebook mit großem Monitor. Wie groß ist dies____ Monitor hier?
   Verkäufer: Dieser hier hat 21 Zoll.

6. **Kundin:** Haben Sie auf dies____ PC ein vorinstalliertes Schreibprogramm?
   Verkäufer: Nein, auf diesem ist das Office-Paket leider noch nicht installiert.

b Lesen Sie nun das ganze Gespräch in 3a noch einmal und markieren Sie die Demonstrativartikel und -pronomen in verschieden Farben. Kreuzen Sie dann in der Regel an.

Demonstrativartikel und Demonstrativpronomen sind   a. ☐ immer gleich.   b. ☐ nicht gleich.   Ⓖ

c Lesen Sie das Gespräch zwischen dem Verkäufer und einer unzufriedenen Kundin und ergänzen Sie die Demonstrativartikel und -pronomen.

1. **Kundin:** Ich habe dies_es_ Notebook bei Ihnen gekauft. Mit dies____ habe ich nur Probleme.

2. **Verkäufer:** Ich habe Ihnen dies____ Produkt empfohlen und mit dies____ nur gute Erfahrungen gemacht.

3. **Kundin:** Ich möchte dies____ Computer zurückgeben und dafür dies____ hier mitnehmen. Geht das?

4. **Verkäufer:** Dies____ hier ist aber ein Tabletcomputer und viel teurer als Ihr Laptop. Sie müssen für dies____ hier noch 350 Euro mehr zahlen.

5. **Kundin:** Mm, das ist aber wirklich teuer. Vielleicht nehme ich doch einen Laptop. Was kostet dies____ da?

6. **Verkäufer:** Dies____ Modell kostet 429 Euro.

7. **Kundin:** Dies____ hier ist ja noch teurer als mein Notebook! Mm, ich glaube, dann behalte ich es doch.

d Ergänzen Sie in den Fragen der Kunden „dies-" oder den bestimmten Artikel als Pronomen.

1. Welches Tablet ist günstiger? *Dieses* _____ hier oder *das* _____ da?
2. Welche Tastatur kann man an ein Tablet anschließen? _____ hier oder _____ da?
3. Welchen Monitor können Sie empfehlen? _____ hier oder _____ da?
4. Welche Maus braucht kein Kabel? _____ hier oder _____ da?
5. Welches Notebook hat mehr Speicherplatz? _____ hier oder _____ da?
6. Bei welchen Druckern fehlt der USB-Anschluss? Bei _____ hier oder bei _____ da?

TIPP

Bestimmter Artikel und Pronomen sind gleich, außer im Dativ Plural → denen, z. B.
Arbeitest du mit den neuen Programmen? – Ja, ich arbeite schon lange mit denen.

C Die Evaluierung

1 Die interne Schulung: Welche Schulungsthemen interessieren Sie? › KB: C2 › G: 3.6

Ergänzen Sie das Fragewort „welch-" in der richtigen Form.

1. Für welch*e* _____ Firma arbeiten Sie?
2. In welch_____ Abteilung sind Sie beschäftigt?
3. Welch_____ EDV-Fortbildungen haben Sie schon besucht?
4. Aus welch_____ Gründen haben Sie diesen EDV-Kurs besucht?
5. Mit welch_____ Inhalt waren Sie besonders zufrieden?
6. Zu welch_____ Thema möchten Sie wieder eine Weiterbildung machen?
7. In welch_____ Kalenderwoche passt Ihnen eine innerbetriebliche Schulung am besten?

2 Was für eine Weiterbildung machst du? › KB: C5b › G: 3.6

a Ergänzen Sie das Fragewort „was für ..." in der richtigen Form.

1. *Was für eine* _____ Weiterbildung machst du? – Ich mache eine zweitägige EDV-Schulung im Betrieb.
2. _____ Computer benutzt du privat? – Ich benutze einen von Techtick mit Touchscreen.
3. _____ Netzwerk baut eure Abteilung auf? – Wir bauen ein neues lokales Netzwerk auf.
4. _____ Dozenten hattet ihr? – Wir hatten sehr gute und sehr motivierte Dozenten.
5. _____ Zertifikat hast du bekommen? – Ich habe ein qualifiziertes IHK-Zeugnis bekommen.
6. Mit _____ Übungsmaterial habt ihr gearbeitet? – Mit einem sehr gutem vom Dozenten.

b Nach Eigenschaft fragen: Was für ein Team ist das? – Ein super Team. Schreiben Sie mit den Vorgaben in Klammern Fragen mit „Was für ..." zu den Antworten.

1. *Was für eine Schulung ist das?* _____ (das – eine Schulung sein) – Eine interne Schulung.
2. _____? (Sie – Virenscanner benutzen) – Einen kostenlosen.
3. _____? (man – Passwort eingeben) – Ein langes.
4. _____? (Dozentin – Kurs leiten) – Eine kompetente.
5. _____? (Kollegen – Schulung besuchen) – Sehr nette.

D Mobile Arbeit

1 Mobile Arbeit – Wortfamilie zu „Arbeit" › KB: D1b

a Lesen Sie den Artikel im Kursbuch 19D, 1b, noch einmal und schreiben alle Wörter aus der Wortfamilie „Arbeit" in die Tabelle in 1b. Notieren Sie auch die Artikel und den Plural.

b Bilden Sie aus den Elementen im Schüttelkasten Nomen, Verben und Adjektive zu „arbeiten" und ergänzen Sie die Tabelle. Bitte denken Sie auch an das Fugen-s.

> ab | Anweisung | Bau | be- | Bereich | Computer | Ergebnis | fähig | Gruppen | Klima | mit- | nach- | Platz | reich | ver- | vor- | Zeit | zusammen-

Verben: *arbeiten, abarbeiten, ...*

(zusammengesetzte) Nomen: *die Arbeitsanweisung, –en; ...*

Adjektive: *arbeitsfähig, ...*

Rechtschreibung

1 Wörter mit „ä" – Wörter mit „a"

a ▶ 4|53 Lesen Sie den Tipp. Welcher Buchstabe fehlt? Hören Sie die Wörter zur Kontrolle.

1. die Oberflä__che – flä__ch
2. anh__ngen – der Dateianh__ng
3. der EDV-Anf__nger – anf__ngen
4. ein Programm w__hlen – die Programmw__hl
5. die Vertr__ge – der Vertr__g
6. ein Programm erkl__ren – kl__r
7. die S__tze – der S__tz
8. eine eint__gige Schulung – ein T__g

> **TIPP**
>
> Wann schreibt man „ä", wann „e"? Wenn man das Wort von einem anderen mit „a" ableiten kann, schreibt man es mit „ä". Wenn man das Wort nicht ableiten kann, schreibt man es meistens mit „e", z. B. Arbeitsplätze → Arbeitsplatz, Hände → Hand, **aber** Ende mit „e", denn es kommt von enden mit „e".

b „ä" oder „e"? Notieren Sie den passenden Vokal. Arbeiten Sie ggf. mit einem Wörterbuch.

1. das Gesprä__ch
2. s__nden
3. besch__ftigen
4. rückg__ngig
5. die Sp__rrung
6. die K__nntnisse
7. das Ger__t
8. das WLAN-N__tz
9. die T__chnik
10. die Qualit__t
11. der Str__ss
12. erg__nzen

Grammatik im Überblick

1 Der Genitiv › G: 2.2

	Maskulinum (M)	Neutrum (N)	Femininum (F)	Plural (M, N, F)
bestimmter Artikel	des Platz**es**	des Passwort**(e)s**	der Oberfläche	der Ordner / Fenster / Dateien
unbestimmter Artikel	eines Ordner**s**	eines Backup**s**	einer Datei	Ø Ordner / Fenster / Dateien

- Im Genitiv erhalten die Nomen im Maskulinum und Neutrum die Endung „-s" oder „-es", außer die Nomen der n-Deklination, z. B. der Kollege, des Kollegen.
- Im Femininum und Plural haben die Nomen im Genitiv keine Endung.
- Den Genitiv Plural von Nomen ohne Artikel umschreibt man oft mit „von" + Dativ.
  z. B. Wessen Computeranlagen wartet Herr Bayer? – Herr Bayer wartet die Computeranlagen von Logistikfirmen.

2 Demonstrativartikel und Demonstrativpronomen › G: 3.3

	Maskulinum (M)	Neutrum (N)	Femininum (F)	Plural (M, N, F)
Nom.	dieser (Befehl)	dieses (Problem)	diese (Schulung)	diese (Tastenkombinationen)
Akk.	diesen (Befehl)	dieses (Problem)	diese (Schulung)	diese (Tastenkombinationen)
Dat.	mit diesem (Befehl)	zu diesem (Problem)	in dieser (Schulung)	mit diesen (Tastenkombinationen)
Gen.	dieses (Befehl**s**)	dieses (Problem**s**)	dieser (Schulung)	dieser (Tastenkombinationen)

- Die Demonstrativartikel „dies-" hat immer die gleichen Endungen wie der bestimmte Artikel (der / das / die).
- Die Formen der Demonstrativartikel und Demonstrativpronomen sind gleich.
  z. B. Ich möchte diesen Computer zurückgeben und dafür diesen hier mitnehmen.

3 Das Fragewort „welch-" › G: 3.6

- „Welch-…" fragt nach einer Person oder Sache aus einer Auswahl.
  z. B. Welche EDV-Schulung machst du, die für Fortgeschrittene oder die für Anfänger? – Die für Anfänger.
  Welche Dozentin fandest du besser? Frau Bär oder Frau Lang? – Frau Lang fand ich besser.

	Maskulinum (M)	Neutrum (N)	Femininum (F)	Plural (M, N, F)
Nom.	Welcher (Inhalt)?	Welches (Thema)?	Welche (Dozentin)?	Welche (Gründe)?
Akk.	Welchen (Inhalt)?	Welches (Thema)?	Welche (Dozentin)?	Welche (Gründe)?
Dat.	Mit welchem (Inhalt)?	Zu welchem (Thema)?	Bei welcher (Dozentin)?	Aus welchen (Gründen)?

- Das Fragewort „welch-" hat immer die gleiche Endung wie der bestimmte Artikel. Es kann als Artikelwort vor einem Nomen stehen.
  z. B. Von welchem Thema sprichst du?
- Es kann aber auch alleine stehen.
  z. B. Von welchem sprichst du?

4 „Was für …?" › G: 3.6

- „Was für ein …?" fragt nach Eigenschaften.
  z. B. Was für eine Schulung machst du? – Eine teure, aber gute Schulung.

	Maskulinum (M)	Neutrum (N)	Femininum (F)	Plural (M, N, F)
Nom.	Was für ein Computer?	Was für ein Team?	Was für eine Schulung?	Was für Computer?
Akk.	Was für einen Computer?	Was für ein Team?	Was für eine Schulung?	Was für Computer?
Dat.	Mit was für einem Computer?	In was für einem Team?	In was für einer Schulung?	Mit was für Computer**n**?

A Zeit für ein Meeting?

1 Die Mitarbeiter kommen zusammen › KB: A1a

a Konferenz, Meeting, ... Welche Wörter fehlen in den Sätzen? Ergänzen Sie das Rätsel.

1. Wir laden Sie herzlich zur ... unserer Vertriebsmitarbeiter ein.

2. Heute habe ich Zeit für ein ...

3. In der Personalabteilung beginnt die Woche mit einer ...

4. Kommst du auch zu unserem Deutschkurs-... von der Sprachenschule?

5. Das Planungsteam trifft sich zu einer ersten ... am 23. März.

6. Die ... hat das Thema „Gesundheit im Betrieb".

Rätsel:
- 1: K O N F E R E N
- 2: M E N [ ] N
- 3: B S E U
- 4: T [ ] F E G
- 5: S T Z
- 6: T U G

b „sprechen" oder „besprechen"? Ergänzen Sie das fehlende Wort in der richtigen Form. Kreuzen Sie dann in der Regel an.

1. Die Einzelheiten *besprechen* _____ wir am besten im kleinen Kreis.

2. Was habt ihr gestern bei der Teamsitzung _____?

3. Über Punkt 3 haben wir lange und ausführlich _____.

4. Wollen wir nicht noch kurz über die Aufgaben von morgen _____?

5. Wann _____ wir denn, wie es weitergeht?

6. _____ doch bitte noch einmal mit deinen Kollegen!

1. a. ☐ besprechen	b. ☐ sprechen	mit + Dativ / über + Akkusativ
2. a. ☐ besprechen	b. ☐ sprechen	+ Akkusativ

2 Hier mein kurzer Bericht ... › KB: A2

Lesen Sie die Erklärungen und achten Sie auf die Markierungen. Welche Verben aus der E-Mail von Tim Lohse in Aufgabe 2, im Kursbuch 20A, sind das? Notieren Sie.

1. etwas kurz erzählen – von etwas *berichten* _____

2. jdn. mit einer Alternative bekannt machen – jdm. eine Alternative _____

3. Es gibt nicht mehr so viel Interesse – das Interesse hat _____

4. das Kursprogramm in den Arbeitstag einbauen – das Kursprogramm in den Arbeitstag _____

5. die Idee gut finden – viel von der Idee _____

3 Fit und gesund am Arbeitsplatz – Nebensätze mit „damit" › KB: A3 › G: 4.2

a Lesen Sie die Vorschläge für gesundes Arbeiten. Was ist der Zweck?

Vorschlag:

1. Ihren Bürostuhl richtig einstellen
2. immer wieder die Sitzposition wechseln
3. bei heller Beleuchtung arbeiten
4. den Monitor auf die richtige Höhe einstellen
5. die richtige Tischhöhe wählen

Zweck:

A. Die Beine haben genug Platz.
B. Der Hals bleibt entspannt.
C. Sie bekommen keine Rückenprobleme.
D. Sie sitzen gut.
E. Sie sehen besser.

1. _D_
2. ⌷
3. ⌷
4. ⌷
5. ⌷

b Schreiben Sie die Vorschläge aus 3a in die Tabelle. Verbinden Sie die Satzteile mit „damit".

Hauptsatz	Nebensatz		
1. Stellen Sie Ihren Bürostuhl richtig ein,	damit	Sie gut	sitzen.
2.			
3.			
4.			
5.			

c Tim Lohse will eine Firma mit einem Sportprogramm besuchen. Formulieren Sie den Zweck seiner Reise und verbinden Sie die Sätze mit „damit".

1. Firma Schroth – Tim Lohse einladen → er – Sportprogramm sich ansehen

   Firma Schroth lädt Tim Lohse ein, damit er sich das Sportprogramm ansieht.

2. Er – Termin mit der Personalchefin haben → sie – ihn über Programm informieren

3. Die Personalchefin – ihm Sporträume zeigen → er – aktive Mitarbeiter kennenlernen

4. Die Teamleiter – mit Mitarbeitern sprechen sollen → sie – von ihren Erfahrungen berichten

5. Er – ein Protokoll schreiben → er – keine wichtigen Informationen vergessen

d Schreiben Sie die Sätze aus 3c in die Tabelle und beginnen Sie mit dem Nebensatz mit „damit".

Nebensatz			Hauptsatz	
1. Damit	er sich das Sportprogramm	ansieht,	lädt	Firma Schroth Tim Lohse ein.
2.				
3.				
4.				
5.				

4 Tim Lohse plant seine Reise › KB: A3

Formulieren Sie die Sätze wie im Beispiel.

1. Tim Lose bestellt ein Taxi, *damit er pünktlich am Bahnhof sein kann.*
   (am Bahnhof – pünktlich – sein können)

2. Er wählt eine direkte Zugverbindung aus, _____ .
   (nicht – umsteigen müssen)

3. Er reserviert einen Sitzplatz, _____ .
   (unterwegs – noch etwas – arbeiten können)

4. Er packt sein Notebook ein, _____ .
   (wichtige E-Mails – im Zug – beantworten können)

5. Er notiert die Adresse des Tagungshotels, _____ .
   (mit Suchen – keine Zeit – verlieren müssen)

B Organisation ist alles

1 Einladung zur Besprechung › KB: B1

Schreiben Sie mit den Vorgaben eine Einladung an Frau Wenzel in Ihr Heft. Lesen Sie die Sätze im Kursbuch 20B, 1, noch einmal. Sie können Ihnen helfen. Vergessen Sie auch nicht Anrede und Gruß.

> Wir … Mitarbeiterschulung zum Thema „Zeitmanagement". | Ich würde mich freuen, … | Aus diesem Grund … Besprechung einladen. | Das Treffen … am 20.04., Beginn: 9:30 Uhr – Ende: ca. 15:00 Uhr | Ort: Raum 307, Gebäude A, 3. Etage | Die Tagesordnung … Anhang.

> ⊠
>
> Liebe Frau Wenzel,
> wir planen eine Mitarbeiterschulung zum Thema „Zeitmanagement". …

2 Die Pronomen „ein-"/„welch-" und „kein-" › KB: B4b › G: 3.4

a **Lesen Sie das Gespräch zwischen dem Mitarbeiter der Raumorganisation und der Assistentin. Ergänzen Sie das Pronomen „ein-" in der richtigen Form.**

▶ Wie groß soll der Raum sein?

▶ Ich sehe, Raum 206 ist frei. Da steht aber nur eine Pinnwand.

▶ Moment mal, ich glaube [3] _____ war defekt. Aber nein, der in Raum 206 funktioniert.

▶ Das ist nicht nötig. Aber ein Notebook müssen Sie bitte selbst mitbringen.

▶ Dann ist ja alles klar. Unterschreiben Sie bitte das Bestellformular hier unten.

▶ Hier, bitte schön!

▶ Wir brauchen [1] *einen* für 15 Personen.

▶ Hm, [2] nur _____? Wir brauchen zwei. Gibt es dort auch einen Beamer?

▶ Da haben wir ja Glück. Wenn nicht, kann ich [4] _____ aus der Abteilung mitbringen.

▶ Ja, ich habe schon [5] _____ von meinem Chef bekommen.

▶ Oh, ich habe keinen Stift bei mir. Können Sie mir [6] _____ leihen?

▶ Danke.

b Lesen Sie den Tipp und markieren Sie in den Sätzen die Nomen und Pronomen. Welche Aussagen gehören zusammen?

1. Ich brauche noch Tassen!

2. Wir haben kein Papier mehr!

3. Möchten Sie Zucker zum Kaffee?

4. Schicken Sie mir eine Einladung!

5. Haben Sie etwas Kleingeld?

6. Ah, hier liegen die Servietten!

7. Ich nehme ein Stück Pizza.

8. Bringen Sie mir einen Notizblock mit?

A. Haben Sie denn keine bekommen?

B. Im Schrank stehen noch welche.

C. Eins mit Tomaten oder mit Salami?

D. Gut, ich bringe welches mit.

E. Können Sie mir auch welche geben?

F. Danke, ich nehme keinen.

G. Brauchen Sie einen großen oder kleinen?

H. Leider habe ich auch keins.

1. _B_
2. ⌣
3. ⌣
4. ⌣
5. ⌣
6. ⌣
7. ⌣
8. ⌣

> **TIPP**
>
> Ist das Nomen zählbar?
> z. B. Tasse, Stift
> → Sing.: „ein-"/„kein-"
> → Pl.: „welche"/„keine"
> Ist das Nomen nicht zählbar?
> z. B. Geld, Papier
> → „welch-"/„kein-" (nur Sing.)

3 Possessivpronomen › KB: B4b › G: 3.2

Welches Pronomen ist richtig: a oder b? Kreuzen Sie an.

1. Mein Auto steht im Parkhaus. Wo haben Sie   a. ☒ Ihres   b. ☐ Ihrer   geparkt?

2. Dieser Regenschirm gehört mir nicht.   a. ☐ Meinem   b. ☐ Meiner   ist schwarz.

3. Ich habe mein Handy vergessen. Kann ich kurz mit   a. ☐ deins   b. ☐ deinem   anrufen?

4. Auf dem Tisch liegen noch Unterlagen. Sind das   a. ☐ Ihre?   b. ☐ Ihren?

5. Wir brauchen keine Namensschilder. Wir haben   a. ☐ unseren   b. ☐ unsere   eigenen dabei.

> **TIPP**
>
> Lernen Sie die Genus-Kasus-Signale.
> Nom.: r / s / e // e
> Akk.: n / s / e // e
> Dat.: m / m / r // n

C Die Besprechung

1 Auf der Tagesordnung steht … › KB: C1a

a Wie heißen die Nomen? Notieren Sie auch die Artikel.

1. erstellen: _die Erstellung_

2. beschließen: _____

3. bilden: _____

4. diskutieren: _____

5. präsentieren: _____

6. begrüßen: _____

b Ergänzen Sie die Tagesordnung mit den Nomen aus 1a.

TOP 1	_Begrüßung_	der Teilnehmer
TOP 2	_____	des Projekts
TOP 3	_____	der Projektideen
TOP 4	_____	zur Durchführung
TOP 5	_____	eines Projektplans
TOP 6	_____	der Projektteams

> **TIPP**
>
> In Listen notiert man Aktivitäten als Nomen:
> Begrüßung der Teilnehmer
> → Die Leitung begrüßt die Teilnehmer.
> **Achtung:**
> brauchen → der Bedarf

c Welche Präposition(en) hat das Verb? Ordnen Sie zu.

1.	stimmen	A.	am + Dat. / um + Akk.	1.	_G_
2.	sich einigen	B.	in + Akk.	2.	__
3.	einen Termin finden	C.	mit + Dat.	3.	__
4.	seine Meinung sagen	D.	auf + Akk.	4.	__
5.	sich organisieren	E.	zu + Dat.	5.	__
6.	sich beschäftigen	F.	für + Akk.	6.	__
7.	gehen	G.	für / gegen + Akk.	7.	__
8.	stattfinden	H.	um + Akk.	8.	__

2 Die Struktur einer Besprechung › KB: C2

a Was kann in einer Besprechung passieren? Welches Nomen passt: a oder b? Kreuzen Sie an.

1.	a. ☐ Besprechung	b. ☒ Begrüßung	der Teilnehmer
2.	a. ☐ Klärung	b. ☐ Beschluss	der organisatorischen Fragen
3.	a. ☐ Einladung	b. ☐ Wahl	des Protokollanten
4.	a. ☐ Besprechung	b. ☐ Abstimmung	der einzelnen Punkte
5.	a. ☐ Klärung	b. ☐ Zusammenfassung	der Ergebnisse
6.	a. ☐ Verteilung	b. ☐ Wahl	der Aufgaben
7.	a. ☐ Einladung	b. ☐ Verabschiedung	der Teilnehmer

b Was machen die Sitzungsteilnehmer und die Sitzungsleitung?

1. Die Sitzungsleitung _begrüßt die Teilnehmer._

2. Die Teilnehmer _____.

3. Die Leitung _____.

4. Man _____.

5. Die Sitzungsleitung _____.

6. Sie _____.

7. Und sie _____.

3 Ich eröffne die Diskussion … – Redemittel in einer Besprechung › KB: C3c

▶ 4|33–34 **Lesen Sie die Redemittel. Wer verwendet sie in der Besprechung? Kreuzen Sie an: Sitzungsleiterin (S) oder Teilnehmer (T)? Hören Sie die Besprechung im Kursbuch 20C, 3b, zur Kontrolle noch einmal.**

		S	T
1.	Ich danke Ihnen für Ihren interessanten Vortrag.	☒	☐
2.	Wer möchte etwas zu dem Projekt sagen?	☐	☐
3.	Für mich ist aber noch nicht klar, ob …	☐	☐
4.	Da stimme ich Ihnen zu. Ich sehe da auch ein Problem.	☐	☐
5.	Da fällt mir gerade etwas ein. …	☐	☐
6.	Das ist eine sehr gute Idee von Ihnen, Frau …	☐	☐
7.	Ja, also, ich würde gerne wissen, …	☐	☐
8.	Gibt es sonst noch Fragen?	☐	☐

D Das halten wir fest

1 Das nehmen wir ins Protokoll auf – Verbindungen von Nomen und Verb › KB: D1

a Lesen Sie das Protokoll im Kursbuch 20D, 1, noch einmal. Welches Verb bildet mit dem Nomen einen festen Ausdruck? Notieren Sie.

1. etw. ins Protokoll *aufnehmen*

2. die Änderung _____

3. eine Umfrage _____

4. sich mit jdm. in Verbindung _____

5. ein Angebot _____

6. einen Plan _____

b Schreiben Sie die Sätze im Perfekt mit den Vorgaben und den festen Ausdrücken aus 1a.

1. Herr Rössner – den Vorschlag – ins Protokoll …

   Herr Rössner hat den Vorschlag ins Protokoll aufgenommen.

2. Die Teilnehmer – die Tagesordnung – die Änderung …

   _____

3. Unsere Abteilung – zum Bedarf an Sportangeboten – eine Umfrage …

   _____

4. Frau Kliem – mit der Geschäftsführung – sich – in Verbindung …

   _____

5. Herr Wolf – für Fitnessgeräte – verschiedene Angebote …

   _____

6. Die Projektleitung – für – nächste halbe Jahr – einen Zeitplan …

   _____

2 Und wie finden Sie das Projekt? – Meinungen ausdrücken und begründen › KB: D3a

Schreiben Sie Sätze und verwenden Sie die Redemittel unten und die Aussagen aus dem Gespräch der Mitarbeiter im Kursbuch 20D, 3a.

1. Meine Meinung ist: *Die Mittagspause ist für ein Training zu kurz.*

   (Mittagspause – für ein Training zu kurz sein)

2. Ich glaube nicht, dass _____

   (man – zeigen müssen, wie fit man ist)

3. Ich bin überzeugt, dass _____

   (Firma – mit Sportangeboten attraktiver sein)

4. Für mich ist die Sache klar: _____

   (ich – bestimmt mitmachen)

5. Ich finde, dass _____

   (Projekt – für unsere Firma sehr wichtig sein)

6. Ich glaube auch, dass _____

   (Projekt – gut für das Betriebsklima sein)

Z **3** Eine Umfrage in der Firma zum Thema „aktive Mittagspause" › KB: D3a

a Lesen Sie die Aussagen der Mitarbeiter. Welcher Konnektor passt? Kreuzen Sie an.

1.	Man hat mehr Kraft für die Arbeit,	a. ☐ dass	b. ☒ wenn	man in der Mittagspause Sport macht.
2.	Der Fitnesstrainer findet,	a. ☐ dass	b. ☐ damit	Sport Spaß machen soll.
3.	Sport in der Mittagspause ist gut,	a. ☐ wenn	b. ☐ weil	sich die Kollegen besser kennenlernen.
4.	Es gibt Sportangebote in der Firma,	a. ☐ damit	b. ☐ dass	die Mitarbeiter gesund und fit bleiben.
5.	Die Personalleitung glaubt,	a. ☐ weil	b. ☐ dass	aktive Mitarbeiter weniger krank sind.
6.	Die Firma muss viel organisieren,	a. ☐ damit	b. ☐ wenn	sie Sportangebote machen kann.
7.	Bewerber finden eine Firma gut,	a. ☐ wenn	b. ☐ damit	sie Sportmöglichkeiten anbietet.
8.	Einige finden die aktive Mittagspause nicht gut,	a. ☐ dass	b. ☐ da	die Mittagspause für ein Training zu kurz ist.

b Verbinden Sie die Sätze mit dem Konnektor. Beginnen Sie einmal mit dem Hauptsatz, einmal mit dem Nebensatz.

1. Die Firma stellt einen Trainer ein. Sie möchte Sportkurse anbieten. (weil)

   Die Firma stellt einen Trainer ein, weil sie Sportkurse anbieten möchte. / Weil die Firma Sportkurse anbieten möchte, stellt sie einen Trainer ein.

2. Sie hat ein neues Fitnessstudio eingerichtet. Das Training macht den Mitarbeitern Spaß. (damit)

3. Das Betriebsklima wird besser. Die Kollegen besuchen gemeinsam Sportkurse. (wenn)

4. Einige Kollegen denken das. Man ist nach dem Training nicht pünktlich am Arbeitsplatz. (dass)

5. Sport in der Mittagspause ist sinnvoll. Man hat mehr Energie als nach einem Kantinenessen. (da)

Rechtschreibung

1 „Schwa" oder vokalisches „r"? – Wörter mit „-e" oder „-er" im Auslaut schreiben

a ▶ 4|54 Sie hören jeweils zwei Wörter. Sind sie gleich oder nicht gleich? Kreuzen Sie an.

	gleich	nicht gleich		gleich	nicht gleich
1.	☒	☐	6.	☐	☐
2.	☐	☐	7.	☐	☐
3.	☐	☐	8.	☐	☐
4.	☐	☐	9.	☐	☐
5.	☐	☐	10.	☐	☐

> **TIPP**
>
> Das vokalische „r":
> Man spricht im Deutschen in vielen Wörtern den Buchstaben „r" nicht wie einen Konsonaten aus, sondern wie ein leichtes „a", z. B. Mutter, Pfleger, Wort.

b ▶ 4|55 Hören Sie die Wörter noch einmal und sprechen Sie nach.

c ▶ 4|56 Hören Sie vier Wörter und schreiben Sie sie in die richtige Schreibzeile.

„Schwa" [ə]: _____

vokalisches „r" [ɐ]: _____

Grammatik im Überblick

1 Nebensätze mit „damit" › G: 4.2

Hauptsatz	Nebensatz		
Ich rufe Sie morgen an,	damit	wir die Probleme	besprechen können.
Die Firma bietet ein Sportprogramm an,	damit	die Mitarbeiter sportlich aktiv	sind.

Nebensatz			Hauptsatz	
Damit	wir die Probleme	besprechen können,	rufe	ich Sie morgen an.
Damit	die Mitarbeiter sportlich aktiv	sind,	bietet	die Firma ein Sportprogramm an.

Mit Nebensätzen mit „damit" kann man ein Ziel oder einen Zweck ausdrücken. Man sagt also, was man möchte oder will. Manchmal unterstreicht man in dem „damit-Satz", dass etwas **möglich** ist. Dann ergänzt man die Modalverben „können" oder „nicht müssen".

Der Nebensatz mit „damit" kann vor oder nach dem Hauptsatz stehen.

2 Die Pronomen „ein-", „kein-", „mein-/dein-/..." › G: 3.2, 3.4

	unbestimmtes und Negativ-Pronomen			Possessivpronomen		
	Maskulinum	Neutrum	Femininum	Maskulinum	Neutrum	Femininum
Nominativ	(k)einer	(k)eins	(k)eine	meiner	meins	meine
Akkusativ	(k)einen	(k)eins	(k)eine	meinen	meins	meine
Dativ	(k)einem	(k)einem	(k)einer	meinem	meinem	meiner
Plural (N.+ A.)	welche (keine)			meine		
Plural (D.)	welchen (keinen)			meinen		

- Das unbestimmte Pronomen, das negative Pronomen und das Possessivpronomen haben im Singular die gleiche Endung wie der bestimmte Artikel. z.B. der → einer / keiner / meiner / seiner / ihrer / unserer.
  Bei dem Plural von „mein-/dein-" und „kein-" ist das auch so: die → meine / deine / ihre / seine / keine
- Der Plural des Pronomens „ein-" heißt „welch-",
  z.B. Hast du Stifte? – Ja, ich habe welche.
- Das Pronomen für unzählbare Nomen im Singular (z.B. Saft, Papier, Sahne) heißt „welch-",
  z.B. Saft?   – Ich kaufe welchen.
       Papier? – Ich hole welches.
       Sahne?   – Ich nehme welche.

Datenblatt A12 › Lek. 11

Wer schenkt wem was zu Weihnachten? Fragen Sie Partner B und notieren Sie die Antwort:
Was schenkt Herr Kraus / Frau … / … den Teamkollegen / der … / dem …?

Antworten Sie dann Partner B:
Sie / Er schenkt ihnen / ihr / ihm einen Blumenstrauß / …

	Teamkollegen (Pl.)	Assistentin (f)	Trainee (m)	Reinigungskraft (f)
Herr Kraus	Schokolade			Gutschein
Frau Wolff				
Herr Busch				

Datenblatt A13 – Situation 1 › Lek. 12

Sie haben die Wohnungsanzeige rechts gelesen und haben Fragen an den Makler, Partner B.

Fragen Sie Partner B und machen Sie Notizen:
- Ich interessiere mich für die Wohnung in der Anzeige.
- Wo ist …?
- In welchem Geschoss ist …?
- Wie groß ist …?
- Wie hoch ist …?
- Welche Ausstattung hat …?
- Wie ist …?
- Von wann ist …?
- Gibt es …?
- Wann ist …?

> Sonnige 4-Zi-Whg. im Zentrum, Altbau, ZH, 130 kWh / (m² · a);
> Balkon, Bad mit Dusche, Küche neu;
> gute Verkehrsanbindung.
> Immobilien Meier, Tel. 030 / 44 55 66 77

Adresse: _____

Geschoss + Größe: _____

Miete: _____

Ausstattung Wohnung: _____

Balkon: _____

Baujahr Haus: _____

Ausstattung Haus: _____

Besichtigungstermin: _____

Datenblatt A13 – Situation 2 › Lek. 12

Partner B hat Interesse an der Wohnung rechts und bittet Sie, den Vermieter, um Informationen.

Antworten Sie:
- Die Wohnung ist in der …
- Die Nebenkosten betragen …
- Der Garten hat …
- Die Wohnung hat …
- Das Haus ist von …
- Die Wohnung ist in einer … Sie ist …
- Die Verkehrsanbindung ist … Man braucht …
- Die Besichtigung ist am …

Objekt: Humannstraße 71, Reinickendorf
Objektbeschreibung: Einfamilienhaus, Bj. 1990;
2-Zi.-Wohnung im Erdgeschoss, Garten (80 m²), Garage
Daten: 45 m², Kaltmiete 590 € + ca. 140 € Nebenkosten
Ausstattung: Fußbodenheizung, EBK
Lage: Wohnstraße (ruhig), gute Verkehrsanbindung:
ca. 20 Minuten mit der S-Bahn ins Zentrum
Besichtigung: Montag, 15:00 Uhr

Datenblatt A14 – Situation 1 › Lek. 13

Die Familie von Marc

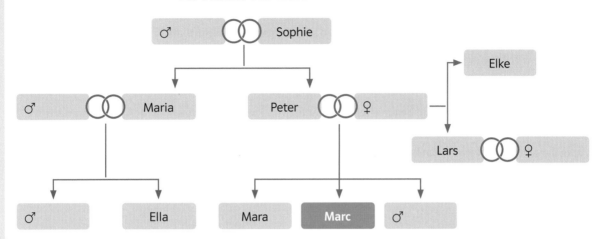

Wie heißen die Familienmitglieder?

Fragen Sie Partner B und ergänzen Sie die Namen im Stammbaum:
- Wie heißt Marcs Großvater*/ …?
- Wer ist die Mutter / der … von Marc?
- Wer ist die Frau von Marcs …?
- Wie ist der Name von Marcs …?

* Marcs Großvater = der Großvater von Marc

Partner B fragt Sie nach dem Namen von Marcs Familienmitgliedern.

Nennen Sie die Namen:
- … heißt …
- … ist der Vater / die … von Marc.
- Der Name von Marcs … ist …

Datenblatt A14 – Situation 2 › Lek. 13

Welchen Beruf / Welche Ausbildung haben Marcs Familienmitglieder rechts?

Fragen Sie Partner B und notieren Sie:
- Was ist … (von Beruf)?
- Welche Ausbildung hat / macht / …?
- Als was ist … tätig?

- Großvater: _____
- Onkel Holger: _____
- Cousin: _____
- Mutter: _____
- Tante Elke: _____
- Frau von Onkel Lars: _____
- Bruder: _____

Datenblatt A14 – Situation 3 › Lek. 13

Partner B fragt Sie nach dem Beruf / der Ausbildung von Marc und seinen Familienmitgliedern rechts.

Antworten Sie:
- Sein / Seine … ist … (von Beruf).
- Marcs … arbeitet als …
- Sein / Seine … studiert …
- … macht eine Ausbildung zum / zur …

- Großmutter: Hausfrau
- Tante Maria: Lehrerin
- Cousine: Studium – Maschinenbau
- Vater: Bauingenieur
- Onkel Lars: Informatiker
- Schwester: Controllerin
- Marc: Ausbildung – Fachkraft für Lagerlogistik

Datenblatt A15 – Situation 1 › Lek. 14

Sie haben ein Computerproblem. Sie wollen mit einem Techniker sprechen und rufen bei „Kabel Perfekt" an.

Partner B ist am Telefon und will Sie verbinden, aber die Leitung ist besetzt.

Bitten Sie um die Durchwahlnummer und notieren Sie sie. Vergessen Sie nicht Dank und Schlussformel.

Datenblatt A15 – Situation 2 › Lek. 14

Sie arbeiten bei „Kabel-Perfekt" und bekommen einen Anruf von Partner B. Nennen Sie den Firmennamen und Ihren Namen und fragen Sie höflich nach dem Anliegen.

Partner B möchte mit einem Techniker sprechen. Der Techniker ist im Gespräch.

Sie können dem Techniker aber etwas ausrichten, fragen Sie und notieren Sie die Informationen.

Datenblatt A15 – Situation 3 › Lek. 14

Sie müssen einen Termin mit dem Kunden, Herrn Wender, verschieben und rufen bei der Firma Wender & Co. an.

Partner B ist am Telefon. Der Kunde ist nicht da.

Bitten Sie um schnellen Rückruf. Ihre Telefonnummer ist 03315 / 35870012, Ihre Handynummer: 0179 – 469073589. Vergessen Sie nicht Dank und Schlussformel.

Datenblatt A16 – Situation 1 › Lek. 15

Partner B arbeitet in einer Reinigungsfirma und soll regelmäßig den Besprechungsraum reinigen.

Sie sind der Leiter von der Reinigungsfirma und geben Partner B Anweisungen.
- Bitte … Sie den / das / die … täglich / wöchentlich / monatlich.
- Es reicht, wenn Sie den / das / die …
- Ach ja, und den / das / die … Sie bitte täglich / wöchentlich / monatlich.

Wiederholen Sie bei Fragen von Partner B die Anweisung oder erklären Sie sie:
- Ja, das ist richtig.
- Nein, das stimmt nicht. Sie sollen …

Reinigungsplan für den Besprechungsraum						
R = reinigen	P = putzen	W = wischen	L = leeren	**tägl.**	**wö.**	**mon.**
Tische				W		
Kaffeemaschine					R	
Fußboden					P	
Papierkorb				L		
Aktenschränke						W
Whiteboard				R		

Datenblatt A16 – Situation 2 › Lek. 15

Sie arbeiten in einer Reinigungsfirma und sollen regelmäßig die Teeküche reinigen.

Hören Sie die Anweisungen vom Leiter von der Reinigungsfirma, Partner B, und notieren Sie die passenden Buchstaben (R, P, W, L) in Ihrem Reinigungsplan für die Teeküche.

„?" im Reinigungsplan = Fragen Sie nach oder bitten Sie um Klärung:
- Moment, wie war das mit dem / der …?
- Können Sie das bitte noch einmal wiederholen?
- Stimmt es, dass ich … täglich / wöchentlich / monatlich … soll?

Reinigungsplan für die Teeküche						
R = reinigen	P = putzen	W = wischen	L = leeren	**tägl.**	**wö.**	**mon.**
Arbeitsfläche						
Fußboden?						
Spülmaschine						
Kühlschrank?						
Spülbecken						
Mülleimer?						

Datenblatt A17 – Situation 1 › Lek. 16

Sie sind Gast im Hotel Hamburg. Sie sind unzufrieden und beschweren sich zu den Punkten rechts.

Partner B arbeitet an der Hotelrezeption, nimmt Ihre Beschwerden auf und macht Vorschläge.

Reagieren Sie:
- Vielen Dank, das ist ein guter Vorschlag.
- Danke. Wann … der / das / die …?

Guten Tag, ich möchte mich beschweren.
- Fernseher: kaputt
- Bad: kein Föhn
- Abfluss von der Dusche: verstopft
- Hotelparkplatz: zu teuer

Datenblatt A17 – Situation 2 › Lek. 16

Sie arbeiten an der Rezeption im Hotel Hamburg.

Ein Gast, Partner B, beschwert sich.

Notieren Sie die Beschwerden. Entschuldigen Sie sich und schlagen Sie eine Problemlösung vor:
- Probleme mit WLAN im Moment in allen Zimmern
  → WLAN-Anschluss in Hotellobby
- Techniker: Heizung reparieren
- Gast soll mit Kellner sprechen → Küche Ei für Gast kochen
- noch Stellplätze hinter Haus für Personal → Auto dort parken

Beschwerdebereich

☐ Zimmer ☐ Rezeption

☐ Küche ☐ Sonstiges: _____

☐ Service / Restaurant

Beschreibung von der Beschwerde

_____

_____

_____

_____

Datenblatt A18 – Situation 1 ›Lek. 17

Sie arbeiten bei „World of Food", einem Geschäft für internationale Spezialitäten. Sie haben eine Bestellung bei der Exportfirma Müller & Wolf GmbH gemacht.

Die Produkte aus den deutschsprachigen Ländern sind im Moment sehr beliebt und Sie brauchen schnell noch mehr.

Partner **B** arbeitet bei der Müller & Wolf GmbH.

Rufen Sie bei der Müller & Wolf GmbH an und stellen Sie sich vor. Erklären Sie dann die Änderungen bei der Bestellung rechts.

Verwenden Sie höfliche Fragen und Wünsche. Vergessen Sie nicht Begrüßung und Abschied.

- Bestellung vor drei Tagen
- jetzt aber mehr Bedarf – Änderung noch möglich?
- Wunsch: 30 Flaschen Wein „Grüner Veltliner"
- in der Bestellung: 10 kg Schweizer Käse, jetzt noch mal 10 kg
- außerdem noch: 15 Schwarzwälder Schinken
- bitte schnell liefern

Datenblatt A18 – Situation 2 ›Lek. 17

Sie arbeiten im Kundenservice von Promo-Effekt, einer Firma für Werbeartikel.

Ein möglicher Kunde, Partner **B**, ruft an und möchte mehr über die Konditionen der Firma wissen.

Antworten Sie höflich mit den Informationen rechts.

- Katalog an welche Adresse?
- Lieferzeit meistens ca. ein Monat
- Mengenrabatt: 2 % vom Preis ab 2.000 Stück
- Lieferkosten: im Preis inklusive

Datenblatt A19 – Situation 1 ›Lek. 18

Sie arbeiten bei der Mertens AG, einem Großhandel für Berufskleidung.

Partner **B** ruft an und möchte Berufskleidung bestellen. Fragen Sie Partner **B** nach seinen Wünschen. Kreuzen Sie die Kleidungsstücke an und notieren Sie die Informationen von Partner B, z. B. Menge, Größe, Farbe.

1, Gr. 42, weiß

Datenblatt A19 – Situation 2 › Lek. 18

Sie wollen Berufskleidung bestellen und rufen bei der Mertens AG an.

Partner B arbeitet bei der Mertens AG und fragt nach Ihren Wünschen.

Sie antworten mit den Informationen rechts:
- Ich brauche / suche … in Größe …, Farbe …
- Ich hätte gern … in Größe …
- Außerdem möchte ich … in Größe … (in …) bestellen.

- 2 Bundhosen, Größe M, beige
- 2 Overalls, Größe L, blau
- 3 Kittel, Größe XL, rot
- 1 Jacke mit normalem Kragen, Größe L, braun
- 2 Kochjacken, Größe 48, weiß
- 4 T-Shirts, Größe 50, grün
- 3 Paar Socken, Größe 39–41, schwarz

Datenblatt A20 – Situation 1 › Lek. 19

Sie möchten eine Fortbildung machen. Sie rufen bei einer Firma an, die Fortbildungen anbietet:
Guten Tag, ich möchte gerne eine Fortbildung machen.

Partner B arbeitet in einer Firma, die Fortbildungen anbietet. Partner B bittet Sie um Informationen.

Antworten Sie mit den Informationen rechts.

Partner B schlägt Ihnen vier Angebote vor.

Reagieren Sie auf jedes Angebot:
- An dem Tag / Wochenende kann ich (nicht).
- Der Termin ist gut / nicht so gut.
- Das passt mir gut.
- Der Kurs ist mir zu teuer.
- Der Kurs dauert mir zu lange.
- Ich nehme den Kurs …

- Fortbildungswunsch: Sie möchten Ihre Kenntnisse in Excel vertiefen.
- Vorkenntnisse: Sie haben Grundkenntnisse.
- Termin: Abends, ca. einmal die Woche, oder am Wochenende. Abends ist aber besser.
- Dauer: Der Kurs soll nicht so lange dauern.
- Preis: Der Kurs soll nicht so teuer sein.
- Problem: Sie können nicht am Montagabend.

Datenblatt A20 – Situation 2 › Lek. 19

Sie arbeiten in einer Firma, die Fortbildungen anbietet.

Ein Anrufer, Partner B, möchte eine Fortbildung machen. Sie beraten Partner B:
- Welches Thema / Welcher Kurs interessiert Sie?
- Welche Kenntnisse haben Sie schon?
- Wann soll der Kurs stattfinden?
- Wie lange soll der Kurs dauern?
- Haben Sie noch einen Wunsch?

Nennen Sie Partner B Ihr Angebot rechts:
Wir bieten folgende Kurse an: …

- Englischkurs 1: Sicher verhandeln im Beruf – Advanced
  Termin: Mo., 18.01. – Fr., 22.01.; 9:00 – 17:00
  Teilnehmerzahl: max. 10
  Preis: 390,- €
- Englischkurs 2: Grundkenntnisse im Verhandeln
  Termin: Sa., 12.03., 9:00 – 16:30 + So., 13.03., 9:00 – 16:30
  Teilnehmerzahl: max. 10
  Preis: 160,- €
- Englischkurs 3: Business and Professional English – Advanced
  Termin: Mo., 7.03. – Fr., 11.03.; 9:00 – 17:00
  Teilnehmerzahl: max. 15
  Preis: 390,- €
- Englischkurs 4: Business and Professional English – Advanced
  Termin: März / Juni (Dauer: eine Woche)
  Teilnehmerzahl: max. 10
  Ort: Oxford
  Preis: 1.200,- € (inkl. Anreise, Zimmer)

Datenblätter – Partner A

Datenblatt A21 – Situation 1 › Lek. 20

Sie sind Marie Klages und bereiten die Besprechung am 19. Februar vor.

Partner B ist für die Raumorganisation zuständig.

Sie möchten bei Partner B einen Raum für die Besprechung reservieren:
- Ich möchte für den … den Raum … reservieren.
- Schade, welche Alternative gibt es denn?

Partner B stellt Fragen und empfiehlt eine Alternative.

Antworten Sie mit den Informationen rechts:
- … nehmen … teil.
- Sie dauert von … bis …
- Wir brauchen …
- Das macht nichts. Ich bringe … für die Besprechung mit.

Checkliste für die Besprechung am 19.2.:
- Raumwunsch: R. 204
- Teilnehmerzahl: 12 Personen
- Zeit: 10:00 bis 15:00 Uhr
- Ausstattungswünsche: ein Beamer, zwei Flipcharts, zwei Rollen Flipchartpapier, eine Pinnwand, 15 Stifte, 15 Notizblöcke

Datenblatt A21 – Situation 2 › Lek. 20

Sie arbeiten in der Kantine.

Sie bekommen einen Anruf von Max Rössner, Partner B. Er möchte eine Bewirtung für eine Besprechung.

Notieren Sie die Bestellung in der Liste unten.

Stellen Sie Fragen und machen Sie weitere Angebote:
- Das habe ich notiert.
- Möchten Sie noch andere … bestellen?
- Ich kann Ihnen noch … anbieten.
- Möchten Sie auch …? Zur Auswahl stehen: …

Fassen Sie die Bestellung zusammen.
- Ich fasse zusammen: Sie nehmen …

Datum:		Anzahl Personen:		Uhrzeit:	
Getränke	**Menge**	**kalte Speisen**	**Menge**	**warme Speisen**	**Menge**
Mineralwasser		belegte Brötchen		Zwiebelkuchen	
Säfte		Kuchen		Gulaschsuppe	
Kaffee				Gemüsestrudel	
Tee					

Datenblätter – Partner B

Datenblatt B12 › Lek. 11

Wer schenkt wem was zu Weihnachten? Antworten Sie Partner A:
Er / Sie schenkt ihnen / ihr / ihm Schokolade / …

Fragen Sie dann Partner A und notieren Sie die Antwort:
Was schenkt Frau Wolff / Herr … / … den Teamkollegen / der … / dem …?

	Teamkollegen (Pl.)	Assistentin (f)	Trainee (m)	Reinigungskraft (f)
Herr Kraus				
Frau Wolff	*einen Blumenstrauß*			
Herr Busch				

Datenblatt B13 – Situation 1 › Lek. 12

Partner A hat Interesse an der Wohnung rechts und bittet Sie, den Makler, um Informationen.

Antworten Sie:
- Die Wohnung ist in der …
- Sie ist im …
- Sie hat …
- Die Miete beträgt …
- Die Wohnung hat …
- Der Balkon ist … / Es ist ein …
- Das Haus ist von …
- Ja. / Nein, es gibt …
- Die Besichtigung ist am …

Objekt: Albrechtstraße 96c, Berlin Mitte
Objektbeschreibung: Mehrfamilienhaus, Bj. 1902, modernisierter Altbau, 3. OG, 4-Zi.-Wohnung, Keller, Aufzug, Stellplatz, Südbalkon (sonnig)
Daten: 112 m², Kaltmiete 1.080 € + ca. 250 € Nebenkosten
Ausstattung: EBK, Gäste-WC
Lage: im Zentrum, U-Bahn und Bus
Besichtigung: Freitag 12:00 Uhr

Datenblatt B13 – Situation 2 › Lek. 12

Sie haben die Wohnungsanzeige rechts gelesen und haben Fragen an den Vermieter, Partner A.

Fragen Sie Partner A und machen Sie Notizen:
- Ich interessiere mich für die Wohnung in der Anzeige.
- Wo ist …?
- Wie hoch sind …?
- Wie groß ist …?
- Welche Ausstattung hat …?
- Von wann ist …?
- Wie ist …?
- Wann ist …?

2-Zi.-Whg. in Einfamilienhaus; 98 kWh / (m²·a)
45 m², EG, sep. Eingang, Garten, neue Küche, Garage;
Miete: 590 € + NK
von privat, Tel.: 0151 / 20 469 55 23

Adresse: _____

Nebenkosten: _____

Größe Garten: _____

Ausstattung Wohnung: _____

Baujahr Haus: _____

Lage: _____

Verkehrsanbindung: _____

Besichtigungstermin: _____

Datenblätter – Partner B

Datenblatt B14 – Situation 1 › Lek. 13

Die Familie von Marc

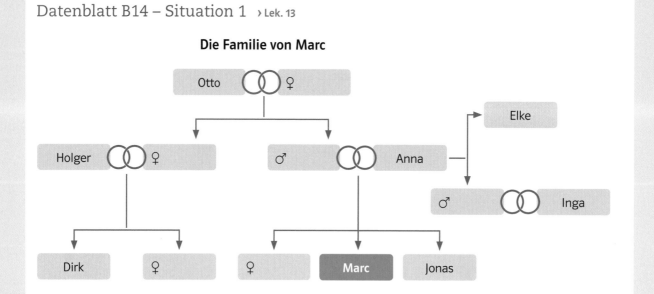

Wie heißen die Familienmitglieder?

Fragen Sie Partner A und ergänzen Sie die Namen im Stammbaum:
- Wie heißt Marcs Großmutter*/ …?
- Wer ist der Vater / die … von Marc?
- Wie ist der Name von Marcs …?

* Marcs Großmutter = die Großmutter von Marc

Partner A fragt Sie nach dem Namen von Marcs Familienmitgliedern.

Nennen Sie die Namen:
- … heißt …
- … ist die Mutter / der … von Marc.
- Der Name von Marcs … ist …

Datenblatt B14 – Situation 2 › Lek. 13

Partner A fragt Sie nach dem Beruf / der Ausbildung von Marcs Familienmitgliedern rechts.

Antworten Sie:
- Sein / Seine … ist … (von Beruf).
- Marcs … arbeitet als …
- Sein / Seine … studiert …
- Marcs … macht eine Ausbildung zum / zur …

- Großvater: Elektriker
- Onkel Holger: Architekt
- Cousin: Ausbildung – Industriekaufmann
- Mutter: Altenpflegerin
- Tante Elke: Ärztin
- Frau von Onkel Lars: Journalistin
- Bruder: Studium – Elektrotechnik

Datenblatt B14 – Situation 3 › Lek. 13

Welchen Beruf / Welche Ausbildung haben Marc und Marcs Familienmitglieder rechts?

Fragen Sie Partner A und notieren Sie:
- Was ist … (von Beruf)?
- Welche Ausbildung hat / macht / …?
- Als was ist … tätig?

- Großmutter: _____
- Tante Maria: _____
- Cousine: _____
- Vater: _____
- Onkel Lars: _____
- Schwester: _____
- Marc: _____

Datenblatt B15 – Situation 1 › Lek. 14

Sie arbeiten bei „Kabel-Perfekt" und bekommen einen Anruf von Partner A. Nennen Sie den Firmennamen und Ihren Namen und fragen Sie höflich nach dem Anliegen.

Partner A möchte mit einem Techniker sprechen.

Sie wollen Partner A verbinden, aber die Leitung vom Techniker ist besetzt. Informieren Sie Partner A. Geben Sie Partner A die Durchwahlnummer: 396.

Datenblatt B15 – Situation 2 › Lek. 14

Sie können Ihre SmartCard für den Receiver nicht aktivieren. Sie wollen mit einem Techniker sprechen und rufen bei „Kabel-Perfekt" an.

Partner A nimmt den Anruf an. Die Leitung vom Techniker ist besetzt.

Bitten Sie Partner A, dass er / sie dem Techniker eine Nachricht hinterlässt: Der Techniker soll Sie anrufen. Es ist sehr dringend. Ihre Telefonnummer ist: 09976 / 8534021. Vergessen Sie nicht Dank und Schlussformel.

Datenblatt B15 – Situation 3 › Lek. 14

Sie arbeiten bei Wender & Co. und bekommen einen Anruf von Partner A. Nennen Sie den Firmennamen und Ihren Namen und fragen Sie höflich nach dem Anliegen.

Partner A möchte Ihren Chef, Herrn Wender sprechen. Herr Wender ist nicht da.

Fragen Sie nach der Telefon- und Handynummer für einen Rückruf und notieren Sie sie.

Datenblatt B16 – Situation 1 › Lek. 15

Sie arbeiten in einer Reinigungsfirma und sollen regelmäßig den Besprechungsraum reinigen.

Hören Sie die Anweisungen vom Leiter von der Reinigungsfirma, Partner A, und notieren Sie die passenden Buchstaben (R, P, W, L) in Ihrem Reinigungsplan für den Besprechungsraum.

„?" im Reinigungsplan = Fragen Sie nach oder bitten Sie um Klärung:
- Moment, wie war das mit dem / der / den …?
- Können Sie das bitte noch einmal wiederholen?
- Stimmt es, dass ich … täglich / wöchentlich / monatlich … soll?

Reinigungsplan für den Besprechungsraum						
R = reinigen	P = putzen	W = wischen	L = leeren	**tägl.**	**wö.**	**mon.**
Tische						
Kaffeemaschine?						
Fußboden						
Papierkorb?						
Aktenschränke?						
Whiteboard						

Datenblätter – Partner B

Datenblatt B16 – Situation 2 › Lek. 15

Partner A arbeitet in einer Reinigungsfirma und soll regelmäßig die Teeküche reinigen.

Sie sind der Leiter von der Reinigungsfirma und geben Partner A Anweisungen.
- Bitte … Sie den / das / die … täglich / wöchentlich / monatlich.
- Es reicht, wenn Sie den / das / die …
- Ach ja, und den / das / die … Sie bitte täglich / wöchentlich / monatlich.

Wiederholen Sie bei Fragen von Partner A die Anweisung oder erklären Sie sie:
- Ja, das ist richtig.
- Nein, das stimmt nicht. Sie sollen …

Reinigungsplan für die Teeküche				tägl.	wö.	mon.
R = reinigen	P = putzen	W = wischen	L = leeren			
Arbeitsfläche				W		
Fußboden					P	
Spülmaschine					R	
Kühlschrank						R
Spülbecken				R		
Mülleimer				L		

Datenblatt B17 – Situation 1 › Lek. 16

Sie arbeiten an der Rezeption im Hotel Hamburg.

Ein Gast, Partner A, beschwert sich.

Notieren Sie die Beschwerden. Entschuldigen Sie sich und schlagen Sie eine Problemlösung vor:
- Techniker: Fernseher heute reparieren oder austauschen
- Zimmermädchen: Föhn ins Bad legen
- Hausmeister: Abfluss reinigen
- Stellplätze in Tiefgarage: kosten etwas, Stellplätze vor Hotel: kostenfrei, dort parken

Beschwerdebereich

☐ Zimmer   ☐ Rezeption

☐ Küche   ☐ Sonstiges:

☐ Service / Restaurant   _____

Beschreibung von der Beschwerde

_____

_____

_____

Datenblatt B17 – Situation 2 › Lek. 16

Sie sind Gast im Hotel Hamburg. Sie sind unzufrieden und beschweren sich zu den Punkten rechts.

Partner A arbeitet an der Hotelrezeption, nimmt Ihre Beschwerden auf und macht Vorschläge.

Reagieren Sie:
- Vielen Dank, das ist ein guter Vorschlag.
- Danke. Wann … der / das / die …?

Guten Tag, ich möchte mich beschweren.
- WLAN im Zimmer: zu schwach
- Heizung: funktioniert nicht → zu kalt
- Frühstück: Eier zu hart
- Hotelparkplatz: voll, keine Stellplätze mehr frei

Datenblatt B18 – Situation 1 › Lek. 17

Sie arbeiten bei der Müller & Wolf GmbH, einer Exportfirma für Spezialitäten aus den deutschsprachigen Ländern.

Ein Kunde vom Geschäft „World of Food", Partner **A**, ruft an und möchte eine Bestellung ändern.

Fragen und antworten Sie. Vergessen Sie nicht Begrüßung und Abschied.

- Bestellung – wann?
- Änderung noch möglich
- Kunde hat vor 3 Tagen schon 15 Flaschen Wein „Grüner Veltliner" bestellt, jetzt 15 mehr oder 30 mehr?
- Zusammen 20 kg Käse – so viel?
- Leider nur noch 6 Schwarzwälder Schinken lieferbar. Anderes Produkt?
- Lieferung in circa 5 Tagen

Datenblatt B18 – Situation 2 › Lek. 17

Sie arbeiten in einer Eventfirma. Sie suchen einen Anbieter von Werbeartikeln. Sie rufen bei Promo-Effekt, Partner **A**, an und fragen höflich nach den Konditionen rechts.

- Katalog schicken?
- normale Lieferzeiten?
- wie hoch Mengenrabatt?
- Mengenrabatt bei wie viel Stück?
- Lieferkosten?

Datenblatt B19 – Situation 1 › Lek. 18

Sie wollen Berufskleidung bestellen und rufen bei der Mertens AG an.

Partner **A** arbeitet bei der Mertens AG und fragt nach Ihren Wünschen.

Sie antworten mit den Informationen rechts:
- Ich brauche / suche … in Größe …, Farbe …
- Ich hätte gern … in Größe …
- Außerdem möchte ich … in Größe … (in …) bestellen.

- 1 Kochjacke, Größe 46, weiß
- 1 Jacke mit Stehkragen, Größe M, beige
- 2 Kittel, Größe M, grau
- 2 Latzhosen, Größe M, blau
- 1 Bäckerhose, Größe L
- 4 Paar Socken, Größe 40 – 42, weiß
- 3 T-Shirts, Größe 52, schwarz

Datenblatt B19 – Situation 2 › Lek. 18

Sie arbeiten bei der Mertens AG, einem Großhandel für Berufskleidung.

Partner **A** ruft an und möchte Berufskleidung bestellen. Fragen Sie Partner **A** nach seinen Wünschen. Kreuzen Sie die Kleidungsstücke an und notieren Sie die Informationen von Partner **A**, z. B. Menge, Größe, Farbe.

2, Gr. M, beige

Datenblätter – Partner B

Datenblatt B20 – Situation 1 › Lek. 19

Sie arbeiten in einer Firma, die Fortbildungen anbietet.

Ein Anrufer, Partner A, möchte eine Fortbildung machen. Sie beraten Partner A:
- Welches Thema / Welcher Kurs interessiert Sie?
- Welche Kenntnisse haben Sie schon?
- Wann soll der Kurs stattfinden?
- Wie lange soll der Kurs dauern?
- Haben Sie noch einen Wunsch?

Nennen Sie Partner A Ihr Angebot rechts:
Wir bieten folgende Kurse an: …

- Kurs 1: Excel Aufbaukurs
  Termin: Mo: 18:30 – 21:30, ab 18.01.
  Dauer: 6 Termine
  Preis: 190,00 €

- Kurs 2: Excel Aufbaukurs
  Termin: Di: 19:30 – 21:00, ab 19.01.
  Dauer: 10 Termine
  Preis: 160,00 €

- Kurs 3: Excel Aufbaukurs
  Termin: Mi: 18:30 – 21:30, ab 20.01.
  Dauer: 6 Termine
  Preis: 190,00 €

- Kurs 4: Excel Aufbaukurs
  Termin: Sa., 30.01., 9:00 – 16:30 + So., 31.01., 9:00 – 16:30
  Dauer: ein Wochenende
  Preis: 150,00 €

Datenblatt B20 – Situation 2 › Lek. 19

Sie möchten eine Fortbildung machen. Sie rufen bei einer Firma an, die Fortbildungen anbietet:
Guten Tag, ich möchte gerne eine Fortbildung machen.

Partner A arbeitet in einer Firma, die Fortbildungen anbietet. Partner A bittet Sie um Informationen.

Antworten Sie mit den Informationen rechts.

Partner A schlägt Ihnen vier Angebote vor.

Reagieren Sie auf jedes Angebot:
- In der Woche / An dem Wochenende kann ich (nicht).
- Der Termin ist gut / nicht so gut.
- Das passt mir gut.
- Der Kurs ist mir zu leicht / zu teuer.
- In dem Kurs sind mir zu viele Teilnehmer.
- Ich nehme den Kurs …

- Fortbildungswunsch: Sie möchten lernen, wie man auf Englisch sicher verhandelt.
- Vorkenntnisse: Sie sprechen sehr gut Englisch.
- Termin: am besten im März
- Dauer: eine Woche, ganztags
- Wunsch: in einer kleinen Gruppe lernen

Datenblatt B21 – Situation 1 › Lek. 20

Sie arbeiten im Raummanagement.

Marie Klages, Partner A, möchte bei Ihnen einen Raum für eine Besprechung reservieren.

Antworten Sie:
Sie möchten für den … den Raum … reservieren?
Oh, das tut mir leid, … ist von … bis … belegt.

Partner A fragt nach einer Alternative.

Fragen Sie nach Teilnehmerzahl, Zeit und Ausstattung und empfehlen Sie einen Raum:
- Wie viele Personen nehmen an … teil?
- Wann beginnt und endet …?
- Welche Ausstattung brauchen Sie?
- Ich kann …
- Da gibt es nur ein Problem: Es ist … vorhanden.

Zeit	R. 204	R. 206	R. 207
9:00 – 13:00	belegt	frei	frei
14:00 – 16:00	belegt	frei	frei
Bemerkung:	R. 206: kein Beamer		
	R. 207: max. 10 Pers.		

Datenblatt B21 – Situation 2 › Lek. 20

Sie sind Max Rössner und bereiten die Besprechung am 19. Februar vor. Sie sind für die Bewirtung zuständig.

Partner A arbeitet in der Kantine.

Sie rufen Partner A an und bestellen Getränke und Speisen von Ihrer Liste (in blauer Schrift):
- Guten Tag, hier … Ich möchte für den … Essen und Getränke für … bestellen. Wir haben …
- Bitte liefern Sie …
- Dann hätte ich gerne noch …
- Außerdem möchte ich noch …

Partner A macht Ihnen weitere Angebote.

Reagieren Sie und bestellen Sie noch Getränke und Speisen:
- Ja, gern. Was können Sie denn noch anbieten?
- … nicht, aber ich nehme noch …
- Ja, warum nicht. Dann hätte ich gerne noch …

Bestätigen Sie die Bestellung und nennen Sie die Uhrzeit:
- Ja, das ist richtig. Bitte liefern Sie alles um … Uhr.

Datum: 19.02.		Anzahl Personen: 12		Uhrzeit: 9:30	
Getränke	**Menge**	**kalte Speisen**	**Menge**	**warme Speisen**	**Menge**
Mineralwasser	2 Kästen	belegte Brötchen	2 Platten	Zwiebelkuchen	Nein
Säfte	Nein	Kuchen	15 Stück	Gulaschsuppe	Nein
Kaffee	6 Kannen			Gemüsestrudel	15 Stück
Tee	3 Kannen				

Inhaltsverzeichnis

1 Verb

1.1	**Stellung vom Verb im Satz**	209
1.1.1	Hauptsatz	209
1.1.2	Nebensatz	209
1.2	**Präsens**	210
1.2.1	„wissen" und „werden" im Präsens	210
1.3	**Perfekt**	210
1.3.1	„wissen" und „werden" im Perfekt	210
1.4	**Präteritum**	210
1.4.1	Präteritum – Verwendung	210
1.4.2	Präteritum – Konjugation	210
1.5	**Konjunktiv II**	211
1.5.1	Konjunktiv II von „können", „dürfen", „werden", „haben" und „sein"	211
1.5.2	Konjunktiv II von „sollen"	212
1.6	**„brauchen" als Modalverb**	213
1.6.1	„brauchen nicht / kein- … zu …"	213
1.6.2	„brauchen nur … zu …"	213

2 Nomen

2.1	**Deklination**	213
2.1.1	Unbestimmter Artikel und Negativartikel	213
2.1.2	Bestimmter Artikel	214
2.1.3	Nullartikel	214
2.1.4	n-Deklination	215
2.2	**Subjekt und Ergänzungen**	215
2.2.1	Subjekt und Nominativergänzung	215
2.2.2	Akkusativergänzung	216
2.2.3	Dativergänzung	216
2.2.4	Stellung von Dativ- und Akkusativergänzung im Satz	216
2.2.5	Genitiv	217

3 Artikelwörter, Pronomen und Fragewörter

3.1	**Personalpronomen**	217
3.1.1	Personalpronomen – Deklination	217
3.2	**Possessivartikel und -pronomen**	218
3.2.1	Possessivartikel und -pronomen – Verwendung	218
3.2.2	Possessivartikel – Deklination	218
3.2.3	Possessivpronomen – Deklination	218
3.3	**Demonstrativartikel und -pronomen**	219
3.3.1	Demonstrativartikel und -pronomen – Verwendung	219
3.3.2	Demonstrativartikel und -pronomen – Deklination	219

3.4	**Die Pronomen „ein-" und „kein-"**	220
3.4.1	Die Pronomen „ein-" und „kein-" – Verwendung und Deklination	220
3.5	**Reflexivpronomen**	220
3.5.1	Reflexivpronomen – Verwendung und Deklination	220
3.6	**Fragewörter**	220
3.6.1	Welcher, Welches, Welche?	220
3.6.2	Was für …?	221

4 Satzkombinationen

4.1	**Hauptsatz – Hauptsatz**	221
4.1.1	Hauptsatz – Hauptsatz mit „aduso"-Konjunktionen	221
4.2	**Hauptsatz – Nebensatz**	221
4.2.1	Verbindung von Haupt- und Nebensatz	221
4.2.2	Kausale Nebensätze mit „weil" / „da"	222
4.2.3	Konditionale Nebensätze mit „wenn"	222
4.2.4	Temporale Nebensätze mit „als"	222
4.2.5	Temporale Nebensätze mit „wenn" – Vergangenheit	222
4.2.6	Temporale Nebensätze mit „wenn" – Gegenwart und Zukunft	223
4.2.7	Finale Nebensätze mit „damit"	223
4.2.8	Nebensätze mit „dass"	223
4.2.9	Indirekte Fragesätze	223
4.2.10	Relativsätze	224

5 Adjektive

5.1	**Adjektivdeklination**	224
5.1.1	Adjektive und ihre Endungen	224
5.1.2	Adjektive nach bestimmtem Artikel	224
5.1.3	Adjektive nach unbestimmtem Artikel, Negativ- und Possessivartikel	225
5.1.4	Adjektive vor Nomen ohne Artikel	225
5.2	**Vergleiche**	226
5.2.1	Vergleiche: Komparation – prädikativ	226
5.2.2	Vergleichssätze	226

6 Angaben im Satz

6.1	**Temporale Angaben**	226
6.1.1	Einen Zeitpunkt nennen	226
6.1.2	Eine Reihenfolge nennen	227
6.2	**Lokale Angaben**	227
6.2.1	Einen Ort angeben	227
6.2.2	Eine Richtung angeben	227
6.2.3	Wechselpräpositionen	228

1 Das Verb

1.1 Stellung vom Verb im Satz

1.1.1 Hauptsatz › Lek. 16, 17

- In Aussagesätzen steht das Verb auf Position 2.
- Das Subjekt steht auf Position 1 oder nach dem Verb.

Position 1	Position 2	
Das Hotel	gefällt	dem Gast.
Dem Gast	gefällt	das Hotel.
Der Hotelchef	liest	die Beschwerden.
Die Beschwerden	liest	der Hotelchef.

- Manchmal gibt es in einem Hauptsatz zwei Verben oder ein Verb mit trennbarer Vorsilbe.
- Dann steht ein Verb oder die trennbare Vorsilbe am Satzende. Man spricht von einer Satzklammer.

	Position 1	Position 2	Satzklammer	Satzende
mit trennbarer Vorsilbe	Wir	richten	das Netzwerk an einem Tag	ein.
mit Modalverb	Herr Becker	will	einen Artikel	schreiben.
Perfekt	Wohin	sind	Sie letztes Jahr in Urlaub	gefahren?
Konjunktiv II mit „würde"	Ich	würde	dir den Bildschirmreiniger	empfehlen.

1.1.2 Nebensatz › Lek. 14, 16, 20

- Der Nebensatz beginnt mit einem Nebensatz-Konnektor. Das Verb steht am Satzende.
- Zwischen Haupt- und Nebensatz steht ein Komma.

Hauptsatz	Nebensatz		
Die Mitarbeiterin kann Herrn Sinn nicht helfen,	weil	sie keine Produktberatung	macht.
Rufen Sie die Hotline an,	wenn	Sie eine Produktinformation	brauchen.

- Der Nebensatz kann vor oder nach dem Hauptsatz stehen.
- Wenn der Nebensatz vor dem Hauptsatz steht, steht das Verb im Hauptsatz auf Position 1.

Nebensatz			Hauptsatz	
Weil	die Mitarbeiterin keine Produktberatung	macht,	kann	sie Herrn Sinn nicht helfen.
Wenn	Sie eine Produktinformation	brauchen,	rufen	Sie die Hotline an.

- Nebensätze mit Modalverb: am Satzende zuerst der Infinitiv vom Vollverb, dann die konjugierte Form vom Modalverb.
- Nebensätze im Perfekt: am Satzende Partizip Perfekt + „haben" oder „sein".

Hauptsatz	Nebensatz		
Herr Sinn hofft,	dass	er die SmartCard	aktivieren kann.
Herr Sinn ruft beim Kundenservice an,	weil	die SmartCard nicht	funktioniert hat.
Der Schirm hat sich immer komplett gedreht,	wenn	ich ihn	aufgemacht habe.
Ich lade alle zu einer Besprechung ein,	damit	wir mit der Planung	beginnen können.

1.2 Präsens

1.2.1 „wissen" und „werden" im Präsens › Lek. 13

- „wissen" im Präsens konjugiert man wie ein Modalverb: Die 1. und 3. Person Singular Präsens haben keine Endung.
- „werden" im Präsens konjugiert man wie ein unregelmäßiges Verb mit Vokalwechsel.

	wissen	können	werden	sprechen
ich	weiß	kann	werde	spreche
du	weißt	kannst	wirst	sprichst
er / sie / es	weiß	kann	wird	spricht
wir	wissen	können	werden	sprechen
ihr	wisst	könnt	werdet	sprecht
sie	wissen	können	werden	sprechen
Sie (Sg. + Pl.)	wissen	können	werden	sprechen

1.3 Perfekt

1.3.1 „wissen" und „werden" im Perfekt › Lek. 13

- „wissen" im Perfekt konjugiert man wie ein gemischtes Verb: Vorsilbe „ge-" und Endung „-t" wie bei den regelmäßigen Verben. Der Stammvokal wechselt wie bei den unregelmäßigen Verben.
- „werden" im Perfekt konjugiert man wie ein unregelmäßiges Verb: Vorsilbe „ge-" und Endung „-en", der Stammvokal wechselt.

	wissen	kennen	werden	sprechen
ich	habe gewusst	habe gekannt	bin geworden	habe gesprochen
du	hast gewusst	hast gekannt	bist geworden	hast gesprochen
er / sie / es	hat gewusst	hat gekannt	ist geworden	hat gesprochen
wir	haben gewusst	haben gekannt	sind geworden	haben gesprochen
ihr	habt gewusst	habt gekannt	seid geworden	habt gesprochen
sie	haben gewusst	haben gekannt	sind geworden	haben gesprochen
Sie (Sg. + Pl.)	haben gewusst	haben gekannt	sind geworden	haben gesprochen

1.4 Präteritum

1.4.1 Präteritum – Verwendung › Lek. 13

Man erzählt oder berichtet etwas Vergangenes, vor allem in schriftlichen Texten (Märchen, Geschichten, Berichten).
z. B.   Mein Großvater eröffnete ein Elektrogeschäft. Alles ging sehr gut, denn die ganze Familie arbeitete mit.

1.4.2 Präteritum – Konjugation › Lek. 13

„haben" und „sein"

	haben	sein
ich	hatte	war
du	hattest	warst
er / sie / es	hatte	war
wir	hatten	waren
ihr	hattet	wart
sie	hatten	waren
Sie (Sg. + Pl.)	hatten	waren

Regelmäßige Verben
- Das Präteritum von regelmäßigen Verben bildet man so: Stamm + „t" + Endung: „-e", „-est", „-e", „-en", „-et", „-en".
  z. B. machte, baute … aus.
- Verben mit Stamm auf „d", „t" und „n" oder „m": „-et" + Endung: „-e", „-est", „-e", „-en", „-et", „-en".
  z. B. arbeitete, gründete, eröffnete, atmete.
  Ausnahme: Verben mit Stamm auf „rn", z. B. lernen: „t" + Endung → er lernte
- Bei trennbaren Verben steht die Vorsilbe am Satzende.

	machen	ausbauen	gründen	arbeiten	eröffnen
ich	machte	baute … aus	gründete	arbeitete	eröffnete
du	machtest	bautest … aus	gründetest	arbeitetest	eröffnetest
er / sie / es	machte	baute … aus	gründete	arbeitete	eröffnete
wir	machten	bauten … aus	gründeten	arbeiteten	eröffneten
ihr	machtet	bautet … aus	gründetet	arbeitetet	eröffnetet
sie	machten	bauten … aus	gründeten	arbeiteten	eröffneten
Sie (Sg. + Pl.)	machten	bauten … aus	gründeten	arbeiteten	eröffneten

Unregelmäßige und gemischte Verben
- Unregelmäßige Verben ändern den Stammvokal. Die 1. und 3. Person Singular haben keine Endung.
  Ausnahme: „werden" → Endungen wie **regelmäßige** Verben.
- Gemischte Verben ändern auch den Stammvokal, aber haben die gleichen Endungen wie regelmäßige Verben.

	unregelmäßige Verben			gemischte Verben		
	kommen	finden	werden	rennen	denken	wissen
ich	kam	fand	wurde	rannte	dachte	wusste
du	kamst	fandest	wurdest	ranntest	dachtest	wusstest
er / sie / es	kam	fand	wurde	rannte	dachte	wusste
wir	kamen	fanden	wurden	rannten	dachten	wussten
ihr	kamt	fandet	wurdet	ranntet	dachtet	wusstet
sie	kamen	fanden	wurden	rannten	dachten	wussten
Sie (Sg. + Pl.)	kamen	fanden	wurden	rannten	dachten	wussten

Modalverben
Die meisten Modalverben bilden das Präteritum wie die gemischten Verben:
können → er / sie / es konnte; müssen → er / sie / es musste; dürfen → er / sie / es durfte; mögen → er / sie / es mochte.
Ausnahme: „wollen" und „sollen" → hier kein Vokalwechsel: wollen → er / sie / es wollte; sollen → er / sie / es sollte.

1.5 Konjunktiv II

1.5.1 Konjunktiv II von „können", „dürfen", werden", „haben" und „sein" › Lek. 17

Mit dem Konjunktiv II von „können", „dürfen", werden", „haben" und „sein" kann man auch höfliche Fragen oder Bitten formulieren.
z. B.   Könnten Sie bitte ein Produktmuster herstellen und uns schicken?
    Könnten Sie mir sagen, wann die Produktmuster kommen?
    Dürfte ich wissen, ob Sie schon eine Entscheidung getroffen haben?
    Welche Stückzahl würdest du vorschlagen?
    Wir hätten gern einen Schlüsselanhänger in Zahnform.
    Wäre es möglich, dass Sie 1.000 Stück produzieren und uns bis zum 29.1. liefern?

- Die Konjunktiv-II-Formen dieser Verben sind wie die Präteritumformen + Umlaut.
- „sein" im Konjunktiv → Präteritumform + Umlaut + „-e": ich, er / sie / es war → ich, er / sie / es wäre.

	können	dürfen	werden	haben	sein
ich	könnte	dürfte	würde	hätte	wäre
du	könntest	dürftest	würdest	hättest	wär(e)st
er / sie / es	könnte	dürfte	würde	hätte	wäre
wir	könnten	dürften	würden	hätten	wären
ihr	könntet	dürftet	würdet	hättet	wär(e)t
sie	könnten	dürften	würden	hätten	wären
Sie (Sg. + Pl.)	könnten	dürften	würden	hätten	wären

- Die Modalverben stehen in Aussagesätzen und W-Fragen auf Position 2, in Ja-/Nein-Fragen auf Position 1. Der Infinitiv steht am Satzende.
- „würde" steht in Aussagesätzen und W-Fragen auf Position 2, in Ja-/Nein-Fragen auf Position 1. Der Infinitiv steht am Satzende.

Satzklammer

Position 1	Position 2: Modalverb / „würde"		Satzende: Verb (Infinitiv)
Wann	könnten	Sie das Produktmuster	liefern?
Wir	könnten	das Produktmuster in drei Wochen	liefern.
Was	würden	Sie uns	empfehlen?
Ich	würde	Ihnen den Bildschirmreiniger	empfehlen.

Satzklammer

Position 1: Modalverb / „Würde"		Satzende: Verb (Infinitiv)
Könnten	Sie bitte ein Produktmuster	herstellen?
Würdest	du uns den Bildschirmreiniger in Zahnform	empfehlen?

1.5.2 Konjunktiv II von „sollen" › Lek. 18

Mit „sollen" im Konjunktiv II kann man eine Empfehlung oder eine Bitte um eine Empfehlung ausdrücken.
z. B.   Sie sollten den Mantel in Größe 40 anprobieren.
        Sollte ich das T-Shirt in Rot oder in Weiß nehmen?

Die Form von „sollen" im Konjunktiv II ist gleich wie das Präteritum.

ich	du	er / sie / es	wir	ihr	sie	Sie (Sg. + Pl.)
sollte	solltest	sollte	sollten	solltet	sollten	sollten

Das Modalverb „sollen" steht in Aussagesätzen und W-Fragen auf Position 2, in Ja-/Nein-Fragen auf Pos. 1.
Der Infinitiv steht am Satzende.

Satzklammer

Position 1	Position 2: „sollen"		Satzende: Verb (Infinitiv)
Welches T-Shirt	sollte	ich	nehmen?
Sie	sollten	das rote T-Shirt	nehmen.

Satzklammer

Position 1: „Sollen"		Satzende: Verb (Infinitiv)
Sollte	ich das T-Shirt in Rot oder in Weiß	nehmen?

1.6 „brauchen" als Modalverb

1.6.1 „brauchen nicht / kein- … zu …" › Lek. 18

– „brauchen nicht / kein- … zu …" bedeutet, dass man etwas nicht machen muss.
  z. B. Die Kundin braucht nicht lange zu suchen.
    Die Verkäuferin braucht nicht im Lager nachzuschauen.
– Bei Nomen verwendet man „brauchen kein-… zu …".
  z. B. Die Kundin braucht keine Angst zu haben
    Die Verkäuferin braucht keine Clogs zu bestellen

– „brauchen" steht auf Position 2, „zu" mit dem Infinitiv vom Verb steht am Satzende.
– Bei trennbaren Verben: „zu" steht zwischen der Vorsilbe und dem Infinitiv vom Verb, z. B. nachzuschauen.

		Satzklammer		
Position 1	Position 2: „brauchen"			Satzende: „zu" + Verb (Infinitiv)
Die Kundin	braucht	nicht lange		zu suchen.
Die Verkäuferin	braucht	nicht im Lager		nachzuschauen.
Die Verkäuferin	braucht	keine Clogs		zu bestellen.

1.6.2 „brauchen nur … zu …" › Lek. 18

– „brauchen nur … zu …" bedeutet, dass etwas einfach bzw. nicht besonders schwierig ist. Man muss nichts anderes als das tun.
  z. B. Wenn man Berufskleidung sucht, braucht man nur zu „Krüger" zu gehen.
    Der Kunde braucht die Kleidung nur zu bestellen, die Firma bezahlt die Rechnung.

– „brauchen" steht auf Position 2, „zu" mit dem Infinitiv vom Verb steht am Satzende.
– Bei trennbaren Verben: „zu" steht zwischen der Vorsilbe und dem Infinitiv vom Verb, z. B. nachzuschauen.

		Satzklammer		
Position 1	Position 2: „brauchen"			Satzende: „zu" + Verb (Infinitiv)
Man	braucht	nur zu „Krüger"		zu gehen.
Der Kunde	braucht	die Kleidung nur		zu bestellen.

2 Nomen

2.1 Deklination

2.1.1 Unbestimmter Artikel und Negativartikel › Lek. 11, 19

Den unbestimmten Artikel „ein-" verwendet man:
– wenn eine Information neu oder unbestimmt ist.
  z. B. Ich habe ein Problem. (→ Das Problem ist neu, man kennt es noch nicht genau.)
– wenn man etwas oder jemanden aus einer zählbaren Menge meint.
  z. B. Ich möchte ein Ei. (nicht zwei)
– wenn etwas oder jemand für eine Gruppe steht.
  z. B. Ein Haus kostet viel Geld.

Mit dem Negativartikel „kein-" negiert man Nomen.
  z. B. Das ist kein Büro.

	Maskulinum (M)	Neutrum (N)	Femininum (F)	Plural (M, N, F)
Nom. unbestimmter / Negativartikel	ein / kein Mann	ein / kein Kind	eine / keine Frau	Ø / keine Männer / Kinder / Frauen
Akk. unbestimmter / Negativartikel	einen / keinen Mann	ein / kein Kind	eine / keine Frau	Ø / keine Männer / Kinder / Frauen
Dat. unbestimmter / Negativartikel	einem / keinem Mann	einem / keinem Kind	einer / keiner Frau	Ø / keinen Männer**n**[1] / Kinder**n**[1] / Frauen
Gen. unbestimmter / Negativartikel	eines / keines Mann**es**[2]	eines / keines Kind**es**[2]	einer / keiner Frau	Ø / keiner Männer / Kinder / Frauen

[1] Im Dativ Plural: Endung „-n". Ausnahme: Nomen auf „-s" im Plural, dort immer „-s", z. B. die Autos → mit den Autos.
[2] Maskulinum und Neutrum im Genitiv Singular: Das Nomen hat die Signalendung „-(e)s", z. B. des Mannes, Kontos; Ausnahme: Nomen der n-Deklination → „-(e)n", z. B. der Herr → des Herrn, der Lieferant → des Lieferanten.

2.1.2 Bestimmter Artikel   › Lek. 11, 19

Den bestimmten Artikel „der", „das", „die" verwendet man:
- wenn eine Information nicht neu oder wenn sie bestimmt ist.
  z. B   Ich habe ein Problem. – Das Problem kenne ich.
  Das ist der Personalchef.
- wenn es um ein ganz bestimmtes Objekt geht und es das Objekt nur einmal gibt (z. B. Regionen, Sehenswürdigkeiten).
  z. B. der Schwarzwald, die Bretagne, das Kunstmuseum von Düsseldorf

	Maskulinum (M)	Neutrum (N)	Femininum (F)	Plural (M, N, F)
Nom. bestimmter Artikel	der Mann	das Kind	die Frau	die Männer / Kinder / Frauen
Akk. bestimmter Artikel	den Mann	das Kind	die Frau	die Männer / Kinder / Frauen
Dat. bestimmter Artikel	dem Mann	dem Kind	der Frau	den Männer**n**[1] / Kinder**n**[1] / Frauen
Gen. bestimmter Artikel	des Mann**es**[2]	des Kind**es**[2]	der Frau	der Männer / Kinder / Frauen

[1] Im Dativ Plural: Endung „-n". Ausnahme: Nomen auf „-s" im Plural, dort immer „-s", z. B. die Autos → mit den Autos.
[2] Maskulinum und Neutrum im Genitiv Singular: Das Nomen hat die Signalendung „-(e)s", z. B. des Mannes, Kontos; Ausnahme: Nomen der n-Deklination → „-(e)n", z. B. der Herr → des Herrn, der Lieferant → des Lieferanten.

2.1.3 Nullartikel

Manchmal steht das Nomen ohne Artikel. Dieses grammatische Phänomen nennt man „Nullartikel" (Ø).

Verwendung des Nullartikels:
Der unbestimmte Artikel im Plural ist ein Nullartikel (Ø), z. B. ein Problem – Ø Probleme.

Man verwendet den Nullartikel auch:
- bei Eigennamen
  z. B. Sie heißt Eva Seidel und wohnt in Fellbach.
- bei Berufsbezeichnungen
  z. B. Er ist Arzt. Sie ist Ingenieurin.
- bei Nationalitätsangaben
  z. B. Sie ist Schweizerin.
- bei Sprachangaben
  z. B. Er spricht Deutsch und Englisch.
- bei unbestimmten Mengen
  z. B. Wir brauchen Kaffee. Er kauft Eier.

2.1.4 n-Deklination ⟩ Lek. 13, 19

Maskuline Nomen mit dem Plural auf „-n" oder „-en" haben auch im Singular Akkusativ, Dativ und Genitiv die Endung „-n" oder „-en".
Dazu gehören:
– alle Nomen im Maskulinum mit den Endungen: -e, -and, -ant, -at, -ent, -ist, -oge.
  z. B. der Kollege, der Doktorand, der Praktikant, der Automat, der Student, der Journalist, der Psychologe
– einige Nomen im Maskulinum ohne Endung.
  z. B. der Nachbar
– einige männliche Berufsbezeichnungen aus anderen Sprachen (z. B. Griechisch).
  z. B. der Architekt, der Fotograf

	Singular				Plural	
Nom.	der	/ ein	Kunde	/ Lieferant	die	/ Ø Kunden / Lieferanten
Akk.	den	/ einen	Kunden	/ Lieferanten	die	/ Ø Kunden / Lieferanten
Dat.	dem	/ einem	Kunden	/ Lieferanten	den	/ Ø Kunden / Lieferanten
Gen.	des	/ eines	Kunden	/ Lieferanten	der	/ Ø Kunden / Lieferanten

Nomen der n-Deklination haben immer die Genitivendung „-n" oder „-en", nicht „-(e)s".
Ausnahmen: der Name – des Namens, der Buchstabe – des Buchstabens, der Gedanke – des Gedankens, das Herz – des Herzens

Die Formen von „der Herr" weichen von der Regel ab. Im Singular erhält „der Herr" die Endung „-n", im Plural aber „-en".

	Singular			Plural	
Nom.	der	/ ein	Herr	die	/ Ø Herren
Akk.	den	/ einen	Herrn	die	/ Ø Herren
Dat.	dem	/ einem	Herrn	den	/ Ø Herren
Gen.	des	/ eines	Herrn	der	/ Ø Herren

Zur n-Deklination gehören **nicht**:
– Nomen auf „-or".
  z. B. der Motor – die Motoren, **aber:** den / dem Motor, des Motors
– einige andere Nomen mit Plural auf „-en".
  z. B. der Staat – die Staaten, **aber:** den / dem Staat, des Staat(e)s

2.2 Subjekt und Ergänzungen

2.2.1 Subjekt und Nominativergänzung

Die Frage nach dem Subjekt lautet:
Wer / Was ist / hat / macht / braucht / …?
Frage nach dem Subjekt: Verb immer im Singular.
z. B. Wer kommt aus Frankreich?   – Michele Morel kommt aus Frankreich.
       Wer wohnt in Fellbach?   – Gloria und José wohnen in Fellbach.
       Was ist kaputt?   – Der Computer ist kaputt.
       Was funktioniert nicht?   – Der Internet- und der Telefonanschluss funktionieren nicht.

Die Frage nach der Nominativergänzung lautet:
Wer / Was bist / ist / wird / …?
Frage nach der Nominativergänzung: Das Verb richtet sich nach dem Subjekt in der Frage.
z. B. Wer ist das?   – Das ist die Kursleiterin.
       Wer bist du?   – Ich bin ein Kollege von Eva.
       Was seid ihr von Beruf?   – Wir sind Architekten.
       Was wird Diego Gómez?   – Er wird Elektroniker.

2.2.2 Akkusativergänzung

Die Frage nach der Akkusativergänzung (= Akkusativobjekt) lautet:

Wen / Was hat / grüßt / macht / braucht / ... Herr Mindt?

z. B. Wen grüßt Herr Mindt?   – Herr Mindt grüßt seine Freunde.
       Was braucht Herr Mindt?   – Herr Mindt braucht Büromöbel.

Die Formulierung „es gibt" steht immer mit einer Akkusativergänzung.

z. B. Was gibt es?   – Es gibt einen Fehler.

2.2.3 Dativergänzung   > Lek. 11

Die Frage nach der Dativergänzung (= Dativobjekt) lautet:

Wem erklärt / bringt / gibt / schenkt / schreibt Manuela ...?

z. B. Wem schreibt Manuela?   – Manuela schreibt ihren Kollegen.
      Wem erklärt Manuela den Weg? – Manuela erklärt dem Fahrer den Weg.

Viele Verben haben zwei Ergänzungen: eine Dativ- und eine Akkusativergänzung.

z. B. Tina, Alexej und Markus schenken ihrer Kollegin einen Gutschein.
      Partyverleih Lorenz bringt seinen Kunden die Bierbänke und -tische.

Einige Verben stehen immer mit einer Dativergänzung. Diese Dativergänzung ist oft eine Person.

z. B. Der Garten gehört uns.
      Ich helfe meinen Kollegen.

	Wer? / Was? (Nominativ)		Wem? (Dativergänzung)	
danken	Manuela	dankt	ihren Kollegen.	
gefallen	Die Party	gefällt	den Gästen.	
gehören	Die Bierbänke	gehören	der Firma Lorenz.	
gratulieren	Ihre Kollegen	haben	ihr	gratuliert.
helfen	Frank	möchte	seiner Frau	helfen.
passen	Das Sommerkleid	passt	Manuela.	
schmecken	Der Kartoffelsalat	schmeckt	den Gästen.	

2.2.4 Stellung von Dativ- und Akkusativergänzung im Satz   > Lek. 11

Nomen + Nomen: zuerst Dativ, dann Akkusativ.

z. B. Der Fahrer gibt dem Kunden die Rechnung.

Personalpronomen + Personalpronomen: zuerst Akkusativ, dann Dativ.

z. B. Der Fahrer gibt sie ihm.

Personalpronomen + Nomen: zuerst Personalpronomen, dann Nomen (kurz vor lang!).

z. B. Der Fahrer gibt sie dem Kunden.
      Der Fahrer gibt ihm die Rechnung.

2.2.5 Genitiv   › Lek. 19

Genitiv mit possessiver Bedeutung

Der Genitiv steht in der Regel nicht alleine, sondern als Erklärung oder Attribut bei einem Nomen. Die Frage nach dem Genitiv lautet:

Wessen Auto / Büro … ?

z. B.   Wessen Büro ist das?   –   Das ist das Büro der Marketingabteilung.

       Wessen Auto nehmen wir?   –   Wir nehmen das Auto meines Bruders.

	Maskulinum (M)	Neutrum (N)	Femininum (F)	Plural (M, N, F)
bestimmter Artikel	des Platz**es**	des Passwort**(e)s**	der Oberfläche	der Ordner / Fenster / Dateien
unbestimmter Artikel	eines Ordner**s**	eines Backup**s**	einer Datei	Ø Ordner / Fenster / Dateien

Genitiv bei Nomen ohne Artikel:

Bei Nomen im Plural ohne Artikel verwendet man meist keinen Genitiv, sondern „von" + Dativ.

z. B.   Wessen Computeranlagen wartet Herr Bayer?   –   Herr Bayer wartet die Computeranlagen von Logistikfirmen.

Wenn man Sätze verkürzen will (z. B. bei Nominalstil in Listen), verwendet man oft den Genitiv bzw. „von" + Dativ.

z. B.   Man wählt ein Passwort.   →   Wahl eines Passwortes

       Man legt eine Ordnerstruktur an.   →   Anlegen einer Ordnerstruktur

       Man ordnet die Dateien logisch an.   →   Logische Anordnung der Dateien

       Man legt Dateien ab.   →   Ablegen von Dateien

Genitiv bei Eigennamen:

– Bei vorangestellten Namen steht „-s" am Namen.

   z. B.   Wessen Terminkalender ist das?   –   Das ist Sandras Terminkalender.

– Namen mit „-s", „-x" oder „-z" am Ende erhalten ein Apostroph.

   z. B.   Wessen Freunde treffen wir heute?   –   Wir treffen Thomas' Freunde.

       Wessen Notebook ist das?   –   Das ist Max' Notebook.

       Wessen Auto nehmen wir?   –   Wir nehmen Franz' Auto.

3 Artikelwörter, Pronomen und Fragewörter

3.1 Personalpronomen

3.1.1 Personalpronomen – Deklination   › Lek. 11

Nom.	ich	du	er	sie	es	wir	ihr	sie	Sie
Akk.	mich	dich	ihn	sie	es	uns	euch	sie	Sie
Dat.	mir	dir	ihm	ihr	ihm	uns	euch	ihnen	Ihnen

Personalpronomen sind im Genus und Numerus mit dem Nomen identisch.

z. B.   Das ist mein Kollege. Er macht Online-Marketing.

       Hier ist das Büro von Frau Dr. Erler. Sie ist die Geschäftsführerin.

       Frau Schmidt organisiert den Messeaufbau. Er ist am 3. und 4. Februar.

       Manuela braucht Bierbänke und -tische. Der Partyservice Lorenz liefert ihr alles.

       Herr Mindt braucht einen Schreibtisch. Er bestellt ihn.

3.2 Possessivartikel und -pronomen

3.2.1 Possessivartikel und -pronomen – Verwendung

– Possessivartikel und -pronomen beziehen sich auf den Besitzer und beantworten die Frage: Wer hat etwas?
– Die Endung vom Possessivartikel / -pronomen bezieht sich in Genus und Kasus (z. B. Nom., Akk.) auf das „Besitztum".

| z. B. Ich habe eine Jacke. | → | Es ist meine Jacke. |
| → Der Sprecher ist der Besitzer. | → | Possessivartikel „mein" |

Der Possessivartikel bekommt die Endung für Femininum Nominativ Singular, denn „die Jacke" (das Besitztum) hat dieses Genus (Femininum) und steht im Nominativ Singular.

z. B. Das ist die Mutter von Lisa.	→	Das ist ihre Mutter.
Ich kenne den Vater von Lisa.	→	Ich kenne ihren Vater.
→ Lisa ist die „Besitzerin".	→	Possessivartikel „ihr" (Femininum Singular)

Der Possessivartikel bekommt für „die Mutter" die Endung für Femininum Nominativ Singular, für „den Vater" die Endung für Maskulinum Akkusativ Singular.

z. B. Das ist die Mutter von Franz.	→	Das ist seine Mutter.
Ich kenne den Vater von Franz.	→	Ich kenne seinen Vater.
→ Franz ist der „Besitzer".	→	Possessivartikel „sein" (Maskulinum Singular)

Der Possessivartikel bekommt für „die Mutter" die Endung für Femininum Nominativ Singular, für „den Vater" die Endung für Maskulinum Akkusativ Singular.

3.2.2 Possessivartikel – Deklination   › Lek. 11

– Die Endungen vom Possessivartikel sind identisch mit den Endungen vom unbestimmten Artikel (ein-) und Negativartikel (kein-).
– **Achtung:** Possessivartikel „euer" + Endung: Stamm „eur-" + Endung: z. B. „eure" → eure

Nominativ

	Maskulinum (M)		Neutrum (N)		Femininum (F)		Plural (M, N, F)	
ich	mein		mein		meine		meine	
du	dein		dein		deine		deine	
er, es / sie	sein / ihr		sein / ihr		seine / ihre		seine / ihre	Söhne /
wir	unser	Sohn	unser	Kind	unsere	Tochter	unsere	Töchter /
ihr	euer		euer		eure		eure	Kinder
sie	ihr		ihr		ihre		ihre	
Sie (Sg. + Pl.)	Ihr		Ihr		Ihre		Ihre	

	Maskulinum (M)	Neutrum (N)	Femininum (F)	Plural (M, N, F)
Nom.	mein Sohn	mein Kind	meine Tochter	meine Söhne / Kinder / Töchter
Akk.	meinen Sohn	mein Kind	meine Tochter	meine Söhne / Kinder / Töchter
Dat.	meinem Sohn	meinem Kind	meiner Tochter	meinen Söhnen / Kindern / Töchtern

3.2.3 Possessivpronomen – Deklination   › Lek. 20

– „mein-" / „dein-" / … kann man auch als Possessivpronomen (für das Nomen) verwenden.

| z. B. Das ist meine Jacke. | → | Das ist meine. |
| Das ist sein Beamer. | → | Das ist seiner. |

– Die Endungen vom Possessivpronomen sind identisch mit den Endungen vom bestimmten Artikel (der / das / die).

	Maskulinum (M)	Neutrum (N)	Femininum (F)	Plural (M, N, F)
Nom.	meiner	meins	meine	meine
Akk.	meinen	meins	meine	meine
Dat.	meinem	meinem	meiner	meinen

3.3 Demonstrativartikel und -pronomen

3.3.1 Demonstrativartikel und -pronomen – Verwendung › Lek. 19

Demonstrativartikel und Demonstrativpronomen weisen auf eine Person oder Sache hin.
- „dies-" kann man als Demonstrativartikel (mit Nomen) oder als Demonstrativpronomen (für das Nomen) verwenden.
- Den bestimmten Artikel „der"/„das"/„die" kann man auch als Demonstrativartikel oder als Demonstrativpronomen verwenden.

z. B.   Welcher Computer ist kaputt? – Dieser / Der Computer dort. (Demonstrativartikel)
        – Dieser / Der dort. (Demonstrativpronomen)

Welche Datei soll ich öffnen? – Diese / Die Datei hier. (Demonstrativartikel)
        – Diese / Die hier. (Demonstrativpronomen)

3.3.2 Demonstrativartikel und -pronomen – Deklination › Lek. 19

Demonstrativartikel

Die Endungen vom Demonstrativartikel „dies-" und vom Demonstrativartikel „der"/„das"/„die" sind identisch mit den Endungen vom bestimmten Artikel (der / das / die).

	Maskulinum (M)	Neutrum (N)	Femininum (F)	Plural (M, N, F)
Nom.	Welcher Computer? → dieser / der Computer	Welches Problem? → dieses / das Problem	Welche Datei? → diese / die Datei	Welche Computer / Probleme / Dateien? → diese / die Computer / …
Akk.	Welchen Computer? → diesen / den Computer	Welches Problem? → dieses / das Problem	Welche Datei? → diese / die Datei	Welche Computer / Probleme / Dateien? → diese / die Computer / …
Dat.	Mit welchem Computer? → mit diesem / dem Computer	Zu welchem Problem? → zu diesem / dem Problem	Mit welcher Datei? → mit dieser / der Datei	Mit welchen Computern / Problemen / Dateien? → mit diesen / den Computern / …
Gen.	Wessen? → dieses / des Computers	Wessen? → dieses / des Problems	Wessen? → dieser / der Datei	Wessen? → dieser / der Computer / …

Demonstrativpronomen

- Die Endungen vom Demonstrativpronomen „dies-" sind identisch mit den Endungen vom bestimmten Artikel (der / das / die).
- Die Demonstrativpronomen „der"/„das / die" sind im Nominativ, Akkusativ und Dativ Singular und im Nominativ und Akkusativ Plural identisch mit dem bestimmten Artikel. Der Dativ Plural ist „denen".

	Maskulinum (M)	Neutrum (N)	Femininum (F)	Plural (M, N, F)
Nom.	Welcher Computer? → dieser / der	Welches Problem? → dieses / das	Welche Datei? → diese / die	Welche Computer / Probleme / Dateien? → diese / die
Akk.	Welchen Computer? → diesen / den	Welches Problem? → dieses / das	Welche Datei? → diese / die	Welche Computer / Probleme / Dateien? → diese/die
Dat.	Mit welchem Computer? → mit diesem / dem	Zu welchem Problem? → zu diesem / dem	Mit welcher Datei? → mit dieser / der	Mit welchen Computern / Problemen / Dateien? → mit diesen / denen
Gen.	Wessen? → dieses	Wessen? → dieses	Wessen? → dieser	Wessen? → dieser

„der"/„das"/„die" als Demonstrativpronomen im Genitiv → B1

3.4 Die Pronomen „ein-" und „kein-"

3.4.1. Die Pronomen „ein-" und „kein-" – Verwendung und Deklination › Lek. 20

- „ein-" und „kein-" kann man auch als Pronomen (für das Nomen) verwenden.
  - z.B. Der Beamer in Raum 204 ist kaputt.   –   In Raum 206 steht noch einer.
  - Ich habe mein Notebook vergessen.   –   Ich habe leider auch keins.
- Die Endungen von den Pronomen „ein-"/„kein-" sind identisch mit den Endungen vom bestimmten Artikel (der / das / die).
- Der Plural des Pronomens „ein-" heißt „welch-".
  - z.B. Wir haben nicht genug Namensschilder.   –   Keine Problem, ich drucke welche aus.

	Maskulinum (M)	Neutrum (N)	Femininum (F)	Plural (M, N, F)
Nom.	einer / keiner	eins / keins	eine / keine	welche / keine
Akk.	einen / keinen	eins / keins	eine / keine	welche / keine
Dat.	einem / keinem	einem / keinem	einer / keiner	welchen / keinen

3.5 Reflexivpronomen

3.5.1 Reflexivpronomen – Verwendung und Deklination › Lek. 15

- Die reflexive Form von einem Verb zeigt, dass der Sprecher sich selbst meint. Dann hat das Verb ein Reflexivpronomen. Wenn das Verb keine Ergänzung hat, steht das Reflexivpronomen im Akkusativ. Wenn das Verb eine Akkusativ-Ergänzung hat, steht das Reflexivpronomen im Dativ.
- Das Reflexivpronomen und das Personalpronomen sind im Akkusativ und Dativ gleich.
  Ausnahmen: Dritte Person Singular und Plural sowie die Höflichkeitsform. Dort heißt das Pronomen „sich".

Reflexivpronomen Akkusativ

Ich	ärgere	mich	
Du	ärgerst	dich	
Er / Sie / Es	ärgert	sich	
Wir	ärgern	uns	oft.
Ihr	ärgert	euch	
Sie	ärgern	sich	
Sie (Sg. + Pl.)	ärgern	sich	

Reflexivpronomen Dativ

Ich	wünsche	mir	
Du	wünschst	dir	
Er / Sie / Es	wünscht	sich	
Wir	wünschen	uns	eine andere Arbeit.
Ihr	wünscht	euch	
Sie	wünschen	sich	
Sie (Sg. + Pl.)	wünschen	sich	

3.6 Fragewörter

3.6.1 Welcher, Welches, Welche? › Lek. 19

- Mit dem Fragewort „welch-" fragt man nach etwas oder jemandem aus einer Auswahl.
- Die Endungen von „welch-" sind identisch mit den Endungen vom bestimmten Artikel (der / das / die).
  - z.B. Welche Datei soll ich öffnen – „Projekt A" oder „Projekt B"? – Die Datei „Projekt A".
  - Welcher Computer ist kaputt? – Der Computer von Herrn Mindt.
  - In welcher Abteilung arbeitet Herr Wäger? – In der Produktionslogistik.
- Das Fragewort „welch-" kann als Artikelwort vor einem Nomen stehen, z.B. „Welcher Computer?", oder als Pronomen allein stehen, z.B. „Welcher?".
  - Welcher Computer funktioniert nicht? – Der hier.
  - Hier sind die Computer. Welcher funktioniert nicht? – Der hier.

	Maskulinum (M)	Neutrum (N)	Femininum (F)	Plural (M, N, F)
Nom.	Welcher (Computer)?	Welches (Problem)?	Welche (Datei)?	Welche (Computer / …)?
Akk.	Welchen (Computer)?	Welches (Problem)?	Welche (Datei)?	Welche (Computer / …)?
Dat.	Mit welchem (Computer)?	Zu welchem (Problem)?	Mit welcher (Datei)?	Mit welchen (Computern / …)?

3.6.2 Was für …? › Lek. 19

Mit „Was für …" fragt man nach Eigenschaften.

z. B. Was für Teams führt Frau Dahl? — Große Teams.
Was für eine Schulung interessiert Herrn Wäger? — Eine Schulung zur Lagerverwaltung.
Mit was für Computern hat Herr Dahl keine Probleme? — Mit unvernetzten Computern.

	Maskulinum (M)	Neutrum (N)	Femininum (F)	Plural (M, N, F)
Nom.	Was für ein Computer?	Was für ein Team?	Was für eine Schulung?	Was für Computer / …?
Akk.	Was für einen Computer?	Was für ein Team?	Was für eine Schulung?	Was für Computer / …?
Dat.	Mit was für einem Computer?	Mit was für einem Team?	Mit was für einer Schulung?	Mit was für Computern / …?

4 Satzkombinationen

4.1 Hauptsatz – Hauptsatz

4.1.1 Hauptsatz – Hauptsatz mit „aduso"-Konjunktionen

Die „aduso"-Konjunktionen verbinden zwei gleichwertige Sätze / Satzteile und stehen auf Position 0.
- „aber" drückt einen Gegensatz aus.
- „denn" gibt einen Grund an.
- „und" verbindet zwei Sätze oder Satzteile.
- „sondern" gibt eine Alternative zu einem negierten Satzteil aus Satz 1 an.
- „oder" gibt eine Alternative an.

So können Sie die Konjunktionen auf Position 0 gut lernen: aber, denn, und, sondern, oder → „aduso"-Konjunktionen

1. Hauptsatz / Satzteil	Position 0	2. Hauptsatz / Satzteil
Frau Schmidt organisiert den Messeaufbau,	aber	(sie organisiert) nicht den Messeabbau.
Ich kann heute Nachmittag nicht,	denn	ich habe eine Teambesprechung.
Im April komme ich nach Frankfurt	und	(ich) besuche die Frühjahrsmesse.
Frau Peters fährt nicht mit dem ICE,	sondern	(sie fährt) mit dem Regionalexpress.
Herr Bastian macht den Messeaufbau in München	oder	(er) plant den Messeaufbau in Berlin.

- Vor „aber", „denn" und „sondern" steht immer ein Komma.
- Subjekt (und Verb) im ersten Hauptsatz = gleich Subjekt (und Verb) im zweiten Hauptsatz →
  Das Subjekt (und Verb) im zweiten Hauptsatz kann wegfallen. (**Ausnahme:** Sätze mit „denn")

4.2 Hauptsatz – Nebensatz

4.2.1 Verbindung von Haupt- und Nebensatz › Lek. 14, 16, 20

- Der Nebensatz beginnt mit einem Nebensatz-Konnektor. Das Verb steht am Satzende.
- Zwischen Haupt- und Nebensatz steht ein Komma.
- Der Nebensatz kann vor oder nach dem Hauptsatz stehen.

Hauptsatz	Nebensatz		
Die Mitarbeiterin kann Herrn Sinn nicht helfen,	weil	sie keine Produktberatung	macht.
Wählen Sie die „Drei",	wenn	Sie mit der Produktberatung	sprechen wollen.
Sie wissen,	dass	ich das Internet dringend	brauche.
Es war immer besetzt,	wenn	ich im Hotel	angerufen habe.
Leider fuhr kein Schiff,	als	ich am Hafen	ankam.
Ich lade alle zu einer Besprechung ein,	damit	wir mit der Planung	beginnen können.

Wenn der Nebensatz vor dem Hauptsatz steht, steht das Verb im Hauptsatz auf Position 1.

Nebensatz			Hauptsatz	
Weil	die Mitarbeiterin keine Produktberatung	macht,	kann	sie Herrn Sinn nicht helfen.
Wenn	Sie mit der Produktberatung	sprechen wollen,	wählen	Sie die „Drei".
Dass	ich das Internet dringend	brauche,	wissen	Sie.
Als	ich am Hafen	ankam,	fuhr	leider kein Schiff.
Damit	wir mit der Planung gleich	beginnen können,	lade	ich alle zu einer Besprechung ein.

4.2.2 Kausale Nebensätze mit „weil"/„da"   › Lek. 14

- Kausale Nebensätze mit „weil" drücken einen Grund aus. Sie antworten auf die Frage „Warum …?".
- Nebensätze mit „weil" können vor und nach dem Hauptsatz stehen.
  - z. B. Die Mitarbeiterin kann Herrn Sinn nicht verbinden, weil alle Leitungen besetzt sind.
    Weil alle Leitungen besetzt sind, kann die Mitarbeiterin Herrn Sinn nicht verbinden.

- Kausale Nebensätze kann man auch mit „da" bilden. Das tut man oft dann, wenn der Grund schon bekannt ist.
- Nebensätze mit „da" stehen sehr oft vor dem Hauptsatz. Sie können aber auch nach dem Hauptsatz stehen.
  - z. B. Da alle Leitungen besetzt sind, kann die Mitarbeiterin Herrn Sinn nicht verbinden.
    Die Mitarbeiterin kann Herrn Sinn nicht verbinden, da alle Leitungen besetzt sind.

- Auf die Frage „Warum …?" kann man in einem Gespräch auch direkt mit einem „weil-Satz" antworten.
  - z. B. Warum können Sie mich nicht verbinden?   –   Weil alle Leitungen besetzt sind.
    Warum geben Sie mir nicht die Durchwahl vom Techniker?   –   Weil wir das nicht dürfen.

- In der mündlichen Umgangssprache verbindet man manchmal auch zwei Hauptsätze mit „weil".
  - z. B. Ich muss beim Kundenservice anrufen, weil … (Pause) ich habe Probleme mit dem Internetanschluss.

4.2.3 Konditionale Nebensätze mit „wenn"   › Lek. 14

- Konditionale Nebensätze mit „wenn" drücken eine Bedingung aus.
- Konditionale Nebensätze mit „wenn" können vor und nach dem Hauptsatz stehen.
  - z. B. Wählen Sie bitte die „Eins", wenn Sie neue Produkte kennenlernen wollen.
    Wenn Sie neue Produkte kennenlernen wollen, wählen Sie bitte die „Eins".

- Wenn der „wenn-Satz" vor dem Hauptsatz steht, kann der Hauptsatz mit „dann" beginnen.
  - z. B. Wenn Sie neue Produkte kennenlernen wollen, dann wählen Sie bitte die „Eins".

4.2.4 Temporale Nebensätze mit „als"   › Lek. 16

- Temporale Nebensätze mit „als" benennen ein Ereignis, das einmal in der Vergangenheit passiert ist.
- Nebensätze mit „als" stehen sehr oft vor dem Hauptsatz. Sie können aber auch nach dem Hauptsatz stehen.
  - z. B. Als ich oben auf dem Turm war, war die Sicht total schlecht.
    Als ich an den Landungsbrücken ankam, war ich nass und der Schirm kaputt.
    Ich war nass und der Schirm kaputt, als ich an den Landungsbrücken ankam.

4.2.5 Temporale Nebensätze mit „wenn" – Vergangenheit   › Lek. 16

- Temporale Nebensätze mit „(immer / jedes Mal) wenn" in der Vergangenheit benennen ein Ereignis, das immer in der Vergangenheit passiert ist.
- Temporale Nebensätze mit „wenn" können vor und nach dem Hauptsatz stehen. Wenn der „wenn-Satz" hinten steht, stehen die Angaben „immer" und „jedes Mal" im Hauptsatz.
  - z. B. (Immer) wenn ich im Hotel angerufen habe, war besetzt.
    Es war (immer) besetzt, wenn ich im Hotel angerufen habe.
    (Jedes Mal) wenn ich den Schirm aufgemacht habe, hat er sich komplett umgedreht.
    Der Schirm hat sich (jedes Mal) komplett umgedreht, wenn ich ihn aufgemacht habe.

4.2.6 Temporale Nebensätze mit „wenn" – Gegenwart und Zukunft   › Lek. 16

- Temporale Nebensätze mit „(immer/jedes Mal) wenn" in der Gegenwart oder Zukunft benennen ein Ereignis, das einmal oder jedes Mal in der Gegenwart oder Zukunft passiert.
- Wenn etwas einmal passiert, verwendet man nur „wenn". Wenn etwas jedes Mal passiert, kann man „immer/ jedes Mal wenn" verwenden.
- Temporale Nebensätze mit „wenn" können vor und nach dem Hauptsatz stehen. Wenn der „wenn-Satz" hinten steht, stehen die Angaben „immer" und „jedes Mal" im Hauptsatz.
   - z. B. (Jedes Mal) Wenn ich aus dem Terminal komme, wähle ich das Taxi mit meiner Nummer.
      Ich wähle (jedes Mal) das Taxi mit meiner Nummer, wenn ich aus dem Terminal komme.
      (Immer) wenn ich in der Nähe vom Meer bin, muss ich Fisch essen.
      Ich muss (immer) Fisch essen, wenn ich in der Nähe vom Meer bin.

4.2.7 Finale Nebensätze mit „damit"   › Lek. 20

- Finale Nebensätze mit „damit" benennen ein Ziel oder einen Zweck.
- Nebensätze mit „damit" können vor und nach dem Hauptsatz stehen.
   - z. B. In einigen Unternehmen gibt es Fitnessräume, damit die Mitarbeiter in der Pause sportlich aktiv sein können.
      Damit die Mitarbeiter in der Pause sportlich aktiv sein können, gibt es in einigen Unternehmen Fitnessräume.

4.2.8 Nebensätze mit „dass"   › Lek. 14

Nebensätze mit „dass" stehen häufig nach Verben oder Nomen mit folgenden Bedeutungen:
- denken, meinen, glauben, hoffen, sagen, verstehen
   - z. B. Herr Sinn denkt/meint/glaubt/sagt, dass er alles richtig gemacht hat.
      Der Gedanke, dass es so weitergeht, gefällt ihm nicht.
- wissen, wollen
   - z. B. Er weiß, dass es ein Problem gibt.
      Er will/möchte, dass der Techniker kommt.
      Er hat den Wunsch, dass ihm ein Techniker hilft.
- hören, fühlen, sehen
   - z. B. Er hört, dass die Leitung besetzt ist.
      Er sieht, dass die Leuchte blinkt.
      Er hat das Gefühl, dass nichts funktioniert.

- Der „dass-Satz" steht meist nach dem Hauptsatz. Er kann auch vor dem Hauptsatz stehen, wenn man ihn besonders betonen will.
   - z. B. Sie verstehen sicher, dass es so nicht weitergehen kann.
      Dass es so nicht weitergehen kann, verstehen Sie sicher.

- In der gesprochenen Sprache verwendet man oft keinen Nebensatz mit „dass", sondern einen 2. Hauptsatz.
   - z. B. Herr Sinn glaubt, er hat alles richtig gemacht.

4.2.9 Indirekte Fragesätze   › Lek. 16
- Wenn man höflich sein will, stellt man oft keine direkten Fragen, sondern indirekte. In dem Fall beginnt man die Frage mit Ausdrücken wie „Ich möchte wissen, …" oder „Können Sie mir sagen, …?".
- Indirekte Fragesätze sind Nebensätze.
- Wenn die direkte Frage eine Ja-/Nein-Frage ist, beginnt die indirekte Frage mit „ob".
   - z. B. Habe ich im Zimmer WLAN? → Ich möchte gern wissen, ob ich WLAN im Zimmer habe.
      Gibt es eine Minibar im Zimmer? → Können Sie mir sagen, ob es eine Minibar im Zimmer gibt?
- Wenn die direkte Frage mit einem Fragewort beginnt, beginnt die indirekte Frage mit dem gleichen Fragewort.
   - z. B. Wann gibt es Frühstück? → Können Sie mir sagen, wann es Frühstück gibt?
      Wo befindet sich die Innenstadt? → Ich möchte gern wissen, wo sich die Innenstadt befindet.
- Nach indirekten Fragen steht ein Punkt (.), wenn der Einleitungssatz keine Frage ist.
   - z. B. Ich möchte gern wissen, wie ich ins Stadtzentrum komme.
- Nach indirekten Fragen steht ein Fragezeichen (?), wenn der Einleitungssatz eine Frage ist.
   - z. B. Wissen Sie, wie ich ins Stadtzentrum komme?

4.2.10 Relativsätze › Lek. 18

Relativsätze

- Relativsätze sind Nebensätze. Sie beschreiben ein Nomen im Hauptsatz genauer.
- Das Relativpronomen bezieht sich auf ein Nomen. Das Genus (der, das, die) und der Numerus (Singular, Plural) vom Relativpronomen richten sich immer nach diesem Nomen.

  z.B. Der Kittel, den ich in Grau bestellt habe, ist in Blau gekommen.

  Unsere Kunden, denen wir eine schnelle Lieferung zugesagt haben, warten schon.

  Die Lieferung, um die sie gebeten haben, kommt morgen.

  Wir haben ein neues Computersystem, mit dem wir leider gerade viele Probleme haben.

- Der Kasus (Nominativ, Akkusativ, Dativ) richtet sich nach:

  dem Verb im Relativsatz

  z.B. „bestellen" + Akk.: Der Kittel, den ich in Grau bestellt habe, ist in Blau gekommen.

  „zusagen"+ Dat.: Unsere Kunden, denen wir eine schnelle Lieferung zugesagt haben, warten schon.

  der Präposition beim Verb

  z.B. „bitten um" + Akk.: Die Lieferung, um die Sie gebeten haben, kommt morgen.

  „Probleme haben mit" + Dat.: Wir haben ein neues Computersystem, mit dem wir leider gerade viele Probleme haben.

- Der Relativsatz steht meist direkt hinter dem Wort oder Ausdruck, zu dem er gehört. Dann kann er den Hauptsatz teilen: Haupt-, Relativsatz, -satz.

  z.B. Der Kittel, den ich in Grau bestellt habe, ist in Blau gekommen.

Relativpronomen

- Im Nominativ, Akkusativ und Dativ Singular und im Nominativ und Akkusativ Plural sind die Relativpronomen wie der bestimmte Artikel.
- Der Dativ Plural heißt „denen".

	Maskulinum (M)	Neutrum (N)	Femininum (F)	Plural (M, N, F)
Nom.	der	das	die	die
Akk.	den	das	die	die
Dat.	dem	dem	der	denen

5 Adjektive

5.1 Adjektivdeklination

5.1.1 Adjektive und ihre Endungen

- Adjektive als Ergänzung zum Verb haben keine Endungen.

  z.B. Die Jacke ist schön.

  Wie liefern Ihnen die Ware schnell.

- Adjektive als Attribut (d.h. vor einem Nomen) bekommen Endungen.
- Adjektive auf „-a" bekommen keine Endung.

  z.B. eine prima Sache, ein rosa T-Shirt

- Adjektive auf „-er" und „-el" verlieren das „-e-" vor einer Endung.

  z.B. dunkel → der dunkle Wald

  teuer → das teure Auto.

5.1.2 Adjektive nach bestimmtem Artikel › Lek. 15

Adjektive nach dem bestimmten Artikel haben nur zwei verschiedene Endungen: „-e" und „-en":
- Nach „der" (Sg. Mask. Nom.), „das", „die" (Sg. Fem. Nom. und Akk.) hat das Adjektiv die Endung „-e".
- In den anderen Fällen hat das Adjektiv die Endung „-en".

	Maskulinum (M)	Neutrum (N)	Femininum (F)	Plural (M, N, F)
Nom.	der alte Glascontainer	das farbige Symbol	die blaue Tonne	die grauen Tonnen
Akk.	den alten Glascontainer	das farbige Symbol	die blaue Tonne	die grauen Tonnen
Dat.	in dem alten Glascontainer	mit dem farbigen Symbol	zu der blauen Tonne	zu den grauen Tonnen

5.1.3 Adjektive nach unbestimmtem Artikel, Negativ- und Possessivartikel › Lek. 15

– „ein" (unbestimmter Artikel), „kein" (Negativartikel) und „mein"/„dein"/ … (Possessivartikel) haben **keine Endung**
   → **Signalbuchstabe am Adjektiv**.
   z. B. der Partner → ein guter Partner
   Diese Regel gilt auch für den Nullartikel im Plural.
   z. B. die Büros → (Ø) saubere Büros
– „ein-" (unbestimmter Artikel), „kein-" (Negativartikel) und „mein-"/„dein-"/ … (Possessivartikel) haben **eine Endung**
   → **Adjektiv hat Endung „-en"**.
   z. B. mit einem guten Partner
   Ausnahme: Feminine Nomen Singular: im Nominativ und Akkusativ → **Adjektiv hat Endung „-e"**.
   z. B. eine große Reparatur

	Maskulinum (M)		Neutrum (N)		Femininum (F)		Plural (M, N, F)	
Nom.	ein kein mein	guter Partner	ein kein mein	nettes Team	eine keine meine	große Firma	Ø neue keine neuen meine neuen	Aufträge
Akk.	einen keinen meinen	guten Partner	ein kein mein	nettes Team	eine keine meine	große Firma	Ø neue keine neuen meine neuen	Aufträge
Dat.	mit einem mit keinem mit meinem	guten Partner	mit einem mit keinem mit meinem	netten Team	bei einer bei keiner bei meiner	großen Firma	mit Ø neuen mit keinen neuen mit meinen neuen	Aufträgen

5.1.4 Adjektive vor Nomen ohne Artikel › Lek. 12

Adjektive vor Nomen ohne Artikel haben im Nominativ, Akkusativ und Dativ die Endungen vom bestimmten Artikel.

	Maskulinum (M)	Neutrum (N)	Femininum (F)	Plural (M, N, F)
Nom.	der → schöner Blick	das → modernes Haus	die → offene Küche	die → alte Bäume
Akk.	den → schönen Blick	das → modernes Haus	die → offene Küche	die → alte Bäume
Dat.	mit dem → mit schönem Blick	in dem → in modernem Haus	mit der → mit offener Küche	mit den → mit alten Bäumen

5.2 Vergleiche

5.2.1 Vergleiche: Komparation – prädikativ › Lek. 17

– Den Komparativ bildet man mit Adjektiv + Endung „-er"
– Den Superlativ bildet man mit „am" und Adjektiv + Endung „-(e)sten"
  z.B. Die Haftnotizen sind beliebt.
        Der Bildschirmreiniger ist beliebter.
        Der Schlüsselanhänger ist am beliebtesten.

Grundform	Komparativ: . . .-er	Superlativ: am . . .-(e)sten	Besonderheit
billig	billiger	am billigsten	regelmäßig
klein	kleiner	am kleinsten	
lang	länger	am längsten	regelmäßig mit Umlaut
jung	jünger	am jüngsten	
teuer	teurer	am teuersten	Adjektive auf „-er", „-el":
dunkel	dunkler	am dunkelsten	verlieren im Komparativ das „e".
rund	runder	am rundesten	Adjektive auf „-d", „-t":
preiswert	preiswerter	am preiswertesten	Superlativ auf „-est"
hübsch	hübscher	am hübschesten	Adjektive auf „-s", „-ß", „-sch", „-z":
kurz	kürzer	am kürzesten	Superlativ auf „-est"
groß	größer	am größten	(Ausnahme: groß,
praktisch	praktischer	am praktischsten	Adjektive auf „-isch")
nah	näher	am nächsten	
hoch	höher	am höchsten	
gut	besser	am besten	Sonderformen
gern	lieber	am liebsten	
viel	mehr	am meisten	

5.2.2 Vergleichssätze › Lek. 17

etwas / jemand ist gleich:
„so / genauso" + Adjektiv in Grundform + „wie"
z.B. Der grüne Kugelschreiber ist so / genauso billig wie der weiße.

etwas / jemand ist nicht gleich:
„nicht so" + Adjektiv in Grundform + „wie"
z.B. Der weiße Kugelschreiber ist nicht so teuer wie der blaue.

etwas / jemand ist mehr:
Komparativ + „als"
z.B. Der blaue Kugelschreiber ist teurer als der weiße Kugelschreiber.

6 Angaben im Satz

6.1 Temporale Angaben

6.1.1 Einen Zeitpunkt nennen › Lek. 15

Folgende Adverbien und temporalen Ausdrücke geben einen Zeitpunkt an. Sie geben den Zeitpunkt in Relation zum aktuellen Zeitpunkt (jetzt / heute) an:
– heute Morgen, heute Mittag, heute Abend, heute Nacht
– vorgestern, gestern, heute, morgen, übermorgen
– letzte Woche, diese Woche, nächste Woche

6.1.2 Eine Reihenfolge nennen › Lek. 15

Folgende Adverbien und temporalen Ausdrücke geben eine Reihenfolge an:
- als Erstes, als Zweites, als Drittes, …
- als Erstes, als Nächstes, als Letztes
- zu Beginn, zum Schluss
- zuerst, dann, danach

6.2 Lokale Angaben

6.2.1 Einen Ort angeben › Lek. 12

Auf die Frage „Wo?" antwortet man mit einer Ortsangabe.
Folgende Adverbien geben einen Ort an:

hier	🧍X		dort	🧍 X
links	←		rechts	→
oben	🏠X		unten	🏠X

- „hier" und „dort" geben einen Ort in Relation zum Sprecher an.
  - z. B. Komm zu mir. Wir grillen hier.
    Herr Reinhardt fliegt nach Hamburg. Er muss dort eine Anlage reparieren.

- „links" und „rechts", „oben" und „unten" geben einen Ort in Relation zu einem anderen Ort an.
  - z. B. Hier ist das Wohnzimmer. Das Regal steht links und die Pflanze steht rechts in der Ecke.
    Das Dach ist oben, der Keller ist unten.

- „links" und „rechts" kann man auch mit „von" + Dativ verwenden.
  - z. B. Das Regal steht links vom Sofa und rechts vom Sofa ist die Pflanze.

6.2.2 Eine Richtung angeben › Lek. 16

Auf die Frage „Wohin?" antwortet man mit einer Richtungsangabe.
Folgende Adverbien geben eine Richtung an:

| Er geht hinauf / rauf. | Er geht hinunter / runter. | Er geht hinein / rein. | Er geht hinaus / raus. |

- Standardsprache: hinauf / hinunter; hinein / hinaus
  - z. B. Er geht den Berg hinunter.
    Er fährt in die Garage hinein.
- Umgangssprache: rauf / runter; rein / raus
  - z. B. Er geht den Berg runter.
    Er fährt in die Garage rein.

6.2.3 Wechselpräpositionen > Lek. 12

„an", „auf", „in", „hinter", vor", „über", „unter", „neben", „zwischen" sind Wechselpräpositionen.

an	auf	in	hinter	vor	über	unter	neben	zwischen

- Auf die Frage „Wohin?" stehen die Wechselpräpositionen mit Akkusativ.
  - z.B. Wohin gehst du? – Ich gehe ins Haus.
    - Ich gehe vor das Haus.
  - In dieser Verwendung drücken sie eine Ortsveränderung bzw. eine Bewegung in eine Richtung aus.

- Auf die Frage „Wo?" stehen die Wechselpräpositionen mit Dativ.
  - z.B. Wo bist du? – Ich bin im Haus.
    - Ich bin vor dem Haus.
  - In dieser Verwendung drücken sie aus, dass jemand / etwas sich an einem Ort befindet oder dort bleibt.

Besonderheiten mit Wechselpräpositionen

Auf die Frage „Wohin?" verwendet man „stellen", „legen", „hängen", „setzen" + Wechselpräposition mit Akkusativ. Diese Verben sind regelmäßig.
- z.B. Ich stelle das Sofa an die Wand.
  - Ich lege den Teppich unter den Sessel.
  - Ich hänge die Lampe über den Tisch.
  - Ich setze das Kind auf den Stuhl.

Infinitiv	Perfekt	Präteritum
stellen	hat gestellt	stellte
legen	hat gelegt	legte
hängen	hat gehängt	hängte
setzen	hat gesetzt	setzte

Auf die Frage „Wo?" verwendet man „stehen", „liegen", „hängen", „sitzen" + Wechselpräposition mit Dativ. Diese Verben sind unregelmäßig.
- z.B. Das Sofa steht an der Wand.
  - Der Teppich liegt unter dem Sessel.
  - Die Lampe hängt über dem Tisch.
  - Das Kind sitzt auf dem Stuhl.

Infinitiv	Perfekt	Präteritum
stehen	hat gestanden	stand
liegen	hat gelegen	lag
hängen	hat gehangen	hing
sitzen	hat gesessen	saß

In Süddeutschland, Österreich und in der Schweiz bildet man das Perfekt von „stehen", „liegen", „hängen" (auf die Frage „Wo?") und „sitzen" meist mit „sein", nicht mit „haben".

Zusammengesetzte Formen
- Einige Wechselpräpositionen bilden zusammengesetzte Formen, wenn man sie mit dem bestimmten Artikel verwendet:
  - an + das = ans / an + dem = am   in + das = ins / in + dem = im
- Im Regelfall verwendet man diese Formen.
  - z.B. Die Bücher stehen im Regal.
- Die nicht zusammengesetzten Formen benutzt man nur, wenn man einen Ort besonders beschreiben möchte.
  - z.B. Die Bücher stehen in dem Regal im Wohnzimmer. (Die Bücher stehen nicht in dem Regal im Flur.)
- Umgangssprachlich gibt es auch:
  - aufs, hinters, übers, unters, vors / aufn, hintern, übern, untern
  - aufm, hinterm, überm, unterm, vorm

Lektion 11

11A Feier mit Kollegen

1 2. b • c • 3. b • c • 4. a • b • 5. a • c

2a 2E • 3G • 4F • 5A • 6B • 7C

2b 2. arbeiten • 3. zusagen • 4. teilnehmen • 5. zusammenarbeiten • 6. fahren • 7. besuchen • 8. planen

2c 2. Ihre • 3. Ich sage sehr gern zu. • 4. aber ich kann leider … • 5. … ich kann ihn nicht … • 7. Die Feier ist … • 8. Können Sie … • 9. Vielen Dank. • 10. richtig

11B Was schenken wir?

1 2. Massage • 3. Gutschein • 4. Kochkurs • 5. Fotobuch • 6. Kalender • 7. Blumenstrauß • 8. Konzertkarten • Lösungswort: Geschenk

2a 2. ihnen • 3. ihr • 4. ihm • 5. euch • 6. dir • 7. dir • 8. Ihnen • 9. uns

2b 2. Ihr ist kalt. • 3. Ihr ist langweilig. • 4. Ihm ist schlecht.

3 2. hab = ich habe • n = ein • 3. isses = ist es • 4. Hab = Ich habe • nen = einen • 5. isne = ist eine • 6. Muss = Ich muss

4a Markierungen: 2. einer Mitarbeiterin • 3. ihrem Trainee • 4. unseren Kunden • 5. einer Kollegin • 6. ihrem Team • 7. deinen Geschäftspartnern

4b

	M	N	F	Pl (M, N, F)
best. Artikel	mit dem Chef	mit dem Team	mit der Kollegin	mit den Mitarbeitern
unbest. Artikel / Negativartikel	mit einem / keinem Chef	mit einem / keinem Team	mit einer / keiner Kollegin	mit Ø / keinen Kollegen
Possessivartikel	mit meinem Chef	mit meinem Team	mit meiner Kollegin	mit meinen Freunden

4c 2. Herr Schubert empfiehlt den Vertriebspartnern das Computerprogramm. • 3. Der Praktikant holt unserem Vertriebsmanager einen Kaffee. • 4. Wir geben den Leuten unsere Prospekte mit. • 5. Der Vertriebsmanager zeigt seinen Partnern unsere Werbeartikel.

11C Alles gut geplant?

1 2. Fleisch • 3. Süßes • 4. Fisch • 5. Obst • 6. Milchprodukte • 7. Gemüse • 8. Getränke

2a 2. Und was machen wir danach? • 3. Denn das dauert sehr lang und ist langweilig. • 4. Die Idee gefällt mir. • 5. Denn das macht allen Spaß. • 6. Ich bin dagegen, • 7. Sie haben recht.

3a 2. empfehle • 3. gezeigt • 4. erklären • 5. ausgeliehen • 6. bringt • zurück • 7. angeboten • 8. liefert

3b Markierungen: 2. dir den Partyverleih Lorenz • 3. unserem Trainee den Kopierraum • 4. sie mir • 5. sie meiner Assistentin • 6. sie uns • 7. mir ihre Hilfe • 8. es uns
Regeln: 1. Nomen + Nomen: 3 • 2. Pronomen + Pronomen: 4 • 6 • 8 • 3. Pronomen + Nomen: 2 • 5 • 7

3c 2. Der Vertriebsmanager erklärt es den Kunden. • 3. Können Sie sie der Praktikantin zeigen? • 4. Die Assistentin schickt sie dem Geschäftspartner. • 5. Herr Winter will ihn dem Geschäftspartner schenken.

3d 2. Ich habe ihn ihr schon gebracht. • 3. Ich habe es ihm schon gezeigt. • 4. Ich habe sie ihr schon geschickt. • 5. Ich habe ihn ihm schon erklärt.

4a 2. helfe • 3. gefällt • 4. gehört • 5. Schmecken • 6. gratuliere • 7. passt

4b 2. Das Auto gehört mir. • 3. Wir gratulieren ihr. • 4. Wir helfen dem Gast. • 5. Der Termin passt mir. • 6. Der Kuchen schmeckt dem Team. • 7. Manuela dankt den Gästen.

4c 2. Mir gehört das Auto. • 3. Ihr gratulieren wir. • 4. Dem Gast helfen wir. • 5. Mir passt der Termin. • 6. Dem Team schmeckt der Kuchen. • 7. Den Gästen dankt Manuela.

5 1. bekommen • brauchen • einladen • mieten • mögen • planen 2. danken • gefallen • gehören • gratulieren • helfen • passen • schmecken 3. ausleihen • bestellen • bringen • empfehlen • erklären • geben • liefern • zeigen

11D Alles Gute für die Zukunft!

1a 2a: A • 2b: A • 3a: B • 3b: A • 4a: D • 4b: D • 5a: A • 5b: A • 6F • 7C • 8D

1b 2. Viel Erfolg in der neuen Abteilung! • Alles Gute für den neuen Job! • 3. Herzlichen Glückwunsch zu Ihrer Hochzeit! • Ich möchte Ihnen herzlich zu Ihrer Hochzeit gratulieren. • 4. Herzlichen Glückwunsch zur Beförderung! • Alles Gute für den neuen Job! • 5. Herzlichen Glückwunsch zum Nachwuchs!

Rechtschreibung

1 2. die Rechnung • 3. wenig • 4. noch • 5. die Süßigkeit • 6. richtig • 7. die Checkliste • 8. brauchen • 9. langweilig • 10. wichtig • 11. technisch • 12. das Glück

Lektion 12

12A Die neue Wohnung

1 B. das Gäste-WC, -s • C. das Bad, ¨er • D. der Flur, -e • E. das Wohnzimmer, - • F. die Küche, -n • G. der Balkon, -e

2a 2. die Einbauküche • 3. das Erdgeschoss • 4. die Kaltmiete • 5. die Kilowattstunde pro Quadratmeter und Jahr • 6. der Quadratmeter • 7. die Nebenkosten • 8. das Obergeschoss • 9. renoviert • 10. separat • 11. watercloset = die Toilette • 12. die Wohnfläche • 13. die Wohnung • 14. die Zentralheizung • 15. das Zimmer • 16. zuzüglich

2b 3. In Freiburg-Herdern. • 4. 1974. • 5. Eine Zentralheizung. • 6. Eine Einbauküche, zwei Balkone und ein separates Gäste-WC. • 7. 1040€

3a 2. neue Einbauküche • 3. kleines Bad • 4. renovierte Wohnungen • 5. moderner Aufzug • 6. hohe Nebenkosten • 7. schöner Altbau • 8. großes Zimmer

3b 2. preiswerte • 3. möbliertes • besondere • 4. schöne • hohe • 5. großen

3c 2. modernem • 3. großen • kleiner 4. moderner • sonnigem • 5. separatem

3d 1. energieffizienter • 2. Gedämmte • alten • 3. renoviertem • separatem • offener • großem • schönem • nette

3e Coswiger Straße, renovierter Altbau, Baujahr 1950. Renovierte 2-Zimmer-Wohnung in ruhiger Lage mit guter Verkehrsanbindung. Moderne Ausstattung: mit modernem Bad, separatem Gäste-WC und sonnigem Balkon. 515 Euro zuzüglich Nebenkosten. Noch mehr preiswerte Wohnungen bei www.stadtlandfluss.de

12B Wohin stellst du ...?

1 2. der Teppich, -e • 3. der Couchtisch, -e • 4. der Kühlschrank, ̈e • 5. der Herd, -e • 6. der Geschirrspüler, - • 7. die Garderobe, -n • 8. das Sofa, -s • 9. der Sessel, - • 10. die Kommode, -n • 11. der Küchenschrank, ̈e • 12. die Lampe, -n • 13. der Esstisch, -e • 14. die Spüle, -n • 15. das Regal, -e • 16. der Stuhl, ̈e

2a hinter • vor • neben • zwischen • über • auf • unter • an

2b 2. auf • 3. über • 4. an • 5. neben • 6. unter

12C Wo steht ...?

1 2. Wo? • 3. Wohin? • 4. Wohin? • 5. Wo? • 6. Wo? • 7. Wo? • 8. Wohin? • 9. Wo? • 10. Wohin?

2 2. Ich hänge den Mantel an die Garderobe. • Der Mantel hängt an der Garderobe. • 3. Ich lege die Zeitung auf den Stuhl. • Die Zeitung liegt auf dem Stuhl. • 4. Ich stelle das Glas auf den Tisch. • Das Glas steht auf dem Tisch. • 5. Ich setze das Kind in den Sessel. • Das Kind sitzt im Sessel.

3a 2. ins Haus • 3. aufs Regal • 4. unters Bild • 5. übers Sofa • 6. vors Bett • 8. im Haus • 9. aufm Regal • 10. unterm Sessel • 11. überm Stuhl • 12. vorm Kleiderschrank

3b 2. unterm • 3. vors • 4. im • 5. Aufm • 6. übers • 7. ins • 8. am

3c **Wohin:** 3. Wohin stellt er die Bücherkisten? • 6. Wohin hängt er den Kalender? • 7. Wohin stellt Anna die Waschmaschine? • **Wo:** 4. Wo sitzt Annas Tochter? • 5. Wo liegt die Hose? • 8. Wo stehen die Blumen?

4a 2. hat gelegt • 3. hat gestellt • 4. hat gehängt • 5. hat gesteckt • 7. hat gelegen • 8. hat gestanden • 9. hat gehangen • 10. hat gesteckt

4b **Regeln:** 1a • 2b • 3a

4c 3. Nein, ich habe es in den Schrank gestellt. • 4. Ja, ich habe sie neben die Tür gehängt. • 5. Nein, ich habe sie auf den Tisch gelegt.

5a 4H • 5J • 6I • 7C • 8D • 9G • 10F • 11B • 12K

5b 2. auf der Fensterbank • 3. links in der Ecke • 4. an der Wand • 5. An die Wand • 6. Auf dem Fußboden • 7. (in der Mitte) an der Decke • 8. rechts in die Ecke • 9. an die Tür

12D So wohne ich

1a 2. das Mehrfamilienhaus • 3. das Hochhaus • 4. das Reihenhaus

1b 2D • 3E • 4B • 5A

2 1. **Einkaufen:** die Bäckerei, -en • das Einkaufszentrum, -zentren • der Supermarkt, ̈e • 2. **Gastronomie:** die Bar, -s • das Café, -s • die Kneipe, -n • das Restaurant, -s • 3. **Verkehr:** der Bahnhof, ̈e • die Bundesstraße, -n • der Bus, -se • die S-Bahn, -en • die Busstation, -en • 4. **Bildung:** die Ganztagsschule, -n • der Kindergarten, ̈ • 5. **Kultur:** das Kinocenter, - • das Stadtmuseum, -museen • das Theater, - • 6. **Sport:** die Badmintonhalle, -en • das Hallenbad, ̈er • das Sportstadion, -stadien • der Sportverein, -e

Rechtschreibung

1a 1. Verkehr im November • 2. viele Wörter • 3. eine Wohnung • 4. der Service • 5. die Renovierung • 6. die Visitenkarte • 7. der Sportverein • 8. das Werk • 9. viel Werbung

1b 2. Vater • 3. Vorwahl • 4. Firma • 5. Vermieter • 6. Fachkraft

Lektion 13

13A Eine Ausbildung zu ...

1a 2. der Betrieb • 3. die Berufsschule • 4. die Blockform • 5. der Ausbildungsvertrag • 6. die Ausbildung

1b 2. Betrieb • 3. Berufsschule • 4. Betrieb • 5. Theorie • 6. Blockform • 7. Ausbildungsvertrag

2a die Ausbildungsart • die Ausbildungsdauer • die Berufsausbildung • die Ausbildungsvergütung • das Ausbildungsjahr

2b 2. Fachkraft für Lagerlogistik • 3. Industriekaufmann / -frau • 4. Produktdesigner / -in

2c Man vergleicht Angebote und verhandelt mit Lieferanten. Man führt Verkaufsverhandlungen. Man plant, steuert und kontrolliert die Warenproduktion.

2d 2. installieren • 3. kontrollieren • 4. organisieren • 5. programmieren • 6. prüfen • 7. reparieren • 8. warten

2e 1. repariert • 2. programmiert • prüft • 3. organisiert • kontrolliert • 4. beschreibt

2f *Mögliche Lösungen:* 2. production – die Produktion • 3. flexibility – die Flexibilität • 4. electric / electronical – elektrisch / elektronisch • 5. process – der Prozess • 6. to control – kontrollieren • 7. to plan – planen • 8. to organize / to organise – organisieren • 9. to react – reagieren • 10. mathematics – die Mathematik • 11. industry – die Industrie • 12. to program – programmieren

3a Die Endungen im Nominativ Plural und im Akkusativ und Dativ im Singular und Plural sind gleich. Sie haben die Endung „-en".

3b **Regel:** -oge • -ent • -ant • -ist • -and • -at

3c 1. Herrn • Kunde • 2. Lieferanten • Lieferant • 3. Herrn • Herr

13B Eine Erfolgsgeschichte

1a 3. die Straßenbaufirma • 4. die Aufträge • 5. die Heißfräse • 6. die Niederlassung • 7. der Dienstleister • 8. der Maschinenbauer • 9. der Standort • 10. der Marktführer • 11. der Tagebau • 12. umweltfreundlich

1b 2. b • c • 3. a • c • 4. a • b • 5. b • c • 6. a • b

2a **erledigen:** du erledigtest • wir erledigten • ihr erledigtet • sie erledigten • Sie (Sg. + Pl.) erledigten • **entwickeln:** ich entwickelte • er / sie / es entwickelte • wir entwickelten • ihr entwickeltet • sie entwickelten • Sie (Sg. + Pl.) entwickelten • **leiten:** ich leitete • du leitetest • er / sie / es leitete • wir leiteten • ihr leitetet • Sie (Sg. + Pl.) leiteten • **beenden:** ich beendete • du beendetest • wir beendeten • ihr beendetet • sie beendeten • Sie (Sg. + Pl.) beendeten • **zeichnen:** ich zeichnete • du zeichnetest • er / sie / es zeichnete • ihr zeichnetet • sie zeichneten • Sie (Sg. + Pl.) zeichneten • **lernen:** du lerntest • er / sie / es lernte • wir lernten • ihr lerntet • sie lernten
Markierungen: ich erledigte, entwickelte, leitete, beendete, zeichnete, lernte • er / sie / es erledigte, entwickelte, leitete, beendete, zeichnete, lernte • wir erledigten, entwickelten, leiteten, beendeten, zeichneten, lernten • sie erledigten, entwickelten, leiteten, beendeten, zeichneten, lernten • Sie (Sg. + Pl.) erledigten, entwickelten, leiteten, beendeten, zeichneten, lernten
Regel: Jeweils die 1. und 3. Pers. Sg. und die 1. und 3. Pers. Pl. und die Höflichkeitsform haben die gleichen Endungen.

2b 2. sie arbeiteten • 3. du berichtetest • 4. ich steuerte • 5. wir gründeten • 6. Sie bezeichneten • 7. wir erweiterten • 8. er verhandelte • 9. sie prüfte • 10. du installiertest • 11. ihr stelltet … vor • 12. man reagierte • 13. du montiertest • 14. ihr wartetet • 15. es zeigte • 16. wir lagerten • 17. man plante • 18. er wechselte

3 2c • 3b • 4a • 5d • 6b • 7a • 8c • 9d • 10c • 11b • 12a

13C Wie kam das?

1a 2. Oma • Opa • 3. Cousine • Cousin • 4. Schwester • 5. Bruder

1b 1. Großmutter • 2. Tante • Onkel • 3. Geschwister • 4. Cousine • Cousin • 5. Mutter • Vater • 6. Schwester • Bruder • (Ehe)Frau • 7. Töchter • 8. (Ehe-)Mann • Sohn

2 2r • 3f • 4r • 5f • 6r

3a **können:** er / sie / es kann • ihr könnt • sie / Sie können • **wollen:** ich will • du willst • wir wollen • sie / Sie wollen • **dürfen:** du darfst • er / sie / es darf • ihr dürft • sie / Sie dürfen • **müssen:** ich muss • er / sie / es muss • wir müssen • sie / Sie müssen • **mögen:** ich mag • du magst • wir mögen • ihr mögt •
Regeln: 1a • 2b

3b 2. wusstet • 3. konnten • 4. mochte • 5. konnte • 6. mochten • 7. wusste • 8. durfte • 9. musste

3c 1. kanntest • kannte • kanntet • 2. rannte • rannten • rannten • ranntest • 3. nannte • nanntet • nannten • nannten

4a 2. bleiben • er blieb • er ist geblieben • 3. essen (er isst) • er aß • er hat gegessen • 4. sehen (er sieht) • er sah • er hat gesehen • 5. sprechen (er spricht) • er sprach • er hat gesprochen • 6. trinken (er trinkt) • er trank • er hat getrunken •

7. gehen (er geht) • er ging • er ist gegangen • 8. kommen (er kommt) • er kam • er ist gekommen • 9. werden (er wird) er wurde • er ist geworden • 10. haben (er hat) er hatte • er hat gehabt • 11. sein (er ist) • er war • er ist gewesen • 12. fahren (er fährt) • er fuhr • er ist gefahren • 13. denken (er denkt) • er dachte • er hat gedacht • 14. kennen (er kennt) • er kannte • er hat gekannt • beibringen (er bringt … bei) • 15. er brachte … bei • er hat beigebracht • 16. wissen (er weiß) • er wusste • er hat gewusst

4b 3. beginnen: ich • er / sie / es • 4. ausgehen: ihr • 5. stehen: du • 6. schließen: wir • sie / Sie • rennen: ihr

13D Eine Firmenpräsentation

1a 2D • 3A • 4F • 5C • 6E

1b 2. Seit 1953 ist der Export ständig gestiegen. • 3. Die Firma baute den Standort aus. • 4. In den letzten 10 – 15 Jahren konnte die Firma den Umsatz ständig erhöhen. • 5. Die Mitarbeiterzahl ist bis heute auf ca. 1.400 Personen gewachsen. • Für ihre Walze bekam sie einen internationalen Designpreis. • 2003 hat die Firma ihr 125. Jubiläum gefeiert.

Rechtschreibung

1a 2. ständig • 3. die Baumaschine • 4. der Standort • 5. die Geschichte • 6. die Straßenwalze • 7. sie wussten • 8. spannend • 9. der Stammbaum • 10. die Schwester • 11. der Dienstleister • 12. die Frühstückspause

Lektion 14

14A Home-Office, aber wie?

1a 2. das Ethernet-Kabel, - • 3. die WLAN-Antenne, -n • 4. das Netzteil, -e • 5. die Software (nur Sg.) • 6. die Anschlussdose, -n • 7. das Telefon, -e • 8. die Stereoanlage, -n • 9. der Fernseher, - • 10. das Kabelmodem, -s

1b 2a • 3a • 4b • 5b • 6a

2a 2. Die Sendung ist nicht komplett, weil das Ethernet-Kabel und die CD-ROM fehlen. • 3. Die Hotline-Mitarbeiterin kann nichts tun, weil die Produkt- und Kaufberatung zuständig ist. • 4. Sie kann die Produkt- und Kaufberatung nicht erreichen, weil alle Mitarbeiter im Gespräch sind. • 5. Sie will es nicht noch einmal versuchen, weil alle Anschlüsse besetzt sind.

2b 2. Weil er die SmartCard für den Receiver nicht freischalten kann. • 3. Weil Herr Sinn ihn beruflich braucht. • 4. Weil das zu lange dauert. • 5. Weil der das Problem schnell lösen kann.

2c 2. Stecken Sie die SmartCard in den Kartenschlitz von Ihrem Digital-Receiver. • 3. Führen Sie einen Sendersuchlauf durch. • 4. Wählen Sie den Sender „Kabel-Perfekt-aktuell". • 5. Warten Sie eine Stunde. • 6. Versuchen Sie es vielleicht noch einmal.

14B Wählen Sie bitte die …

1a 2. das Telefonbuch • 3. der Anrufbeantworter • 4. die Lautstärke (laut – leise) • 5. das Display • 6. die Tastatur • 7. der Anschluss für das Headset • 8. der Lautsprecher

1b 1. auflegen • 2. die Nummer wählen • 3. abhören • 4. auf laut schalten • 5. leise / laut stellen • 6. den Namen vom Anrufer sehen • 7. anschließen • 8. die Nummer suchen

2 2. Eins • 3. Probleme • 4. Drei • 5. Kaufberater • 6. auflegen

3a 2. Wenn man Produktinformationen möchte, wählt man die „Eins". • 3. Wenn man technische Probleme hat, wählt man die „Zwei". • 5. Man wählt die „Vier", wenn man einen Kaufberater sprechen möchte. • 6. Man kann auflegen, wenn man nicht mehr warten möchte.

3b 2a • 3b • 4b • 5b • 6a • 7b

3c 2. Weil / Da Herr Sinn dringend Hilfe braucht, legt er nicht auf. • 3. Wenn man eine Hotline anruft, muss man oft lange warten. • 4. Wenn der Techniker Zeit hat, soll er schnell kommen. • 5. Wenn man wieder ein Problem hat, kann man ihn manchmal persönlich anrufen. • 6. Weil / Da der Fernseher nicht funktioniert, braucht Herr Sinn den Techniker schnell. • 7. Wenn Herr Sinn bis Freitag keine Antwort hat, will er den Vertrag kündigen.

3d 2. Wenn ein Kollege ein Telefongespräch mithören soll, schaltet man den Lautsprecher auf laut. • 3. Wenn man das Gespräch beendet hat, legt man den Hörer (wieder) auf. • 4. Wenn die LED vom Anrufbeantworter blinkt, hört man den Anrufbeantworter ab. • 5. Wenn man mit Headset telefonieren will, schließt man das Headset an. • 6. Wenn man eine Telefonnummer nicht weiß, sucht man die Nummer im Telefonbuch.

4a 3. der Versuch, -e • 4. die Beratung, -en • 5. der Rückruf, -e • 6. der Vergleich, -e • 7. die Verbindung, -en • 8. der Anruf, -e • 9. der Fernseher, -

4b 2. Versuch • 3. Fernseher • 4. Beratung • 5. Gespräch • 6. Verbindung • 7. Rückruf

5 2. Ich möchte gern Frau / Herrn … sprechen. • Einen Moment, ich verbinde Sie. • 3. Es ist besetzt. Frau / Herr … ist gerade im Gespräch. • 4. Können Sie mir die Durchwahl geben? / Die Durchwahl ist … • 5. Können Sie Frau / Herrn … eine Nachricht hinterlassen? • Richten Sie ihr / ihm bitte aus, … • 6. Frau / Herr … ist leider nicht da. Kann ich etwas ausrichten? • 7. Kann Frau / Herr … mich zurückrufen? • Ja, natürlich, ich richte es aus. • 8. Vielen Dank. • Auf Wiederhören.

14C Installation leicht?

1a 2a • 3b • 4a • 5b • 6a

1b 2A • 3D • 4B

2 2. Anrede • 3. Grußformel • 4. Unterschrift • 5. Absender (Adresse) • 6. Betreff • 7. Datum • 8. Brieftext

3a 2. Er schreibt, dass er das Zubehör erhalten hat. • 3. Er reklamiert, dass das Zubehör zuerst nicht komplett war. • 4. Er beschreibt, dass er dann alles installiert hat. • 5. Er glaubt, dass er alles richtig gemacht hat. • 6. Und er betont, dass der

Router immer noch nicht funktioniert. • 7. Er hofft stark, dass die Firma das Problem löst.

3b 2. Dass ein Techniker kommt, ist nötig. • 3. Dass Herr Sinn das Internet dringend braucht, weiß die Firma genau. • 4. Dass Herr Sinn den Vertrag kündigt, kann man verstehen.

3c 2. Der Techniker hat gesagt, dass er einen Sendersuchlauf durchführen muss. • 3. Herr Sinn hat alles gemacht und weiß nun, dass es einen Fehler geben muss. • 4. Er meint, dass es so nicht weitergehen kann.

3d **Regel:** Satzende

4 **Anrede:** Sehr geehrte / r Frau / Herr … • **Problembeschreibung:** Am … habe ich … bei Ihnen gekauft. • Zuerst habe ich …, dann …, alles ohne Erfolg. • Ich habe … Folgendes gemacht: … • **Anliegen / Vorschlag:** Ich schlage vor, dass … • Bitte … Sie bis zum … • Ich möchte, dass … • **Konsequenz, wenn keine Lösung:** Wenn Sie das Problem nicht bis zum … lösen, … • **Grußformel:** Mit freundlichen Grüßen

14D Endlich arbeitsfähig

1a 2. Präsentation • 3. automatisiertem • 5. misst • 6. Komma nach „braucht" • 7. Kunden • 8. richtig • 9. kam • 10. das System

Rechtschreibung

1a 2. So funktioniert es: • 3. Wenn ich ein Smartphone habe, kann ich eine App herunterladen. • 4. Ich plane meine Abholzeit, weil ich keine Zeit verlieren will, und trage sie in die App ein. • 5. Wenn Sie den Barcode am Terminal eingescannt haben, bringt „Ray" Ihr Auto sofort in die erste Reihe. • 6. So wissen Sie, dass Sie nicht warten müssen, wenn Sie Ihr Auto abholen. • 7. Haben Sie noch Fragen? • 8. „Ray" – DIE Superlösung!

1b 1. Sätze: 4 • 5 • 6 • 2. Fragezeichen • Sätze: 1 • 7 • 3. Ausrufezeichen • Satz: 8 • 4. Komma • Sätze: 3 • 4 • 5 • 6 • 5. Komma • Sätze: 4 • 6

Lektion 15

15A Dienstleistungen

1 2a • 3b • 4c

2 Fassadenreiniger / -in • Betriebsgärtner / -in • Haustechniker / -in • Sicherheitskraft

3a 2r • 3r • 4n • 5n • 6r • 7n • 8r

3b **Markierungen:** 2. Ich • mich • 3. Sie • sich • 6. Ich • mich • 8. Sie • sich

3c 2. sich • 3. euch • 4. sich • 5. uns • 6. sich • 7. dir • 8. sich

3d 1. dir • 2. mir • 3. dir • 4. mich • 5. dir • 6. mich • 7. mich

4 2. Ihr fragt euch, warum ich das mache? • 3. Sie stellen sich morgen bei einer Baufirma vor. • 4. Jetzt interessiert er sich sicher für das Arbeitsangebot. • 5. Wollen Sie sich die Adresse notieren? • 6. Sie muss sich die Telefonnummer von der Firma aufschreiben.

15B Unser Auftrag für Sie!

1 2E • 3F • 4B • 5D • 6A

2a/b **Maskulinum (M): Dat.:** guten • **Neutrum (N): Nom.:** nettes • **Akk.:** nettes • **Dat.:** netten • **Femininum (F): Akk.:** große • **Dat.:** großen • **Plural (M, N, F): Nom.:** neue • neuen • neuen • **Akk.:** neue • neuen • neuen • **Dat.:** neuen • neuen • neuen

2c 1. saubere • 2. zufriedene • 3. regelmäßigen • 4. festen • 5. freundliches • 6. dringenden • 7. zuverlässiger • 8. großen

2d 2a. kein kaufmännisches Personal • 2b. qualifizierte Fachkräfte • 3a. kleine Reparaturen • 3b. keinen technischen Notdienst • 4a. keine eigenen Reinigungskräfte • 4b. eine einmalige Grundreinigung

3a 1. Können Sie diesen Auftrag übernehmen? • 2. Das machen wir natürlich gern. • 3. Alles klar. Nein, halt – eine Frage noch: … • 4. Da ist noch etwas: …

3b a.

4 *Mögliche Lösung:* … Wie telefonisch besprochen, senden wir Ihnen das Angebot mit Preisen im Anhang zu. Wir freuen uns auf Ihren Auftrag.
Mit freundlichen Grüßen, Pieper Gebäudereinigung

15C Bitte trennen Sie …

1 2. braune • 3. neuen • 4. leeren • 5. offenen • 6. gelbe • 7. richtige • 8. farbige • 9. linken • 10. besten

2 2. langen • 3. schöner • 4. alten • 5. neue • 6. umweltfreundlichen • 7. neue • 8. breite • 9. schmale • 10. leeren • 11. großen • 12. vollen • 13. vielen • 14. einfache • 15. keinen • 16. frischen

3 2. a • b • d • 3. a • b • c • 4. b • c • d • 5. a • b • c

4 *Mögliche Lösung:* …, leider bin ich am 12. Januar nicht zu Hause, weil ich auf einer Dienstreise bin. Können Sie am 18. Januar kommen? Wann kommt bitte die Heizkostenrechnung? Mit freundlichen Grüßen, …

15D Ihr Gebäude – wir managen es!

1a 2. der Kaffeeautomat • 3. die Leuchte • 4. das Fenster • 5. die Klimaanlage

1b 2. das Fenster • 3. die Klimaanlage • 4. die Leuchte • 5. das Garagentor

2 2. geschlossen • 3. behoben • 4. ausgewechselt • 5. repariert

3a 2. gestern • 3. zum Schluss • 4. heute Abend • 5. diese Woche • 6. als Erstes

3b *Mögliche Lösung:* 2. Dann kommt das Fenster. Er muss es schließen. • 3. Danach kommt die Klimaanlage. Er muss die Störung beheben. • 4. Als Nächstes kommt die Leuchte. Er muss sie auswechseln. • 5. Schließlich kommt das Garagentor. Er muss es reparieren.

4 2. ganze • 3. halben • 4. nächsten • 5. ganze • 6. letzten

Rechtschreibung

1a 2. Häuser • 3. Gebäude • 4. Bäume

1b 2. Kaufleute • 3. Neubau • 4. Abstellräume • 5. Abläufe • 6. aufräumen • 7. Betreuung • 8. Beleuchtung • 9. Hochhäuser • 10. Kreuzung • 11. Freund • 12. Käufer

1c 2. die Woche • wöchentlich • 3. das Jahr • jährlich • 4. die Stunde • stündlich • 5. die Minute • minütlich • 6. der Punkt • pünktlich • 7. der Grund • gründlich • 8. der Ort • örtlich • 9. der Mann • männlich • 10. die Natur • natürlich

Lektion 16

16A Auf Geschäftsreise

1a 3. die Lobby • 4. der Parkplatz • 5. die Anreise • 6. die Hotelbar • 7. das Schwimmbad • 8. die Sauna • 9. die Abreise • 10. das Einzelzimmer • 11. die Ausstattung • 12. die Rezeption

1b 2. die Wellness + der Bereich = der Wellnessbereich • 3. das Frühstück + das Buffet = das Frühstücksbuffet • 4. das Hotel + das Restaurant = das Hotelrestaurant • 5. der Nichtraucher + das Zimmer = das Nichtraucherzimmer • 6. die Wäscherei + der Service = der Wäschereiservice

2 2F • 3A • 4B • 5D • 6C

3 *Mögliche Lösung:* Sehr geehrte Frau Kroll,
vielen Dank für Ihre Reservierung. Hiermit bestätigen wir Ihnen folgende Buchung:
Name: Frau Regina Kroll
Anreise: 03.12.2015 – Abreise: 06.12.2015
Zimmer: 1 Doppelzimmer (Nichtraucher)
Das Zimmer ist mit Frühstück. Alle Zimmer haben WLAN. Es gibt Parkplätze in einer Tiefgarage. Ein Parkplatz kostet 5,00 € pro Tag.
Mit freundlichen Grüßen, …

16B Auf dem Weg nach Hamburg

1a 2. Es sind 10 °C und es ist heiter. • 3. Es sind 12 °C und es ist neblig. • 4. Es sind 10 °C und es ist bedeckt. • 5. Es sind 11 °C und es ist windig und regnerisch. • 6. Es sind 9 °C und es ist windig.

1b 2. der Wind, -e • 3. der Regen (nur Sg.) • 4. der Nebel, -

2 2F • 3H • 4A • 5D • 6C • 7B • 8E • 9G

3 1. **Ort:** der Flugsteig • das Flugzeug • der Informationsschalter • der / das Terminal • 2. **Person / Organisation:** der Passagier • die Airline • 3. **Aktivität:** (ab)fliegen • der Flug • landen • die Landung

4a 2. Bestellen Sie ein Taxi über die App, wenn Sie wenig Zeit haben. • 3. Gehen Sie sofort zum Taxistand, wenn Sie aus dem Flughafengebäude kommen. • 4. Ihr Taxi steht schon da, wenn Sie zum Taxistand kommen. • 5. Grüßen Sie den Fahrer, wenn Sie zum Taxi gehen. • 6. Zeigen Sie Ihre App und nennen Sie Ihr Fahrziel, wenn Sie ins Taxi einsteigen.

4b 2. Wenn Sie wenig Zeit haben, bestellen Sie ein Taxi über die App. • 3. Wenn Sie aus dem Flughafengebäude kommen, gehen Sie sofort zum Taxistand. • 4. Wenn Sie zum Taxistand kommen, steht Ihr Taxi schon da. • 5. Wenn Sie zum Taxi gehen, grüßen Sie den Fahrer. • 6. Wenn Sie ins Taxi einsteigen, zeigen Sie Ihre App und nennen Sie das Ihr Fahrziel.

5 1. …, wenn Sie diese App öffnen. • 2. … Zugfahrplan sehen willst, musst du die Bahn-App öffnen. / Du musst die Bahn-App öffnen, wenn du den aktuellen Zugfahrplan sehen willst. • 3. Wenn Sie ein Festessen kochen müssen, (dann) bietet diese App viele gute Rezepte. / Diese App bietet viele gute Rezepte, wenn Sie ein Festessen kochen müssen. • 4. Wenn ich unterwegs Licht brauche, benutze ich die Taschenlampen-App. / Ich benutze die Taschenlampen-App, wenn ich unterwegs Licht brauche.

6a 2. heute Nachmittag • 3. Morgen Vormittag • 4. morgen Abend • 5. übermorgen • 6. nächste Woche • 7. nächsten Jahr • 8. bald

6b 2. Wenn er morgen Abend frei hat, geht er in eine Bar. • 3. Wenn er in einem Monat in Budapest ist, trifft er ungarische Kollegen. • 4. Wenn er nächste Woche die Messe besucht, übernachtet er wieder im Hotel.

7a 2i • 3d • 4d • 5i • 6d • 7i • 8i

7b 5. Kann man vom Hotel zu Fuß ins Stadtzentrum gehen? • 7. Wie viele Menschen leben in Hamburg? • 8. Gibt es heute Abend ein interessantes Konzert?

7c *Mögliche Lösungen:* 3. Können Sie mir sagen, ob das Wetter in den nächsten Tagen besser wird? • 4. Ich möchte gerne wissen, wo ich einen Stadtplan bekommen kann. • 6. Wissen Sie, ob es im Stadtzentrum schöne Cafés gibt?

16C Unterwegs in der Stadt

1a Zug • besichtigen • Flugzeug • Gast • buchen • Ferien • Flughafen • Hotel • Koffer • Meer • Natur • Urlaub • Rezeption • Rundfahrt • Sehenswürdigkeiten

1b *Mögliche Lösungen:* die Schulfreunde • freundlich • unfreundlich • die Freundlichkeit • die Unfreundlichkeit • die Freundschaft • das Freundschaftsspiel • freundschaftlich

2a 2D • 3A • 4C

2b 2. Ich gehe hinunter. / Ich gehe runter. • 3. Ich gehe hinein. / Ich gehe rein. • 4. Ich gehe hinaus. / Ich gehe raus.

3a 2. 1 • 3. 2 • 4. 3 • 5. 2 • 6. 1

3b 2. wenn • 3. als • 4. wenn • 5. Als • 6. als • 7. wenn • 8. Wenn • 9. als

3c 2. Immer wenn ich im Hotel angerufen habe, war die Leitung besetzt. • 3. Als ich in Hamburg angekommen bin, hat es stark geregnet. • 4. Jedes Mal wenn ich ein Taxi rief, musste ich lange warten.

3d 2. Ich esse immer Fischbrötchen, wenn ich die Landungsbrücken besuche. • 3. Es regnet jedes Mal, wenn ich durch die Stadt gehe.

16D An der Hotelrezeption

1 2. Der Hotelchef liest die Beschwerden. / Die Beschwerden liest der Hotelchef. • 3. Herr Reinhardt zahlt das Frühstück. / Das Frühstück zahlt Herr Reinhardt.

Rechtschreibung

2. dass • 3. seinen • 4. passt • 5. Friesennerz • 6. wasserdicht • 7. groß • 8. musste • 9. schließlich • 10. sollte • 11. Erdgeschoss •

12. Haustür • 13. Gummistiefel • 14. nasse • 15. Füße • 16. Herbst

Lektion 17

17A Werbeartikel, aber welche?

1 2. die Smartphonehülle • 3. der Kugelschreiber • 4. der Bildschirmreiniger • 5. die Haftnotizen • 6. der USB-Stick

2 2. a • c • d • 3. a • b • c • 4. b • c • d • 5. a • c • d

3 2. Wo / wann braucht man das Produkt? • 3. Wie viel kostet das Produkt? • 4. Welchen Vorteil hat das Produkt? • 5. Was kann man mit dem Produkt machen?

17B Zusammen entscheiden

1 2E • 3A • 4F • 5C • 6D

2a 3. Die Mitarbeiter von Adler sind nicht so alt wie die Mitarbeiter von Bauer. • 4. Der Umsatz von Adler ist nicht so hoch wie der (Umsatz) von Bauer. • 5. Die Firma Bauer ist genauso groß wie die Firma Adler. • 6. Die Firma Adler ist nicht so bekannt wie die Firma Bauer.

2b 2. länger • am längsten • am jüngsten • stärker • am stärksten • 3. teurer • am teuersten • dunkler • am dunkelsten • 4. am beliebtesten • runder • am rundesten • am preiswertesten • 5. am hübschesten • kürzer • am kürzesten • größer • am größten • praktischer • am praktischsten • 6. näher • am nächsten • höher • am höchsten • besser • am besten • lieber • am liebsten • mehr • am meisten

2c 2. am stärksten • 3. am höchsten • 4. höher • 5. moderner • 6. am modernsten • 7. neuer • 8. flexibler • 9. sauberer • 10. umweltfreundlicher • 11. am meisten • 12. besser • 13. motivierter • 14. zufriedener

2d 2. als • 3. als • 4. wie • 5. wie • 6. als

3 2. nicht so • wie • 3. nicht so • wie • als • 4. am • 5. genauso • wie • am • 6. als • 7. nicht so • wie • 8. am

17C Wie ist Ihr Angebot?

1a 2. die Preisangabe • 3. das Angebot • 4. die Anfrage • 5. der Anschluss • 6. die Ansprechpartnerin

1b 2. Angebot • 3. Anschluss • 4. Preisangabe • 5. Anfrage • 6. Ansprechpartnerin

2a 3. Würdest • 4. Würdet • 5. würden • 6. würde

2b

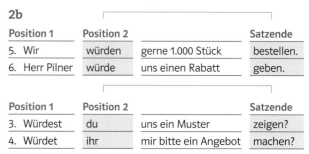

Position 1	Position 2		Satzende
5. Wir	würden	gerne 1.000 Stück	bestellen.
6. Herr Pilner	würde	uns einen Rabatt	geben.

Position 1	Position 2		Satzende
3. Würdest	du	uns ein Muster	zeigen?
4. Würdet	ihr	mir bitte ein Angebot	machen?

Regeln: 1. Position 2 • Satzende • 2. Position 1 • Satzende

2 c 2. Wären • 3. Hättet • 4. Dürfte • 5. Könntest • 6. Wäre

2 d 2. Würden / Könnten Sie mir bitte Bescheid geben? • 3. Würden / Könnten Sie mir bitte ein Angebot machen? • 4. Würden / Könnten Sie bitte die Anfrage beantworten? • 5. Dürfte ich um eine Preisliste bitten?

2e 2. Dürfte ich Sie um eine Preisliste bitten? • 3. Wäre es möglich, dass Sie in 5 Tagen liefern? • 4. Könntest du mir bitte helfen? • 5. Hätten Sie einen Lösungsvorschlag für das Problem? • 6. Ich hätte gern einen Termin.

3 2b • 3a • 4b • 5c

17D Das Angebot kommt

1 2E • 3F • 4A • 5C • 6B • 7D

2a 2. ins • 3. an • 4. in

2b 2. in das / an das • 3. an den • 4. in die • 5. an den

3a 2r • 3f • 4r

3b 2. Theaterkarte: 7% • 3. Schlüsselband: 19% • 4. Laptop: 19% • 5. Kleidung: 19% • 6. DVD: 19% • 7. Apfel: 7% • 8. Milch: 7% • 9. Süßigkeiten: 7% • 10. Hotelzimmer: 7% • 11. Essen im Restaurant: 19% • 12. Buch: 19%

Rechtschreibung

1 2. Symbol • 3. Firmenbroschüre • 4. Kostüm • 5. typisch • 6. Psychologe • 7. Büro • 8. Marktanalyse • 9. Betriebssystem • 10. Rhythmus

2 „ü": jünger • dünn • „u": Umzug • Muster • Kurs • Kundenservice

Lektion 18

18A Berufskleidung

1a **Medizin / Pflege:** Altenpfleger • Ärztin • medizinische Fachkraft • Krankenschwester **Handwerk:** Elektriker • Mechanikerin • Elektronikerin • **Kochen / Gastronomie:** Kellner • Köchin • **Dienstleistungen:** Bankkaufmann • Busfahrerin • Gärtner • Makler • Journalist

1b 1. der Klettverschluss • 3. der Reißverschluss • 4. der Zollstock • 5. der Ärmel

2 außen + die Tasche = die Außentasche, -n • der Bäcker + die Hose = die Bäckerhose, -n • der Bäcker + die Jacke = die Bäckerjacke, -n • der Bäcker + die Mütze = die Bäckermütze, -n • die Brust + die Tasche = die Brusttasche, -n • drücken + der Knopf = der Druckknopf, ̈e • das Gesäß + die Tasche = die Gesäßtasche, -n • das Handy + die Tasche = die Handytasche, -n • das Handy + das Fach = das Handyfach, ̈er • das Knie + die Tasche = die Knietasche, -n • kochen + die Hose = die Kochhose, -n • kochen + die Jacke = die Kochjacke, -n • kochen + die Mütze = die Kochmütze, -n • kochen + die Schürze = die Kochschürze, -n • der Latz + die Hose = die Latzhose, -n • Seite + die Tasche = die Seitentasche, -n • stehen + der Kragen = der Stehkragen, - • die Stifte + das Fach = das Stiftefach, ̈er • die Stifte + die Tasche = die Stiftetasche, -n

18B Eine Reklamation

1a 2. enthält • 3. korrekt • 4. nicht erfolgt • 5. umgehend • 6. zugesagt

1b 1E • 2D • 3C • 4B

2 2a • 3b • 4a • 5b

3a 1. **Regel:** 2 • 2. **Regel:** 3 • 4

3b 2N • 3N • 4A • 5A • 6D • 7D • 8D

3c 2. die • 3. die • 4. den • 5. das • 6. der • 7. denen • 8. dem

3d 2. Die Ware, auf die wir gewartet haben, ist endlich angekommen. • 3. Die Umstände, für die wir uns entschuldigen möchten, bedauern wir. • 4. Die Firma Mertens, für die Herr Renz schon lange arbeitet, ist eine Großhandelsfirma. • 5. Frau Mahler, an die die Reklamation geht, ist erst seit zwei Jahren bei Mertens.

18C Richtig angezogen im Beruf

1 2a • 3c • 4b • 5b • 6a • 7c

2a 1. sollte • 2. Sollte • solltest • 3. Sollten • solltet • 4. sollten • sollte

2b 2E • 3B • 4B • 5E • 6B

2c 2. Ich sollte die Jacke lieber in Grün nehmen. • 3. Könnte ich die Ware auf Bestellschein kaufen? • 4. Sie sollten die Clogs in Weiß nehmen. • 5. Könnten Sie die Rechnung an die Praxis schicken?

3 2. passt • 3. weit • 4. Größe • 5. kurz • 6. in • 7a. läuft • 7b. ein • 8. in • 9. nehme

4a 2. Sie braucht keine Kleidung zu bestellen. 3. Die Verkäuferin braucht nicht im Lager nachzuschauen. • 4. Sie braucht keine Einzelbestellung einzugeben. • 5. Die Kundin braucht nicht zu bezahlen.

4b 2. Der Kunde braucht die Kleidung nur zu bestellen, denn die Rechnung bezahlt die Firma. • 3. Der Kunde braucht die Jacke nur anzuprobieren, denn die Firma nimmt immer das gleiche Modell. • 4. Die Verkäuferin braucht die Hose nur zu holen, das Geschäft hat die Hose in Extralang im Lager. • 5. Die Verkäuferin muss den Mantel nur bestellen, der Großhandel hat den Mantel auch in Grün. • 6. Der Kunde braucht nur noch einmal wiederzukommen.

5a B. Ka • C. Ku • D. Ku • E. Ka • F. Ka • Ku

5b 2B • 3E • 4C • 5F • 6A

5c 2r • 3f • 4f • 5r • 6r

6 2D • 3A • 4E • 5F • 6B

18D Die Ware ist mangelhaft!

1 2b • 3c • 4a • 5b

2a 2. zu + D • 3. auf + A • 4. auf + A • 5. auf + A • 6. für + A • 7. auf + A • 8. zu + D • 9. an + A • 10. in + D

2b *Mögliche Lösungen:* 2. Ein weißer Arztmantel und eine weiße Hose gehören zur Berufskleidung von einem Arzt. • 3. Ich freue mich auf unsere neuen T-Shirts mit dem Firmenlogo. • 4. Bitte überweisen Sie den Betrag umgehend auf mein Konto. • 5. Er hofft auf einen Rabatt. • 6. Eine Jeans ist nicht für den Büroalltag geeignet. • 7. Sie konzentriert sich auf das Wichtige. • 8. Sie ist zum Firmenjubiläum eingeladen. • 9. Sie haben die Ware an die falsche Adresse geliefert. • 10. Ich bestelle die Arbeitshose in Größe 38 in Blau.

Rechtschreibung

1a/b 2. kennen • 3. kommen • 4. Hose • 5. Herren • 6. hören • 7. groß • 8. Größe • 9. lesen • 10. lösen • 11. Loch • 12. Löcher

1c a

Lektion 19

19A Interne Fortbildung EDV

1a 2. der Touchscreen, -s • 3. die Maus, ̈e • 4. der USB-Stick, -s • 5. das Headset, -s • 6. der Monitor, -e • 7. die Festplatte, -n • 8. die Tastatur, -en • 9. der Drucker, - • 10. die Speicherkarte, -n

1b 2. Speicherkarte • 3. Tastatur • 4. USB-Stick • 5. Festplatte • 6. Touchscreen

2a 2. sperren • 3. einrichten • 4. sichern • 5. durchführen • 6. öffnen • 7. anordnen • 8. einrichten • 9. ziehen • 10. anlegen

2b 2. b • c • d • 3. a • b • d • 4. a • b • c • 5. a • c • d • 6. a • b • c

3a 2C • 3E • 4H • 5F • 6B • 7A • 8G

3b Anzeige 2 passt.

4a 1. Der Anschluss der Kamera-, des Monitors, und des Tablets. • 2. Der Anschluss der Tastatur-, des Headsets, und des Sticks. • 3. Die Anschlüsse der Telefone, der Drucker und der Lampen.

4b 2. der Vortrag eines Fachreferenten • 3. die Unterlagen einer EDV-Dozentin • 4. das Büro eines Projektteams • 5. die Frage eines Kollegen • 6. die Kosten eines Computerkurses • 7. die Sicherheit eines WLAN-Netzes • 8. die Probleme von Teilnehmern

4c 2. einer Sperrung- • 3. des Arbeitsplatzes • 4. der Firmendaten • 5. eines Backups • 6. des Virenscanners • 7. eines öffentlichen Netzes • 8. der Firmendaten • 9. eines Kollegen • 10. eines Virenschutzprogramm(e)s • 11. eines Computerkurses

4d 2. Herr Mairs Computer • 3. Lars' Notizen • 4. Frau Sanz` Schulung • 5. Katja Ruges Chefin • 6. Max` Dienstreise

19B Die EDV-Schulung

1 2. b • c • 3. a • c • 4. a • b • 5. a • c • 6. b • c

2a 2. cmd + F • 3. cmd + enter • 4. cmd + backspace • 5. cmd + C • 6. cmd + X • 7. cmd + V • 8. cmd + ⇧ + ?

2b 2A • 3D • 4G • 5B • 6E • 7C

3a/b 2. dieser • dieser 3. dieses • Dieses 4. diesem • diesem 5. dieser • Dieser • 6. diesem • diesem
Regel: a

3c 1. diesem • 2. dieses • diesem • 3. diesen • diesen • 4. Dieser • diesen • 5. dieser • 6. Dieses • 7. Dieses

3d 2. Diese • die • 3. Diesen • den • 4. Diese • die • 5. Dieses • das • 6. diesen • denen

19C Die Evaluierung

1 2. welcher • 3. Welche • 4. welchen • 5. welchem • 6. welchem • 7. welcher

2a 2. Was für einen • 3. Was für ein • 4. Was für • 5. Was für ein • 6. was für einem

2b 2. Was für einen Virenscanner benutzen Sie? • 3. Was für ein Passwort gibt man ein? • 4. Was für eine Dozentin leitet den Kurs? • 5. Was für Kollegen besuchen die Schulung?

19D Mobile Arbeit

1a **Verben:** arbeiten • **(zusammengesetzte) Nomen:** der Arbeitnehmer, - • der Arbeitsplatz, ̈e • das Arbeiten (nur Sg.) • der Mitarbeiter, - • der Arbeitsort, -e • die Arbeitsfläche, -n • **Adjektive:** -

1b **Verben:** bearbeiten • mitarbeiten • nacharbeiten • verarbeiten • vorarbeiten • zusammenarbeiten • **(zusammengesetzte) Nomen:** die Arbeitsanweisung, -en • der Bauarbeiter, - • der Arbeitsbereich, -e • die Computerarbeit, -en • das Arbeitsergebnis, -se • die Gruppenarbeit, -en • das Arbeitsklima (nur Sg.) • der Mitarbeiter, - • der Arbeitsplatz, ̈e • die Zeitarbeit (nur Sg.) die Arbeitszeit, -en • der Vorarbeiter • die Zusammenarbeit, - • **Adjektiv:** arbeitsreich

Rechtschreibung

1a 2. anhängen – der Dateianhang • 3. der EDV-Anfänger – anfangen • 4. ein Programm wählen – die Programmwahl • 5. die Verträge – der Vertrag • 6. ein Programm erklären – klar • 7. die Sätze – der Satz • 8. eine eintägige Schulung – ein Tag

1b 2. senden • 3. beschäftigen • 4. rückgängig • 5. die Sperrung • 6. die Kenntnisse • 7. das Gerät • 8. das WLAN-Netz • 9. die Technik • 10. die Qualität • 11. der Stress • 12. ergänzen

Lektion 20

20A Zeit für ein Meeting?

1a 2. Meeting • 3. Besprechung • 4. Treffen • 5. Sitzung • 6. Tagung

1b 2. besprochen • 3. gesprochen • 4. sprechen • 5. besprechen • 6. Sprich • **Regeln:** 1b • 2a

2 2. vorstellen • 3. abgenommen • 4. integrieren • 5. halten

3a 2C • 3E • 4B • 5A

3b 2. Wechseln Sie immer wieder die Sitzposition, damit sie keine Rückenprobleme bekommen. • 3. Arbeiten Sie bei heller Beleuchtung, damit Sie besser sehen. • 4. Stellen Sie den Monitor auf die richtige Höhe ein, damit der Hals entspannt bleibt. • 5. Wählen Sie die richtige Tischhöhe, damit die Beine genug Platz haben.

3c 2. Er hat einen Termin mit der Personalchefin, damit sie ihn über das Programm informiert. • 3. Die Personalchefin zeigt ihm die Sporträume, damit er aktive Mitarbeiter kennenlernt. • 4. Die Teamleiter sollen mit den Mitarbeitern sprechen, damit sie von ihren Erfahrungen berichten. • 5. Er schreibt ein Protokoll, damit er keine wichtigen Informationen vergisst.

3d 2. Damit sie ihn über das Programm informiert, hat er einen Termin mit der Personalchefin. • 3. Damit er aktive Mitarbeiter kennenlernt, zeigt die Personalchefin ihm die Sporträume. • 4. Damit sie von ihren Erfahrungen berichten, sollen die Teamleiter mit den Mitarbeitern sprechen. • 5. Damit er keine wichtigen Informationen vergisst, schreibt er ein Protokoll.

4 2. …, damit er nicht umsteigen muss. • 3. …, damit er unterwegs noch etwas arbeiten kann. • 4. …, damit er im Zug wichtige E-Mails beantworten kann. • 5. …, damit er keine Zeit mit Suchen verlieren muss.

20B Organisation ist alles

1 *Mögliche Lösung:* Liebe Frau Wenzel, wir planen eine Mitarbeiterschulung zum Thema „Zeitmanagement". Ich würde mich freuen, wenn Sie in unserem Projektteam mitarbeiten würden. Aus diesem Grund möchte ich Sie herzlich zu einer Besprechung einladen. Das Treffen findet am 20.04. statt, Beginn: 9:30 Uhr. Ende spätestens 15:00 Uhr. Ort: Raum 307, Gebäude A, 3. Etage. Die Tagesordnung finden Sie im Anhang.
Mit freundlichen Grüßen, …

2a 2. eine • 3. einer • 4. einen • 5. eins • 6. einen

2b 2D: Papier • welches • 3F: Zucker • keinen • 4A: Einladung • keine • 5H: Kleingeld • keins • 6E: Servietten • welche • 7C: ein Stück Pizza • Eins • 8G: Notizblock • einen

3 2b • 3b • 4a • 5b

20C Die Besprechung

1a 2. der Beschluss • 3. die Bildung • 4. die Diskussion • 5. die Präsentation • 6. die Begrüßung

1b Präsentation • Diskussion • Beschluss • Erstellung • Bildung

1c 2D • 3F • 4E • 5B • 6C • 7H • 8A

2a 2a • 3b • 4a • 5b • 6a • 7b

2b 2. Die Teilnehmer klären die organisatorischen Fragen. • 3. Die Leitung wählt einen Protokollanten. • 4. Man bespricht die einzelnen Punkte. • 5. Die Sitzungsleitung fasst die Ergebnisse zusammen. • 6. Sie verteilt die Aufgaben. • 7. Und sie verabschiedet die Teilnehmer.

3 2S • 3T • 4T • 5T • 6S • 7T • 8S

20D Das halten wir fest

1a 2. annehmen • 3. durchführen • 4. setzen • 5. einholen • 6. erstellen

1b 2. Die Teilnehmer haben die Änderung der Tagesordnung angenommen. • 3. Unsere Abteilung hat zum Bedarf an Sportangeboten eine Umfrage durchgeführt. • 4. Frau Kliem hat sich mit der Geschäftsführung in Verbindung gesetzt. • 5. Herr Wolf hat verschiedene Angebote für Fitnessgeräte eingeholt. • 6. Die Projektleitung hat für das nächste halbe Jahr einen Zeitplan erstellt.

2 2. …, man zeigen muss, wie fit man ist. • 3. … die Firma mit den Sportangeboten attraktiver ist. • 4. … Ich mache bestimmt mit. • 5. … das Projekt für unsere Firma sehr wichtig ist. • 6. … das Projekt gut für das Betriebsklima ist.

3a 2a • 3b • 4a • 5b • 6a • 7a • 8b

3b 2. Sie hat ein neues Fitnessstudio eingerichtet, damit das Training den Mitarbeitern Spaß macht. / Damit das Training den Mitarbeitern Spaß macht, hat sie ein neues Fitnessstudio eingerichtet. • 3. Das Betriebsklima wird besser, wenn die Kollegen gemeinsam Sportkurse besuchen. / Wenn die Kollegen gemeinsam Sportkurse besuchen, wird das Betriebsklima besser. • 4. Einige Kollegen denken, dass man nach dem Training nicht pünktlich am Arbeitsplatz ist. / Dass man nach dem Training nicht pünktlich am Arbeitsplatz ist, denken einige Kollegen. • 5. Sport in der Mittagspause ist sinnvoll, da man mehr Energie als nach einem Kantinenessen hat. / Da man mehr Energie als nach einem Kantinenessen hat, ist Sport nach der Mittagspause sinnvoll.

Rechtschreibung

1a/b 1. gleich: keine – keine • 2. nicht gleich: eine – einer • 3. nicht gleich: welcher – welche • 4. gleich: bewerbe – bewerbe • 5. gleich: Stifte – Stifte • 6. nicht gleich: Länge – länger • 7. gleich: Schilder – Schilder • 8. nicht gleich: Angestellter – Angestellte • 9. gleich: arbeite – arbeite • 10. nicht gleich: Pflege – Pfleger

1c „Schwa" [ə]: keine • welche • **vokalisches „r"** [ɐ]: einer • Schilder

Im Folgenden finden Sie die Transkriptionen der Hörtexte im Übungsbuch, die weder dort noch in den Lösungen abgedruckt sind.

Lektion 12

▶ 4|43 *Herr Winter:* Also, zuerst hält unser Chef seine Rede.
Frau Mähren: Natürlich. Wie lange dauert das denn?
Herr Winter: Wahrscheinlich eine halbe Stunde. Und was machen wir danach?
Frau Mähren: Wir können eine PowerPoint-Präsentation von der Firmengeschichte zeigen.
Herr Winter: Nein, keine Präsentation. Denn das dauert sehr lang und ist langweilig.
Frau Mähren: Wir können auch Fotos aus der Firmengeschichte auf Postern präsentieren. Das kann jeder allein lesen.
Herr Winter: Die Idee gefällt mir. Wollen wir am Ende ein Quiz über die Firmengeschichte machen?
Frau Mähren: Ja, der Vorschlag ist gut. Denn das macht allen Spaß. Soll ich die Fragen notieren?
Herr Winter: Ja, gut. Dann bereite ich die Poster mit den Fotos vor.
Frau Mähren: Und was ist mit Musik? Ich kann Jazzmusiker organisieren.
Herr Winter: Jazzmusik? Ich bin dagegen, denn die Mitarbeiter wollen doch tanzen.
Frau Mähren: Sie haben recht. Dann suchen wir einen DJ.
Herr Winter: Gute Idee.

Lektion 14

▶ 4|47 *Hotline-Ansage:* Hier ist die Hotline von „Computer Rhein" – Ihrer Computerfirma! Beratung, Verkauf, Lieferung und Wartung – alles aus einer Hand!
Wenn Sie Informationen über unsere Produkte wollen, wählen Sie die „Eins". Wenn Sie technische Probleme haben, wählen Sie die „Zwei". Wenn Sie sich über eine Lieferung informieren möchten, wählen Sie die „Drei". Wenn Sie einen Kaufberater sprechen möchten, wählen Sie die „Vier".
Sie haben die „Vier" gewählt. Im Moment sind alle Berater im Gespräch, legen Sie bitte nicht auf! Der nächste freie Mitarbeiter ist gleich für Sie da.
Bitte legen Sie nicht auf. Der nächste freie Mitarbeiter ist gleich für Sie da.
Im Moment sind alle Mitarbeiter im Gespräch. Wenn Sie nicht mehr warten möchten, legen Sie bitte auf!

▶ 4|48 *Emma:* Hallo! Hier Emma Klein.
David: Hallo, hier ist David. Du, Emma, ich kann leider heute Abend nicht kommen. Ich habe meinen Artikel noch nicht fertig. Tut mir leid!
Emma: Oh, schade! Können wir die Installation vielleicht kurz am Telefon besprechen? Ich denke, ich hab' vielleicht einen Fehler gemacht. Ich notier' kurz die Punkte. Geht das?
David: Ja, ja, das geht. Ähm. Also erstens – ganz wichtig! – den Netzstecker aus der Steckdose ziehen.
Emma: O.K. Netzstecker aus Steckdose ziehen. Und dann?
David: Zweitens: die Ethernet-Kabel: Grau kommt in das Modem und in den Internet-Anschluss vom Router.
Emma: Ja. Ethernet Kabel grau in das Modem und den Internet-Anschluss vom Router. Gut.

David: Drittens: das zweite Ethernet-Kabel, blau: Das kommt in den Ethernet-Anschluss vom Computer und in den LAN-4-Anschluss vom WLAN-Router.
Emma: Genau. Blau: Ethernet-Anschluss vom Computer und LAN-4-Anschluss vom Router. Hab' ich. Ähm, also. Und dann natürlich Netzstecker wieder in die Steckdose stecken. Fertig! Die Software hab' ich ja schon installiert.
David: Nee, nicht fertig! Du hast die Software installiert, aber hast du auch ein Update gemacht?
Emma: Nein, wieso? Die CD ist doch neu.
David: Ja schon, aber es gibt fast immer ein Update. Mach das mal. Vielleicht war das der Fehler.
Emma: Ja, das kann sein. Ich versuch' es. Tausend Dank!
David: Nichts zu danken, viel Glück. – Tschüss dann.
Emma: Ja, tschüss. Und viel Erfolg beim Schreiben!

Lektion 18

▶ 4|52 *Sprecherin:* 1. können
Sprecher: 2. kennen
Sprecherin: 3. kommen
Sprecher: 4. Hose
Sprecherin: 5. Herren
Sprecher: 6. hören
Sprecherin: 7. groß
Sprecher: 8. Größe
Sprecherin: 9. lesen
Sprecher: 10. lösen
Sprecherin: 11. Loch
Sprecher: 12. Löcher

Lektion 20

▶ 4|54 *Sprecher:* 1. keine – keine
Sprecherin: 2. eine – einer
Sprecher: 3. welcher – welche
Sprecherin: 4. bewerbe – bewerbe
Sprecher: 5. Stifte – Stifte
Sprecherin: 6. Länge – länger
Sprecher: 7. Schilder – Schilder
Sprecherin: 8. Angestellter – Angestellte
Sprecher: 9. arbeite – arbeite
Sprecherin: 10. Pflege – Pfleger

▶ 4|56 *Sprecher:* keine
Sprecherin: einer
Sprecher: welche
Sprecherin: Schilder

Bildquellen

Cover: Corbis (Hero Images), Berlin; **8.1** Fotolia.com (W. Heiber Fotostudio), New York; **8.2** Thinkstock (monkeybusinessimages), München; **8.3** Thinkstock (Allan Danahar), München; **8.4** Thinkstock (Chris Clinton), München; **10.1** Thinkstock (thumb), München; **10.2** Thinkstock (scaliger), München; **10.3** Thinkstock (Ridofranz), München; **10.4** Thinkstock (Pekka Jaakkola), München; **10.5** Thinkstock (Izaokas Sapiro), München; **10.6** Shutterstock (Mega Pixel), New York; **10.7** Thinkstock (macbrianmun), München; **10.8** Fotolia.com (imaginando), New York; **11.1–11.2** Thinkstock (yayayoyo), München; **11.3** Thinkstock (Yael Weiss), München; **12.1** Thinkstock (Joe Gough), München; **12.2** Thinkstock (karandaev), München; **12.3** Thinkstock (ajafoto), München; **12.4** Thinkstock (tpzijl), München; **12.5** Shutterstock (Francesco83), New York; **12.6** Thinkstock (WinterStorm), München; **12.7** Thinkstock (jacus), München; **12.8** Shutterstock (pilipphoto), New York; **12.9** Shutterstock (stanislaff), New York; **12.10** Thinkstock (slav), München; **12.11** Thinkstock (mico_images), München; **12.12** Thinkstock (travis manley), München; **12.13** Shutterstock (JM-Design), New York; **24** © IfD-Umfrage 9694, Sparda-Studie „Wohnen in Deutschland", 2013; **26.1** Thinkstock (Margo Harrison), München; **26.2** Thinkstock (Goxi), München; **26.3** Shutterstock (ryby), New York; **26.4** Shutterstock (kzww), New York; **26.5** Thinkstock (Alexander_Tarassov), München; **26.6** Thinkstock (igor terekhov), München; **26.7** Thinkstock (BLUEXHAND), München; **26.8** Thinkstock (Matteo De Stefano), München; **26.9** Thinkstock (jocic), München; **26.10** Shutterstock (Steve Bower), New York; **26.11** Shutterstock (satit_srihin), New York; **26.12** Thinkstock (Stephanie Corbel), München; **26.13** Shutterstock (Cienpies Design), New York; **26.14** Shutterstock (Mayovskyy Andrew), New York; **26.15** Thinkstock (MichaelJay), München; **26.16** Thinkstock (Zoonar RF), München; **26.17** Shutterstock (rangizzz), New York; **26.18** Shutterstock (ppart), New York; **26.19** Thinkstock (Hemera Technologies), München; **26.20** Thinkstock (Ryan McVay), München; **28.1–28.3** Wirtgen Group (www.wirtgen-group.com), Windhagen; **30.1–30.8** Wirtgen Group (www.wirtgen-group.com), Windhagen; **31.1–31.3** Wirtgen Group (www.wirtgen-group.com), Windhagen; **32** Thinkstock (Eldad Carin), München; **34.1–34.2** Hamm AG (www.hamm.eu), Tirschenreuth; **34.3** Wirtgen Group (www.wirtgen-group.com), Windhagen; **34.4–34.5** Hamm AG (www.hamm.eu), Tirschenreuth; **38.1–38.6** BEUMER Group (www.beumergroup.com), Beckum; **39** BEUMER Group (www.beumergroup.com), Beckum; **42** Thinkstock (VladZymovin), München; **46.1–46.3** serva transport systems GmbH (www.serva-ts.com), Grabenstätt; **50.1** Thinkstock (Igor Lale), München; **50.2** Thinkstock (jaym-z), München; **50.3** Thinkstock (ER_Creative), München; **50.4** Shutterstock (megastocker), New York; **50.5** Thinkstock (Katarzyna-Bialasiewicz), München; **51.1** getty images (Hybrid Images), München; **51.2** Thinkstock (Minerva Studio), München; **51.3** Thinkstock (AlexRaths), München; **51.4** Shutterstock (Lucky Business), New York; **54.1** Fotolia.com (compuinfoto), New York; **54.2** Thinkstock (Nataliya Hora), München; **54.3** Thinkstock (zhuzhu), München; **54.4** Thinkstock (gemenacom), München; **54.5** Thinkstock (gemenacom), München; **54.6** Fotolia.com (fefufoto), New York; **55.1–55.2** Thinkstock (angelha), München; **55.3** Thinkstock (dutch iconaA), München; **55.4** Thinkstock (Oleg_Grafkov), München; **55.5** Thinkstock (tkacchuk), München; **56.1–56.2** Thinkstock (sidmay), München; **60.1** Thinkstock (Rony Zmiri), München; **60.2** Shutterstock (Tito Wong), New York; **60.3** Shutterstock (Osugi), New York; **60.4–60.5** Thinkstock (Azaze11o), München; **62.1** Shutterstock (trekandshoot), New York; **62.2** Thinkstock (HS3RUS), München; **62.3** Thinkstock (FlairImages), München; **62.4** Shutterstock (trekandshoot), New York; **62.5** Thinkstock (HS3RUS), München; **62.6** Shutterstock (Denys Prykhodov), New York; **62.7** Shutterstock (Vale-Stock), New York; **64.1** Shutterstock (canadastock), New York; **64.2** Shutterstock (Olaf Schulz), New York; **64.3** Shutterstock (IndustryAndTravel), New York; **64.4** Shutterstock (canadastock), New York; **70.1–70.9** Louis Widmer SA (www.louis-widmer.com), Schlieren (Schweiz); **71.1–71.8** Louis Widmer SA (www.louis-widmer.com), Schlieren (Schweiz); **72.1** Klett-Archiv (Andreas Kunz), Stuttgart; **72.2** Shutterstock (Nicole Gordine), New York; **72.3** Shutterstock (bookzaa), New York; **72.4** Thinkstock (_human), München; **72.5** Fotolia.com (jehafo), New York; **72.6** Thinkstock (fotodima), München; **72.7** Thinkstock (Parfyonova Tatyana), München; **72.8** Thinkstock (kurga), München; **72.9** Thinstock (serggn), München; **72.10** Shutterstock (design56), New York; **72.11** Fotolia.com (ratatosk), New York; **82.1–82.3** engelbert strauss GmbH & Co. KG; **83.1** © Bierbaum-Proenen; **83.2** Thinkstock (zimindmitry), München; **83.3** Shutterstock (Akulova), New York; **83.4** Shutterstock (vdimage), New York; **83.5** Shutterstock (hsagencia), New York; **83.6** agefotostock.com (davide chiarito), Madrid; **83.7** Thinkstock (llevinatis), München; **83.8** Thinkstock (kgfoto), München; **84.1** Thinkstock (kgfoto), München; **84.2** engelbert strauss GmbH & Co. KG; **84.3** MASCOT; **84.4** © Bierbaum-Proenen; **92.1** Thinkstock (winterling), München; **92.2** Thinkstock (Bet_Noire), München; **94.1** Fotolia.com (aldorado), New York; **94.2** Shutterstock (alexdrim), New York; **94.3** Shutterstock (Timashov Sergiy), New York; **94.4** Thinkstock (Catuncia), München; **94.5** Shutterstock (irinap), New York; **94.6** Thinkstock (risck), München; **98.1** Thinkstock (monkeybusinessimages), München; **98.2** © ERGOTRON; **98.3** Thinkstock (Stockbyte), München; **98.4** Thinkstock (IPGGutenbergUKLtd), München; **98.5** Thinkstock (LifeImagesLLC), New York; **102.1–102.8** K+S Aktiengesellschaft (www.k-plus-s.com), Kassel; **103** K+S Aktiengesellschaft (www.k-plus-s.com), Kassel; **107.1** Thinkstock (Michal Szwedo), München; **107.2** Thinkstock (Fuse), München; **107.3** Thinkstock (Injenerker), München; **108** Thinkstock (monkeybusinessimages), München; **109.1** Thinkstock (Wavebreakmedia Ltd), München; **109.2** Thinkstock (monkeybusinessimages), München; **109.3** Thinkstock (AndreyPopov), München; **109.4** Thinkstock (Monkey Business Images), München; **109.5** Thinkstock (ajkkafe), München; **109.6** Thinkstock (Andrey Popov), München; **114** Thinkstock (monkeybusinessimages), München; **115** Shutterstock (bikeriderlondon), New York; **117** Thinkstock (tpzijl), München; **120.1** Fotolia.com (W. Heiber Fotostudio), New York; **120.2** Shutterstock (Sergey Peterman), New York; **120.3** Thinkstock (staycool_de), München; **120.4** Thinkstock (Jupiterimages), München; **120.5** Thinkstock (Monkey Business Images), München; **120.6** Thinkstock (DavidCPhotography), München; **124.1** Shutterstock (Room27), New York; **124.2** Thinkstock (Matteo De Stefano), München; **124.3** Shutterstock (loukia), New York; **124.4** Thinkstock (Goxi), München; **124.5** Thinkstock (ppart), München; **124.6** Shutterstock (ppart), New York; **124.7** Shutterstock (kzww), New York; **124.8** Thinkstock (BLUEXHAND), München; **124.9** Thinkstock (Michaela Stejskalová), München; **124.10** Thinkstock (Zoonar RF), München; **124.11** Thinkstock (Stephanie Corbel), München; **124.12** Shutterstock (ryby), New York; **124.13** Shutterstock (Mayovskyy Andrew), New York; **124.14** Thinkstock (Maksym Bondarchuk), München; **124.15** Thinkstock (de santis paolo), München; **124.16** Shutterstock (satit_srihin), New York; **128.1** Thinkstock (PeJo29), München; **128.2** Thinkstock (Robert Herhold), München; **128.3** Thinkstock (hanohiki), München; **128.4** Thinkstock (Robert Herhold), München; **133** Wirtgen Group (www.wirtgen-group.com), Windhagen; **135** Thinkstock (Eldad Carin), München; **136.1–136.2** Hamm AG (www.hamm.eu), Tirschenreuth; **139** Thinkstock (VladZymovin), München; **144** serva transport systems GmbH (www.serva-ts.com), Grabenstätt; **146** Shutterstock (Lucky Business), New York; **150.1–150.2** Thinkstock (angelha), München; **150.3** Thinkstock (dutch iconaA), München; **150.4** Thinkstock (Oleg_Grafkov), München; **150.5** Thinkstock (tkacchuk), München; **151.1** Shutterstock (Volkova Vera), New York; **151.2** Thinkstock (MileA), München; **151.3** Thinkstock (Tyler Olson), München; **151.4** Thinkstock (Iurii Lupol), München; **151.5** Thinkstock (zstoimenov), München; **152** Thinkstock (AndreyPopov), München; **155** Thinkstock (Adrian Sawvel), München; **157.1** Lieferando.de; **157.2** Deutsche Bahn AG; **157.3** © Chefkoch.de; **157.4** Thinkstock (dutch iconaA), München; **160** Thinkstock (Jupiterimages), München; **162** Klett-Archiv (Andreas Kunz), Stuttgart; **168.1** Thinkstock (slav), München; **168.2** Thinkstock (rmichaelballard), München; **168.3** Fotolia.com (jehafo), New York; **168.4** Thinkstock (Fuse), München; **168.5** Thinkstock (zakazpc), München; **168.6** Thinkstock (rahulpathak), München; **168.7** Thinkstock (MariuszBlach), München; **168.8** Thinkstock (albkdb), München; **168.9** Thinkstock

Textquellen

Alle Audios (auf CD) und alle Filme (auf DVD) im Medienpaket
und gratis online auf: www.klett-sprachen.de/daf-im-unternehmen-online

Internetverbindung mit mind. 2 Mbit, Internet Explorer 9 / Firefox 25 / Google Chrome 25 /
Mobile Safari unter IOS6 / Chrome für Android 4.2 oder höher